新 食品・栄養科学シリーズ　ガイドライン準拠

栄養教育論

中山玲子 ■ 宮崎由子　編

第6版

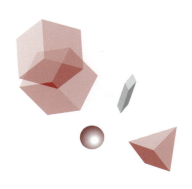

化学同人

編集委員

中山　玲子（京都女子大学特任教授・名誉教授）
宮崎　由子（前 龍谷大学農学部教授）

執筆者

中山　玲子	（京都女子大学特任教授・名誉教授）	1章, 3章, 5章, 9章
廣瀬　潤子	（京都女子大学家政学部教授）	1章, 5章
赤松　利恵	（お茶の水女子大学基幹研究院自然科学系教授）	2章, 3章
稲井　玲子	（奈良女子大学生活環境学部特任教授）	3章, 5章, 9章
北村　真理	（武庫川女子大学食物栄養科学部准教授）	4章
宮崎　由子	（前 龍谷大学農学部教授）	2章, 4章, 5章, 6章, 7章, 9章
山口　光枝	（広島国際大学健康科学部教授）	6章
能瀬　陽子	（兵庫大学健康科学部栄養マネジメント学科教授）	6章
上田由喜子	（龍谷大学農学部教授）	7章
岡崎　史子	（龍谷大学農学部講師）	7章
岡本　秀己	（前 梅花女子大学食文化学部教授）	8章, 10章

（執筆順）

新 食品・栄養科学シリーズ
企画・編集委員

坂口守彦（京都大学名誉教授）
成田宏史（京都栄養医療専門学校管理栄養士科教授）
西川善之（元 甲子園大学栄養学部教授）
森　孝夫（前 武庫川女子大学生活環境学部教授）
森田潤司（同志社女子大学名誉教授）
山本義和（神戸女学院大学名誉教授）

（五十音順）

はじめに

　わが国における健康・栄養施策は，目まぐるしい変革を続けている．食をめぐる問題点として，肥満や生活習慣病の増加，栄養バランスの偏った食事や不規則な食事の増加，「食」の安全上の問題の発生，過度の瘦身志向の増加，「食」の海外への依存，伝統ある食文化の喪失などがあげられる．その支援策として「食」を通じて豊かな人間形成と心身の健康の増進を目的とし，「食育基本法」「食育推進基本計画」「第3次食育推進基本計画」などが展開されている．また栄養教諭制度が創設され，学校の食育，家庭での食育において栄養教諭を中核とすることが掲げられている．

　さらに，平成20年（2008）4月から，特定健康診査・特定保健指導が始まり，その保健指導者として，医師，保健師のほかに管理栄養士が行うこととなり，動機付け支援や積極的支援の際には，行動科学を用いた健康・栄養教育の重要性が高くなっている．

　平成25年（2013）から「健康日本21（第2次）」が実施され，健康寿命の延伸，疾病の予防，重症化予防に加え，現在では高齢者の低栄養予防やフレイル予防などの活動を推進している．こうしたなか，管理栄養士・栄養士の社会的ニーズや期待はますます高まり，多様で高度な知識や技術と応用力および優れた見識と豊かな人間性が求められている．管理栄養士・栄養士が行う栄養教育では，対象者が乳幼児から高齢者までと幅広く，健康状態やライフスタイルなどに応じた適切な教育を実践しなければならず，栄養の専門家としてエビデンスやデータを基に論理的思考により，最適な栄養管理を提案していかなければならない．管理栄養士・栄養士養成校や実務の現場においては社会の現状やニーズを敏感に捉え，日々研鑽を積み，より専門性の高い教育をしていく必要がある．

　本書（第6版）は改定された日本人の食事摂取基準2020年版，日本食品標準成分表2020年版（八訂）および管理栄養士国家試験出題基準（ガイドライン2019）に準拠し，健康・栄養施策の変革や社会的ニーズに対応した最新の内容に改訂し，より行動変容のできる応用力を習得するための具体的な事例を加え，一層の充実を図ることとした．生活習慣病の一次予防および治療における栄養教育のマネジメントや栄養状態の評価・判定能力，対象者の行動変容に効果的な行動科学やカウンセリングの応用についても，具体的に記載し，新しい時代のニーズに沿った内容となるよう工夫した．

　本書を管理栄養士・栄養士養成校の教科書としてだけでなく，管理栄養士国家試験の受験対策や現場で活躍される栄養士の方々の生涯学習の参考書としても活用していただければ幸いである．最後に，第6版の出版に際して終始多大なるご尽力をいただいた，化学同人の山本富士子氏に心より感謝申し上げる．

2021年3月

執筆者を代表して　　中山玲子，宮崎由子

新 食品・栄養科学シリーズ──刊行にあたって

　今日，生活構造や生活環境が著しく変化し，食品は世界中から輸入されるようになり，われわれの食生活は多様化し，複雑化してきた．また，近年，がん，循環器病，糖尿病などといった生活習慣病の増加が健康面での大きな課題となっている．生活習慣病の発症と進行の防止には生活習慣の改善，とりわけ食生活の改善が重要とされる．

　食生活は，地球環境保全や資源有効利用の観点からも見直されなければならない．われわれの食行動や食生活は直接的・間接的に地球の資源や環境に影響を与えており，ひいては食料生産や食品汚染などさまざまな問題と関係して，われわれの健康や健全な食生活に影響してくるからである．

　健康を保持・増進し，疾病を予防するためには，各人がそれぞれの生活習慣，とりわけ食生活を見直して生活の質を向上させていくことが必要であり，そのためには誰もが食品，食物，栄養に関する正しい知識をもつことが不可欠である．

　こうした背景のなかで栄養士法の一部が改正され，2002（平成14）年4月より施行された．これは生活習慣病など国民の健康課題に対応するため，また少子高齢化社会における健康保持増進の担い手として栄養士・管理栄養士の役割が重要と認識されたためである．

　とりわけ管理栄養士には，保健・医療・福祉・介護などの各領域チームの一員として，栄養管理に参画し業務を円滑に遂行するため，また個人の健康・栄養状態に応じた栄養指導を行うために，より高度な専門知識や技能の修得とともに優れた見識と豊かな人間性を備えていることが要求されている．栄養士・管理栄養士養成施設では，時代の要請に応じて，そうした人材の養成に努めねばならない．

　こうした要求に応えるべく，「食品・栄養科学シリーズ」を改編・改訂し，改正栄養士法の新カリキュラムの目標に対応した「新 食品・栄養科学シリーズ」を出版することとした．このシリーズは，構成と内容は改正栄養士法の新カリキュラムならびに栄養改善学会が提案している管理栄養士養成課程におけるモデルコアカリキュラムに沿い，管理栄養士国家試験出題基準（ガイドライン）に準拠したものとし，四年制大学および短期大学で栄養士・管理栄養士をめざす学生，および食品学，栄養学，調理学を専攻する学生を対象とした教科書・参考書として編集されている．執筆者はいずれも栄養士・管理栄養士の養成に長年実際に携わってこられた先生方にお願いした．内容的にはレベルを落とすことなく，かつ各分野の十分な知識を学習できるように構成されている．したがって，各項目の取り上げ方については，教科担当の先生方で授業時間数なども勘案して適宜斟酌できるようになっている．

　このシリーズが21世紀に活躍していく栄養士・管理栄養士の養成に活用され，また食に関心のある方々の学びの手助けとなれば幸いである．

新 食品・栄養科学シリーズ

企画・編集委員

目 次

1 栄養教育の目的，目標

1.1 栄養教育と健康教育・ヘルスプロモーション ……………………………… 1
（1）栄養教育の定義 ……………………1
（2）健康とヘルスプロモーション ……2
（3）栄養教育と健康教育の定義 ………2

1.2 栄養教育の目的，目標 ……………………………………………………………… 2
（1）栄養教育の目的 ……………………2
（2）栄養教育の目標 ……………………3

1.3 わが国における健康づくり運動と栄養教育 …………………………………… 4
（1）わが国における健康づくり対策 …5
（2）栄養教育と生活の質（QOL）……6

1.4 栄養教育と生活習慣 ……………………………………………………………… 7
（1）生活習慣と生活習慣病 ……………7
（2）栄養教育と生活習慣（食生活，身体活動，喫煙，飲酒，休養，睡眠）……7

1.5 栄養教育の対象と機会 …………………………………………………………… 9
（1）ライフステージ・ライフスタイルから見た対象と機会 ………………9
（2）健康状態から見た対象と機会 ……10
（3）個人・組織・地域社会のレベル別に見た対象と機会 …………………10

コラム NCD（non-communicable disease，非感染性疾患） 8

練習問題 …………………………………………………………………………………… 13

2 栄養教育のための理論的基礎

2.1 栄養教育と行動科学 ……………………………………………………………… 15
（1）栄養教育の課題に応じた理論の選択と展開 ……………………………16
（2）栄養教育マネジメントにおける理論の活用 ……………………………16

2.2 行動科学の理論とモデル ………………………………………………………… 17
（1）刺激-反応理論（stimulus-response theory，S-R theory）………17
（2）行動分析 ……………………………19
（3）ヘルスビリーフモデル（健康信念モデル）………………………………20
（4）トランスセオレティカルモデル ……21
（5）計画的行動理論 ……………………23
（6）社会的認知理論 ……………………24
（7）ストレスマネジメント ……………26
（8）ソーシャルサポート ………………27
（9）コミュニティオーガニゼーション ……28
（10）イノベーション普及理論 …………28
（11）ヘルスリテラシー …………………29
（12）ナッジ ………………………………30

2.3 栄養教育マネジメントで用いる理論やモデル ………………………………… 31

- (1) プリシード・プロシードモデル……31
- (2) ソーシャルマーケティング……32
- (3) 生態学的モデル……32

2.4　栄養カウンセリング……33
- (1) 栄養カウンセラーの態度と倫理……33
- (2) 栄養カウンセリングの基本的考え方……35
- (3) 栄養カウンセリングの技法……36

2.5　カウンセリングの栄養教育への応用……37
- (1) 行動カウンセリング……37
- (2) 認知行動療法……39
- (3) 動機付け面接……39

2.6　栄養カウンセリングの方法……40
- (1) 行動変容の対象となる行動を決める……40
- (2) 行動変容の準備性を高める……41
- (3) 具体的な目標を設定する……43
- (4) 目標の達成度を確認する……44
- (5) 行動の維持をサポートする……45

2.7　組織づくり・地域づくりへの展開……46
- (1) セルフヘルプグループ……46
- (2) 組織づくり，ネットワークづくり……46
- (3) ソーシャルキャピタル（社会関係資本）……47

2.8　食環境づくりとの関連……48
- (1) 食物へのアクセスと栄養教育……48
- (2) 情報へのアクセスと栄養教育……48
- (3) 食環境にかかわる組織・集団への栄養教育……48
- (4) 食環境整備に関連した法律・制度・施策……50

コラム●重要性と自信　22／KABモデル　24／自己効力感(セルフ・エフィカシー)に関連する要因　25／普及の速さを決める条件　29／リスクコミュニケーション　30／栄養カウンセリングと心理カウンセリングの違い　34／管理栄養士・栄養士倫理綱領　35

練習問題……50

3　栄養教育マネジメント

3.1　栄養教育マネジメント……53

3.2　栄養教育マネジメントで用いる理論やモデル……54
- (1) プリシード・プロシードモデル……54
- (2) ソーシャルマーケティング……54
- (3) 生態学的モデル……54

3.3　健康・食物摂取に影響を及ぼす要因のアセスメント……54
- (1) 栄養教育のためのアセスメント……54
- (2) 栄養アセスメントの種類と方法……55

3.4 行動記録，行動分析 ……63
- （1）行動療法の手順と行動技法 …… 63
- （2）行動分析 …… 64
- （3）個人要因（知識，スキル，態度，行動）のアセスメント …… 64
- （4）環境要因（家庭，組織，地域）のアセスメント …… 64

3.5 情報収集の方法 …… 64
- （1）実測法での注意点 …… 64
- （2）情報収集 …… 64
- （3）優先課題の特定 …… 67

3.6 栄養教育の目標設定 …… 68
- （1）目標設定の意義と方法 …… 68
- （2）結果（アウトカム）目標 …… 69
- （3）行動目標 …… 70
- （4）学習目標 —— 知識，調理スキル，態度 …… 70
- （5）環境目標 …… 70

3.7 栄養教育計画立案 …… 70
- （1）学習者の決定 …… 70
- （2）全体計画・プログラム案・学習指導案の作成 …… 70
- （3）活動の場における栄養教育計画（教育計画，指導案の例）…… 72
- （4）期間・時期・頻度・時間の設定 …… 75
- （5）場所の選択と設定（場所の設営）…… 76
- （6）実施者の決定とトレーニング …… 76
- （7）教材の選択と作成 …… 76
- （8）学習形態の選択 …… 76

3.8 栄養教育プログラムの実施 …… 77
- （1）モニタリング …… 77
- （2）実施記録・報告 …… 77

3.9 栄養教育の評価 …… 77
- （1）栄養教育の評価の意義 …… 77
- （2）評価の基準と指標 …… 79
- （3）企画評価 …… 79
- （4）経過（過程）評価 …… 79
- （5）影響評価 …… 80
- （6）結果（アウトカム）評価 …… 80
- （7）形成的評価と総括的評価 …… 80
- （8）総合評価 …… 81
- （9）経済的評価（費用効果分析，費用便益分析，費用効用分析）…… 81
- （10）評価結果のフィードバック …… 81

コラム ● 栄養ケアプロセス（Nutrition care process, NCP）　54 ／特殊な機器を用いる身体構成組織の測定法　61 ／食事バランスガイド　75

練習問題 …… 82

4 ライフステージ・ライフスタイル別栄養教育　妊娠・授乳期の栄養教育の展開

4.1 妊娠期・授乳期の栄養教育の特徴と留意事項 …… 85
- （1）妊娠・授乳期の特徴 …… 85
- （2）妊娠前からの栄養教育の必要性 …… 87

4.2　妊娠期における栄養教育 ································· 87
　（1）妊娠期の栄養アセスメント ·········· 87
　（2）妊娠期の栄養教育のポイント ········ 88
　（3）栄養教育の機会と教材 ·············· 89
　（4）栄養教育に必要な指針・ガイドライン ································· 89
　（5）授乳期における栄養教育 ············ 92

4.3　集団栄養教育の展開 ··· 94

4.4　妊娠期の臨床栄養教育 ··· 95
　（1）つわりと悪阻 ······················ 95
　（2）妊娠貧血 ·························· 96
　（3）妊娠肥満 ·························· 96
　（4）妊娠高血圧症候群 ·················· 97
　（5）妊娠糖尿病 ························ 99

4.5　個人指導の展開例 ··· 100

コラム●育児性の育成　88

練習問題 ··· 102

5　ライフステージ・ライフスタイル別栄養教育　乳幼児期の栄養教育の展開

5.1　乳幼児期の栄養教育の特徴と留意事項 ··························· 103
5.2　食事のリズム・生活リズムの形成と栄養教育 ····················· 104
5.3　味覚・嗜好の形成と栄養教育 ··································· 105
5.4　乳汁栄養と栄養教育 ··· 105
5.5　離乳と栄養教育 ··· 108
5.6　幼児期の成長・発達と栄養教育 ································· 108
5.7　保育と栄養教育 ··· 114
　（1）保育所（保育園）および幼稚園等における栄養教育 ··············· 114
　（2）児童福祉施設における栄養教育 ···· 117

5.8　乳幼児期の臨床栄養教育 ··· 118
　（1）先天性代謝異常症 ················ 118
　（2）消化不良症 ······················ 120
　（3）乳幼児の肥満 ···················· 120
　（4）アレルギー疾患 ·················· 121
　（5）う　蝕 ·························· 122

コラム●子育て支援と栄養教育　118

練習問題 ··· 125

CONTENTS

6 ライフステージ・ライフスタイル別栄養教育　学童期・思春期の栄養教育の展開

6.1 学童期の栄養教育の特徴と課題 127
（1）学童期の特徴 ...... 127　　（2）学童期における課題 127

6.2 学童期の栄養教育 129
（1）家庭における食育 ...... 129　　（3）学校・家庭・地域が連携した食育の推進 131
（2）学校における食育の推進 129

6.3 学童期の集団栄養教育（小学校における栄養教育） 132
（1）教科等の活用 ...... 133　　（2）学校給食の活用 134

6.4 学童期の栄養教育（個別指導） 134
（1）個別指導の手順 ...... 134　　（2）食物アレルギーへの対応 135

6.5 思春期（青年期）の栄養教育の特徴と課題 135
（1）思春期（青年期）の特徴 ...... 135　　（2）思春期（青年期）の課題 137

6.6 思春期（青年期）の栄養教育 142
（1）ピアエデュケーション ...... 143　　（3）ICTを活用した教育 144
（2）学校における食育 ...... 143　　（4）スポーツをする生徒へのかかわり 144

6.7 思春期の集団栄養教育（中学校における栄養・健康教育） 144

6.8 思春期の栄養教育（栄養教育マネジメントを取り入れたプログラム） 144

練習問題 147

7 ライフステージ・ライフスタイル別栄養教育　成人期の栄養教育の展開

7.1 成人期の栄養教育の特徴と留意事項 149
（1）成人期のライフスタイルと食生活 ...... 150　　（2）特定健康診査・特定保健指導制度の見直し 151

7.2 ワーク・ライフ・バランスと栄養教育 153
（1）仕事と生活の調和の重要性 153

7.3 勤務形態と栄養教育 ……………………………………………………… 154
- （1） 実践ができない人への栄養教育 … 154
- （2） 食のイメージを自由に表現する手法による思考と対話の支援 ………… 156
- （3） 就職以降に若年男性労働者の体重増加・肥満につながる要因とその背景 ……………………………………… 157
- （4） 行動科学理論を用いた栄養教育プログラム ……………………………………… 162

7.4 ストレスと栄養教育 ……………………………………………………… 162
- （1） 栄養教育のポイント ……………… 165

7.5 減塩のための栄養教育 ………………………………………………… 165
- （1） 減塩教育 ………………………… 166
- （2） 食環境整備を通じた減塩 ………… 167

コラム●夏の塩分補給　167

練習問題 …………………………………………………………………………… 169

8　ライフステージ・ライフスタイル別栄養教育　高齢期の栄養教育の展開

8.1 高齢期の栄養教育の特徴と留意事項
- （1） 高齢期の特徴 ……………………… 171
- （2） 高齢期のQOLと栄養教育における留意事項 ……………………………… 171
- （3） 食事環境の重要性 ………………… 172

8.2 高齢期のライフイベントと栄養教育 ………………………………… 173
- （1） ライフイベントとQOL ………… 173
- （2） 高齢者と介護 …………………… 174
- （3） 高齢期の社会的・精神的・身体的状態を支援する栄養教育 …………… 174

8.3 寝たきり予防と栄養教育 ……………………………………………… 175
- （1） 脳卒中 …………………………… 177
- （2） 骨・関節疾患 …………………… 177
- （3） 感染症 …………………………… 179

8.4 摂食・嚥下機能障害と栄養教育 ……………………………………… 179
- （1） 摂食・嚥下のメカニズム ………… 179
- （2） 摂食・嚥下障害と誤嚥 …………… 180
- （3） 摂食・嚥下障害に対する栄養教育 …………………………………… 180

練習問題 …………………………………………………………………………… 182

9 ライフステージ・ライフスタイル別栄養教育　傷病者の栄養教育の展開

9.1　肥　満 …………………………………… 183
- （1）疾患の概要 …………………… 183
- （2）肥満症診療ガイドライン 2016 …… 185
- （3）肥満症治療指針 ……………… 187
- （4）栄養評価 ……………………… 190
- （5）栄養教育のポイント ………… 191
- （6）食事教育 ……………………… 192

9.2　メタボリックシンドローム ………… 192

9.3　糖尿病 ………………………………… 195
- （1）疾患の概要 …………………… 195
- （2）栄養教育 ……………………… 197
- （3）運動療法 ……………………… 200
- （4）薬物療法 ……………………… 200

9.4　脂質異常症，動脈硬化性疾患 ……… 201
- （1）疾患の診断基準と分類 ……… 201
- （2）動脈硬化性疾患予防ガイドライン 2017 年版 ………………… 201
- （3）脂質異常症の栄養教育 ……… 205

9.5　高血圧 ………………………………… 208
- （1）疾患の概要 …………………… 208
- （2）高血圧治療ガイドライン 2019（JSH2019） ………………… 208
- （3）高血圧症の栄養教育のポイント …… 210

9.6　脳血管疾患（脳卒中）
- （1）疾患の概要 …………………… 210
- （2）栄養教育のポイント ………… 211

コラム●肥満のタイプ　184

練習問題 ………………………………………… 212

10 ライフステージ・ライフスタイル別栄養教育　障がい者の栄養教育の展開

10.1　障がい者の栄養教育の特徴と留意事項 …… 215
- （1）身体障がい者 ………………… 215
- （2）精神障がい者 ………………… 217

10.2　ノーマリゼーションと栄養教育 …… 218
- （1）障害者自立支援法 …………… 218
- （2）発達障がい児への食育 ……… 220

コラム●簡単な経口摂取テスト　216

練習問題 ………………………………………… 221

参考書──もう少し詳しく学びたい人のために	223
巻末資料	225
索　引	241
章末練習問題・解答	244

1 栄養教育の目的，目標

1.1 栄養教育と健康教育・ヘルスプロモーション
（1）栄養教育の定義

現在，わが国は世界有数の健康水準を維持するに至っているが，おもな死因である悪性新生物（がん），心疾患，脳血管疾患，心臓病や糖尿病といった生活習慣病は依然として増加の一途をたどっており，このような生活習慣病対策は重要な国民的課題となっている．本格的な超高齢・少子社会を健康で活力あるものとし，医療費などの社会保障負担を適正な水準に保っていくためには，発病以前の対策に力を注ぐ一次予防や発病してからの早期発見や治療，重症化予防などだけでなく，高度な QOL の維持が重要である．

平成8年（1996）に提唱された「生活習慣病（life-style related diseases）」は，それまでの「成人病」対策として二次予防に重点を置いていた内容に加え，生活習慣の改善を目指す一次予防対策を推進するために新たに導入された概念である．食習慣，運動習慣，休養・睡眠，喫煙，飲酒などの生活習慣を改善することにより疾病の発症や進行が予防できるという，疾病のとらえ方を示したものであり，各人が疾病予防に主体的に取り組むことを目指すためのものである．このなかでも食習慣との関係はきわめて深く，各人の自己管理によって改善・修正が可能であり，生活習慣病の予防のみならず疾病の治療にも有効である．食生活に見られる習慣性は長い時間を経過して形成される固有の習性であるため，日常行われる食物摂取の内容とそれを求める摂取行動を改善し，習慣化して適切な食生活に変容するためには，実践的な栄養教育が必要である．

栄養教育（nutrition education）の定義はいくつかあるが，次に述べるものが総合的に栄養教育をとらえているといえる．

栄養教育とは，「健康やウェルビーイングにつながる食物選択とその他の食や栄養に関する行動を，自発的に実行することを支援するため，計画されたさまざまな教育的戦略の組合せである．栄養教育は，さまざまな場を通して実施され，それは個人，コミュニティ，政策レベルの活動を含む」〔コンテント（2007）〕．

栄養教育とは対象者の健康・栄養状態，食行動，食環境などに関する情報を

QOL（quality of life）
「生活の質」あるいは「生命の質」と訳される．個人の世界観，人生観，願望，欲求，満足度など多彩な内容の評価のうえに成り立っているが，基本は個人の満足度で，あくまでも主観的なものである（表1.3参照）．

生活習慣病の対応

一次予防	二次予防	三次予防
健康増進	早期発見	機能回復
危険要因軽減除去	早期治療	社会復帰

栄養教育と栄養指導
栄養教育と栄養指導は同意語的に取り扱われることが多いが，栄養教育は健康教育の一環としてとらえられ，栄養指導は栄養教育のなかに包括される（下図）．なお栄養士法第1条から，栄養の指導は栄養士・管理栄養士の業務としてとらえることができる．

収集し、総合的にこれらの評価・判定を行い、個々の対象者に応じた栄養プログラムの作成(計画)・実施・評価を総合的にマネジメントし、QOLの向上につながる望ましい食生活習慣を定着させる。それは個人のみならず、集団社会(地域社会)のなかにも定着させることにより、国民全体のQOLを向上させる。したがって、管理栄養士・栄養士の行う適切な栄養教育は、生涯を通じての適正な生活習慣の確立および改善のために重要であり、その実践は国民の健康の増進と福祉に大きく寄与するといえる。

(2) 健康とヘルスプロモーション

ヘルスプロモーション(health promotion)の考え方は、もともと1946年にWHO(世界保健機関)が提唱した「健康とは単に病気でない、虚弱でないというのみならず、身体的、精神的そして社会的に完全に良好な状態(well-being、ウェルビーイング)を指す」という健康の定義から始まっている。WHOのオタワ憲章(1986)で、ヘルスプロモーションは「人々が自らの健康をコントロールして、改善できるようにするプロセス」と定義され、「個人や集団が要望を確認・実現し、ニーズを満たし、環境を改善し、環境に対処しなければならない」とある。

すなわち、ヘルスプロモーションはQOLの向上を目的として健康教育や環境の整備などにより、よりよいライフスタイルを確立し、住民や国民自らの参加により健康をコントロールする能力を高めていく活動といえる。

(3) 栄養教育と健康教育の定義

ヘルスプロモーションの概念によれば、栄養教育は健康教育の一環として位置づけられている。健康教育の定義を表1.1に示すが、どの定義も「行動を変える」ことが共通して含まれており、「知識と実践のギャップを埋める」はまさに行動変容のことである。

表1.1 健康教育の定義

- 健康に関する知識と実践のギャップを埋めること(グリフィス、1972)
- 個人、集団の健康に良くない行動を、現在または将来の健康につなげる行動に変えること(シモンズ、1976)
- 健康に導く行動を自発的に獲得することを容易にするために計画された、さまざまな学習経験の組合せ(グリーンら、1980)

1.2 栄養教育の目的、目標

(1) 栄養教育の目的

栄養教育の目的は、対象とする個人や集団のQOLを高めるため、安全で適正な食生活を営み、望ましい健康状態を維持・増進できるよう、教育的手段を用いて好ましい食行動の実践と習慣化をさせることである。そのためには、人々に食生活の問題点や環境を正しく理解させ、食生活の改善を積極的に実践できるよう、正しい栄養の知識と実践技術を教育する必要がある。

栄養教育を行うとは、広義の栄養学的基礎理論に基づいて対象者が自ら行動

---

health promotion の訳語

健康増進は、個人の身体と精神的健康づくりに焦点を当てていることから、区別するために健康増進と訳さず、ヘルスプロモーションのまま用いることが多い。

WHO ヘルスプロモーションのためのオタワ憲章

1986年に制定された。ヘルスプロモーションは次のように定義されている。「人々が自らの健康をコントロールし、改善できるようにするプロセスである。身体的・精神的・社会的に完全に良好な状態に到達するためには、個人や集団が要望を確認・実現し、ニーズを満たし、環境を改善し、環境に対処できなければならない。そのため健康は、生きる目的ではなく、毎日の生活の資源である。健康は身体的な能力であると同時に、社会的・個人的資源であることを強調する積極的な概念である。そこでヘルスプロモーションは、保健部門だけの責任にとどまらず、健康的なライフスタイルを超えて人間の幸福にもかかわるものである」。

するように方向づける指導であり，食に関する考え方や態度，行動を変容させることである．

（2）栄養教育の目標

栄養教育における最終目標は，知識を与える→理解を深めさせる→興味をもたせる→意欲を起こさせる→実践させる→習慣として身につけさせる，という食行動の変容により自己健康管理能力を習得させ，各人のQOLの向上を目指すものである（3章参照）．

（a）健康・栄養知識の理解

対象者がもつ問題を解決するために必要な健康や栄養に関する知識を供与し，理解させる．そのためには，対象者の実態を十分に把握するためのアセスメントを行い，理解を深めるための適切な教材，媒体，学習形態などを選択する（4章参照）．

（b）食知識の理解と定着

食習慣は生活習慣病との関連が深いことから，食に関する知識を供与し，適正な食生活や食行動を実践し，習慣として定着させるための栄養教育が必要である．

（c）動機づけ，食態度の形成

対象者の「生活史」ともいえる生活習慣は，長い期間を経て形成されたものであるため，食生活・食行動を改め，これを持続していくことは容易なことではない．行動の変容のためには，対象者が納得するだけの十分な理由づけが必要であり，この動機付けにより食態度が変容していく．

（d）食スキルの習得

食生活・食行動を改めさせるには，知識だけでは不十分であり，実行するためのスキル（技術）を教育し，習得させなければならない．対象者が実行可能なスキルを教育し，実行・継続していくよう支援することが必要である．

（e）食行動の変容と維持（2章参照）

食行動の変容と維持は，（c）に述べた強い動機づけのもとで，明確な行動目標をもち，自発的に知識や技術を学び，継続的に日常生活に応用実践して初めてなされる．栄養教育者は，対象者の心理や生活全般に深い理解と共感を示し，協力と援助の姿勢で問題解決に根気強く臨んでいく必要がある．

（f）栄養・食生活情報の評価と選択

栄養教育の計画を立てる際には，対象者の実態把握や，実施に必要な栄養・食生活に関する情報を幅広く収集することが重要である．また，適切に判断・評価するためにも，科学的根拠に基づいた正しく適切な情報を取捨選択し，総合的，多角的にとらえることが必要である（3.4節参照）．

（g）自己管理能力の習得

栄養教育の最終的な目標は，前にも述べたように生涯を通した適正な生活習慣を形成することにより自己管理能力を身につけ，健康でQOLの高い生涯を

目的と目標
目的：成し遂げようと目指す事柄
目標：目的を達成するために目的を細分化，具体化した目安

厚生労働省
https://www.mhlw.go.jp/index.html

農林水産省
https://www.maff.go.jp/index.html

1.3　わが国における健康づくり運動と栄養教育

わが国における栄養指導・栄養教育の内容は，時代の変遷に伴い変化する生活環境や食生活，および国民の疾病構造やニーズに適合するものでなければならない．表からも概観できるとおり，戦前の栄養欠乏対策から，現在は過剰栄養への対応，さらには疾病の治療から一次予防および健康づくり，健康寿命の延伸へと大きく変化してきた（表1.2，巻末資料6参照）．

今後，対象者の多様化や栄養指導・栄養教育に対するニーズがますます複雑化・多角化するとともに，その実施にあたって困難が増していくことも予想される．栄養指導・栄養教育を行う者の課題として，学問的な正しい判断に基づき，科学的に体系化したうえで，十分に説得力のあるものとする高度な教育方法，技術が求められる．すなわち，対象の健康レベルに適した教育の目標設定が，正確に，かつ理論的な根拠をもった内容として確立されなければならない．管理栄養士・栄養士は，時代のニーズに適合した栄養指導・栄養教育を実施で

表1.2　栄養指導・栄養教育の歴史

時　期	時代別キーワード	指導の内容，特徴
明治～昭和10年代	開拓前進時代（戦前）	栄養指導の発祥，脚気・結核対策
昭和20～29年	食料難の時代（戦後）	栄養摂取対策
昭和30～39年	経済成長期時代	栄養改善普及運動，結核予防
昭和40～49年	飽食時代，食品の洋風多様化	健康増進対策，運動指導，肥満予防
昭和50～59年	成熟経済と健康志向食品時代	肥満と貧血，成人病対策，外食産業
昭和60年～平成10年	高齢化時代	減塩指導推進，美味高級食品志向
	生活の質（QOL）向上時代 （国際化と食文化の多様化， 　地球環境，介護と福祉）	疾病予防，生活習慣の改善指導，健康増進指導 （健康づくりのための食生活指針，運動指針， 休養指針），生活習慣病の予防健診
平成12年～	健康づくり（健康教育）推進時代	「食生活指針」，「健康日本21」 保健機能食品制度の創設
	健康増進時代	健康増進法公布・施行（栄養改善法改廃） 日本人の食事摂取基準（2005年版） 食育基本法公布・施行，食育推進基本計画 食事バランスガイド，栄養教諭制度創設 健康づくりのための運動指針（2006）
平成20年～	予防対策時代 食育時代	特定健診・特定保健指導の実施 日本人の食事摂取基準（2010年版） 第2次食育推進基本計画，健康日本21（第二次） 健康づくりのための身体活動基準2013 健康づくりのための睡眠指針2014 日本人の食事摂取基準（2015年版） 第3次食育推進基本計画（平成28～33年度）
令和元年～	健康寿命延伸時代	日本人の食事摂取基準（2020年版） 第4次食育推進基本計画（令和4～8年度） 健康日本21（第三次） 日本人の食事摂取基準（2025年版） 健康づくりのための身体活動・運動ガイド2023 健康づくりのための睡眠ガイド2023

きるよう，常に研鑽を積んでいく必要がある．
（1）わが国における健康づくり対策
わが国においてはヘルスプロモーションにかかわる取組みとして，「国民健康づくり対策」が昭和53年(1978)から数次にわたって展開されてきた(表1.2参照)．

（a）第1次国民健康づくり〔昭和53年(1978)〜〕
健康づくりは，国民一人一人が「自分の健康は自分で守る」という自覚をもつことが基本である．行政としてはこれを支援するため，国民の多様な健康ニーズに対応しつつ，地域に密着した保健サービスを提供する体制を整備していく必要があるとの観点から，① 生涯を通して健康づくりの推進，② 健康づくりの基盤整備，③ 健康づくりの普及啓発，の3点を柱として取組を推進．

（b）第2次国民健康づくり：アクティブ80ヘルスプラン〔昭和63年(1988)〜〕
第1次の対策などこれまでの施策を拡充するとともに，運動習慣の普及に重点を置き，栄養・運動・休養のすべての面で均衡のとれた健康的な生活習慣の確立を目指すこととし，取組を推進．

（c）第3次国民健康づくり：健康日本21〔平成12年(2000)〜〕
壮年期死亡の減少，健康寿命の延伸および生活の質の向上を実現することを目的とし，生活習慣病やその原因となる生活習慣などの国民の保健医療対策上重要となる課題について，10年後を目途とした目標を設定し，国や地方公共団体などの行政にとどまらず広く関係団体などの積極的な参加および協力を得ながら，「一次予防」の観点を重視した情報提供などを行う取組を推進．

> **健康日本21**
> 21世紀における国民健康づくり運動

（d）第4次国民健康づくり：健康日本21(第二次)〔平成25年(2013)〜〕
国民の健康の総合的な推進を図るための基本的な事項を示し，健康づくりを推進．生活習慣病(NCD：非感染性疾患)の予防，社会生活を営むために必要な機能の維持及び向上等により，健康寿命を延伸し，また，あらゆる世代の健やかな暮らしを支える良好な社会環境を構築することにより，健康格差の縮小を実現することを最終的な目標とした．

（e）第5次国民健康づくり：健康日本21(第三次)〔令和6年(2024)〜〕
健康日本21(第二次)最終評価において示された課題等を踏まえ，健康日本21(第三次)におけるビジョン及び基本的な方向は以下の通りである．

ビジョン
「全ての国民が健やかで心豊かに生活できる持続可能な社会の実現」とし，そのために，① 誰一人取り残さない健康づくりの展開(Inclusion)，② より実効性をもつ取組の推進(Implementation)を行う．

具体的な内容：多様化する社会において，集団に加え個人の特性をより重視しつつ最適な支援・アプローチの実施／様々な担い手(プレーヤー)の有機的な連携や社会環境の整備／ウェアラブル端末やアプリなどテクノロジーも活用し

1章 ■栄養教育の目的，目標

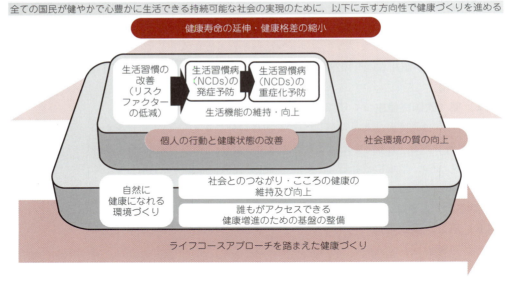

図1.1　健康日本21（第三次）の概念図
第1回健康日本21（第三次）推進専門委員会，資料2，令和5年10月20日．

たPDCAサイクル推進の強化．

こうした取組を行うことで，well-beingの向上にも資することとなる．

基本的な方向

① 健康寿命の延伸・健康格差の縮小，② 個人の行動と健康状態の改善，③ 社会環境の質の向上，④ ライフコースアプローチ（胎児期から高齢期に至るまでの人の生涯を経時的に捉えた健康づくり）を踏まえた健康づくりの四つとする．それぞれの関係性は図1.1の概念図の通りである．

（2）栄養教育と生活の質（QOL）

栄養教育の最終目標は，人々を望ましい食行動の変容へと支援し，QOLの向上を図ることにある．生涯を通じた栄養教育により，健康な人々の生活が健康な社会・国を育む原動力になると思われる．表1.3に，WHOのQOLの概念分類を示した．

現代社会において，QOLの向上やAOL（amenity of life，生活・人生の快適さ）の向上を目指して，健康寿命延伸のための教育・支援を行うことが重要となっている．

栄養教育に携わる管理栄養士・栄養士（栄養教育者）は対象のニーズに適合した学習の機会，学習方法などを提供し，生涯学習を支援していく必要がある．また，栄養教育者自身も，社会のニーズや急速な科学技術の進歩などについて，生涯学習を続けていく必要があり，日本栄養士会，都道府県栄養士会では会員の生涯教育を行っている．

健康教育の目的がQOLを目指しているのは，プリシード・プロシードモデル（p.31）を基にしている．

（公社）日本栄養士会
会員約50,000人．全国47都道府県の栄養士会と連携して，学術活動，会員の生涯教育および社会活動を行っている．6つの職域協議会（公衆衛生，学校健康教育，研究教育，医療，福祉，フリーランス・栄養関連企業等）に分かれている．地域活動協議会には栄養行政業務の嘱託栄養士，在宅栄養士，開業栄養士なども所属し，勤労者支援協議会には産業・防衛・矯正施設などの栄養士が所属している．
http://www.dietitian.or.jp/about/outline/

表1.3 QOLの概念

領域Ⅰ 身体的状態と機能	領域Ⅱ 心理的機能	領域Ⅲ 自立レベル	領域Ⅳ 他者との関係	領域Ⅴ 環境
［身体的状態］ 1. 苦痛と不快 2. 活力と疲労 ［身体的機能］ 3. 性的活動 4. 睡眠 5. 運動機能 6. 移動性 7. 感覚機能	［認知機能］ 8. 認知機能 ［感情機能］ 9. 幸福と満足 10. 抑うつ 11. 不安 12. 有望と楽観 ［自己認識］ 13. 自尊心 14. 自己価値観 15. 身体イメージ	16. 日常生活動作能力 17. 物質依存 18. 意思伝達能力 19. 就労能力 20. レクリエーションや余暇の参加と機会	21. 孤立／他者との関係 22. 家族の支援 23. 友人／知人からの支援 24. 扶養者／支援者としての活動 25. 宗教	26. 自由，身体的安全と保護 27. 家庭環境の質 28. 職場環境の質 29. 仕事の満足感 30. 新しい知識や技術を獲得する機会 31. 経済状況 32. 医療的・社会的ケアの利用と質 33. 交通機関

WHO QOL group, *Qual. Life Res.*, **2**, 153(1993).

1.4 栄養教育と生活習慣

(1) 生活習慣と生活習慣病

前述の生活習慣病(NCDs)は，食習慣，運動習慣，休養・睡眠，喫煙，飲酒などの生活習慣を改善することにより疾病の発症や進行が予防できるという，疾病のとらえ方を示したものであり，各人が疾病予防に主体的に取り組むことを目指すためのものである．

このなかでも食習慣との関係はきわめて深いが，運動，休養・睡眠，喫煙，飲酒に見られる習慣性は長い時間を経過して形成される固有の習性であるため，日常行われる生活習慣を見直し改善し，適切な生活習慣に変容するためには，実践的な栄養教育が必要である．

(2) 栄養教育と生活習慣(食生活，身体活動，喫煙，飲酒，休養，睡眠)

不適切な生活を改善し，望ましい生活習慣を身につけることは，健康増進，生活習慣病の一次予防，重症化予防のためにきわめて重要である．

栄養教育の際には栄養・食生活のみならず，他の生活習慣にかかわる改善のための支援も併せて行うことが必要である．

「健康日本21(第三次)」においても，生活習慣の望ましい指標の目安と数値目標が掲げられている(巻末資料4別表第五参照).

・**栄養・食生活**：適正体重を維持している者の増加，児童・生徒における肥満傾向児の減少，バランスの良い食事をとる者の増加，野菜と果物の摂取量の増加，食塩摂取量の減少など．

・**身体活動**：日常生活における歩数の増加，運動習慣者の割合の増加など．

「健康づくりのための身体活動，運動ガイド2023」を参考に，ライフステージ，ライフスタイルに合わせ，日常生活のなかで生活活動や運動を増やすことが大切である．身体活動の増加でリスクを低減できるものとして，従来の糖尿病・循環器疾患などに加え，がんやロコモティブシンドローム・認知症が含まれる

NCD（non-communicable disease，非感染性疾患）

　近年，慢性疾患の発症や悪化は，個人の意識と行動だけでなく個人を取り巻く社会環境による影響が大きい．したがって，これらの疾患について，単に保健分野だけでなく地域，職場などにおける環境要因や経済的要因などの幅広い視点から包括的に施策を展開し，健康リスクを社会として低減していく「NCD対策」としての概念が国際的な潮流となってきている．

　がん，循環器疾患，糖尿病およびCOPD（慢性閉塞性肺疾患）を中心としたNCDは，平成30年（2018）では，世界的にも死因の約71%を占め，WHOにおいては今後，NCD予防のための世界的な目標を設定し，世界全体で予防の達成を図っていくこととしている．各疾病の性質を医学的に見た場合，たとえば，がんは必ずしも非感染性のものだけでなく，感染性のものも存在している．近年，国際的に取り組まれているNCD対策では疾病そのものに着目して，がん，循環器疾患，糖尿病およびCOPDをNCDという疾患として整理し，包括する取組みがなされている．

　こうした国際的な背景を踏まえ，健康日本21（第2次）では，主要な生活習慣病をNCD対策という枠組みでとらえ，取り組むべき必要な対策を示している．

健康増進法〔平成14年（2002）8月2日法律第103号，最終改正平成26（2014）年6月13日法律第69号〕

ことが明確化されている．
- 休養・睡眠：睡眠で休養がとれている者の増加，睡眠時間が十分に確保できている者の増加，過労働時間60時間以上の雇用者の減少．
- 飲酒：生活習慣病（NCDs）のリスクを高める量を飲酒している者の減少，20歳未満の者の飲酒をなくす．
- 喫煙：喫煙率の減少，20歳未満の者の喫煙をなくす，妊娠中の喫煙をなくす．

　健康づくりのための休養指針〔平成6年（1994）〕，健康づくりのための睡眠ガイド2023〔令和5年（2023）〕（巻末資料3）を参考にライフスタイルに応じた栄養教育を行う．

　図1.2にNCD（非感染性疾患）と生活習慣との関連を示すが，これらの疾患の多くは予防可能である．生活習慣改善のための行動変容につながる栄養教育は，今後ますます期待されている．

	禁煙	健康な食事	身体活動の増加	リスクを高める飲酒の減少
がん	○	○	○	○
循環器疾患	○	○	○	○
糖尿病	○	○	○	○
COPD	○			

図1.2　NCDと生活習慣との関連
－これらの疾患の多くは予防可能－
健康日本21（第2次）の推進に関する参考資料，平成24年（2012）7月，厚生科学審議会地域保健健康増進栄養部会　次期国民健康づくり運動プラン策定専門委員会．

1.5 栄養教育の対象と機会

栄養教育は，疾病予防，重症化予防，リハビリや再発防止などの健康状態に合わせて，提供されるように行う．また個人レベルでも組織レベルでも間断なく実施されることが望ましい．対象の特性を十分に把握したうえで教育を実施する必要がある．目指す目標や指標として，健康日本21（第三次）や国，地方自治体から指針や計画が出され，さまざまな取組みが行われている．

（1）ライフステージ・ライフスタイルから見た対象と機会

ライフステージによって適正なエネルギー量や栄養素量が異なり，さまざまな特徴の問題がある．一方で社会環境の変化に伴い，ライフスタイルも多様化している．したがって，対象者それぞれの問題点を的確にとらえて，生涯を通じて栄養教育を実施することが必要となる．

（a）妊娠・授乳期

妊娠によりホルモン分泌が変動することから，身体的変化とともに代謝も変化する．さらにこの時期の母親の低栄養状態が子どもの成人期の慢性疾患リスクを高めるという概念（Developmental Origins of Health and Disease, DOHaD）が報告されている．したがって，妊娠前も含めて妊産婦には適切な栄養管理が実施できるような教育を実施する．

出産後は子どもの世話で忙しく，子育ての不安をもつ場合も多いため，支援状況やメンタルヘルスにも注意し，画一的な教育にならないように配慮する．健やか親子21（第2次）では，「切れ目ない妊産婦・乳幼児への保健対策」が課題として掲げられている．子育て世代包括支援センターなどにおいて，妊娠期から子育て期に必要な支援をさまざまな専門家と連携して行う必要がある．

（b）乳幼児期（0～5歳）

乳幼児期は最も成長が著しい時期であり，食形態は乳汁栄養から離乳食，一般的な食事へと大きく変化する．さらに食習慣や食嗜好が形成される重要な時期で，乳児期は「安心と安らぎのなかで食べる意欲の基礎づくり」を，幼児期には「食べる意欲を大切に，食の体験をひろげられる」よう発達に応じた「食べる力」を身につけられるように支援する．

乳汁栄養や食事の提供は養育者の態度に大きく依存することから，子どもの発育・発達評価とともに養育者への適切な対応・支援が重要である．また，先天性代謝異常や食物アレルギーなど疾患がある場合は，疾患に合った食事とともに発育・発達へ配慮することが必要である．

（c）学童期，思春期

食生活の養育者への依存度は大きく，子どもだけでなく家庭と連携した栄養教育が求められる．一方で，成長とともに自分で食物を選択し摂取する機会が増える時期であり，朝食欠食，肥満ややせ，孤食などの問題が多く見られる．適切な食品選択だけでなく，食事づくりの技術，食情報への対処方法，一緒に食べる人への気づかいなど食事全体についての実践力を身につけさせることに

健康増進法〔平成14年（2002）法律第103号〕
健康日本21（第三次）〔令和5年（2023）5月31日厚生労働省健発0531第12号〕
食生活指針〔平成28年（2016）6月一部改正〕
食事バランスガイド〔平成17年（2005）6月〕

食育基本法〔平成17年（2005）7月15日施行〕

第4次食育推進基本計画の重点課題の方向性
https://www.maff.go.jp/j/syokuiku/kaigi/attach/pdf/r03_01-5.pdf

食育白書（農林水産省）

「4章　妊娠・授乳期の栄養教育の展開」参照．
妊娠前からはじめる妊産婦のための食生活指針〔令和3年（2021）3月〕．
授乳・離乳の支援ガイド（2019年改定版），平成31年（2019）3月
WHO・ユニセフ母乳育児を成功させるための十カ条（2018年）

「5章　乳幼児期の栄養教育の展開」参照．
健やか親子21（第2次）〔平成27年（2015）4月適応〕
乳幼児身体発育調査
授乳・離乳の支援ガイド〔平成31年（2019）〕
アレルギー疾患対策基本法〔平成26年（2014）6月27日法律第98号〕
（厚労省）保育所保育指針〔平成29年（2017）3月31日雇児発0331第27号〕

1章 栄養教育の目的，目標

も着眼した教育を目指す．

さらに，食文化，地産地消や食料自給率についてなど食と関連するさまざまなことに興味・関心をもたせるようにする．これらの指導の中心的な役割を担う栄養教諭は，学校を拠点として家庭や地域とも連携した食育を推進する．

（d）成人期

肥満やメタボリックシンドロームの増加，若年女性のやせの増加といった問題が深刻化している．特定健康診査・特定保健指導などを活用し，健康的な生活習慣を送ることで健康寿命の延伸を目指す支援が必要である．

この時期は，身体の発育が完了し，精神的にも充実した時期である一方で，さまざまなライフイベントや社会環境の変化によって，ライフスタイルが多様化するため，食生活に関する問題も複雑であることが多い．

（e）高齢期

身体機能の低下によって，心身の虚弱性が出現した状態（フレイル）となり低栄養や骨粗鬆症，嚥下機能障害による誤嚥など栄養に関する問題が多くなる．長年の食習慣を変えることは難しく，認知症などでコミュニケーションが困難な場合も多い．また，高血圧や糖尿病などの疾患をもつ場合も多い．機能低下や疾患の進行を抑え，機能障害を補いながら，高齢者本人の QOL を高めるような栄養教育が必要である．管理栄養士をはじめ医師，看護師，理学療法士などでチームをつくり，医療や介護の支援が多方面から適切に行われるようにする．

今後は在宅による介護が多くなるため，医療と介護の連携や地域包括ケアシステムによる支援・サービス体制の充実や介護者の負担軽減を考えた栄養教育の視点も重要である．

（2）健康状態から見た対象と機会

栄養教育の対象となるのは，予防医学に基づく一次，二次，三次予防のすべての段階である．また，介護予防の観点からも同様に3つの段階があり，そのすべてが栄養教育の対象となる．図1.3に生活習慣病予防および介護予防の「予防」段階を示した．

（3）個人・組織・地域社会のレベル別に見た対象と機会

個人への栄養教育は，対象者の特性やニーズに合わせた指導が必要である．特定保健指導における個別の栄養指導，栄養教諭による児童・生徒への個別指導や在宅患者への訪問指導などがある．一方で，食生活に関する行動変容は難しいことから，家族や身近な人や所属する集団の協力や環境整備が伴うことで成果を上げやすくなる場合が多い．スマート・ライフ・プロジェクトのように国民全体が健康な毎日が送れることを目標として企業・団体・自治体と協力して行う場合もある．

側注：

「6章 学童期・思春期の栄養教育の展開」参照．
栄養教諭制度
栄養教諭の職務と免許取得要件
食に関する指導の手引き〔第2次改訂：平成31年（2019）3月〕
学校給食法〔昭和29年（1954）6月3日法律第160号，最終改正：平成27年（2015）6月24日法律第46号〕
食育白書

食育ガイド
早寝早起き朝ごはん運動
今後の学校給食における食物アレルギー対応について〔平成26年（2014）3月〕

「7章 成人期の栄養教育の展開」参照．
標準的な健診・保健指導プログラム（令和6年度版）

「8章 高齢期の栄養教育の展開」参照．
高齢者の医療の確保に関する法律〔昭和57年（1982）法律第80号〕
介護保険法〔平成9年（1997）法律第123号〕
地域包括ケアシステム

「9章 傷病者の栄養教育の展開」参照．

スマート・ライフ・プロジェクト（Smart Life Project）
7章参照．

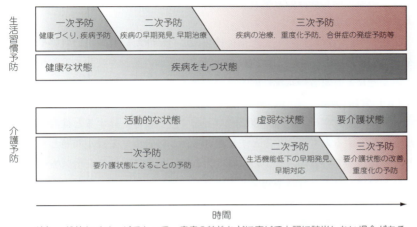

図1.3 生活習慣病予防および介護予防の「予防」段階

厚生労働省,「介護予防マニュアル〔改定版,平成24年(2012)3月〕」,p.2. https://www.mhlw.go.jp/topics/2009/05/dl/tp0501-1_01.pdf

(a) 医療の場

外来・入院・在宅患者訪問のそれぞれの場面で,栄養食事指導が実施される.入院患者に対しては,管理栄養士による栄養状態の評価・栄養管理計画作成・栄養管理の実施・定期的評価と計画の見直しを行う.また,管理栄養士・医師・看護師など多職種の栄養サポートチームなどのチーム医療によって,さまざまな視点から患者の栄養改善を目指す.医療を適正に効率よく行うために,検査・処置・指導などを系統的に実施するクリニカルパスが実施されることもある.

(b) 学校教育の場

食育基本法のもとで食育推進基本計画が策定され,子どもたちが食に関する正しい知識と望ましい食習慣を身につけることができるよう,学校においても積極的に食育に取り組まれている.栄養教諭が教育に関する資質と栄養に関する専門性を生かして,「食に関する指導」と「学校給食の管理」を一体のものとして行うことで高い教育効果をもたらすことができる.栄養教諭は学校全体の食に関する指導の計画立案・実施に中心的な役割を担う立場であり,肥満や食物アレルギーなど個別の対応が必要な児童生徒への指導の実施,また保護者や地域との連携をとるコーディネーターとしての役割も担っている.学校給食は生きた教材として,地場産物を使用することで食を通じた地域の理解や食文化の継承を図ること,自然の恵みへの感謝や勤労の大切さなどの理解を促すことも可能である.

(c) 福祉の場

社会福祉施設には,保護施設,児童福祉施設,障害者支援施設,老人福祉施設などがあり,社会生活を営むうえでさまざまなサービスを必要とする方を対象とし,それぞれの人がその能力を発揮できるように必要な支援や指導を行う

第4次食育推進基本計画

〈コンセプト〉
食育によるSDGs達成への貢献.
〈重点課題の方向性〉
(1) 新しい生活様式に対応した食育の推進.
(2) 国民の健全な食生活の実践を支える食育の推進.
(3) 持続可能な「3つのわ(環・輪・和)」を支える食育の推進.

施設である．同じ施設の対象者でも身体状態，栄養状態，心理状態など個人で大きく異なる場合が多い．

また，栄養教育の目的が，児童福祉施設の場合は正しい食習慣の習得やマナーを身につけること，老人福祉施設では低栄養状態の改善や疾病の重症化を予防することなど対象者の状況に応じた栄養ケアプランを立案する必要がある．

（d）介護の場

日本の高齢化率は29.1％（2023年）と高く，今後も上昇すると推計され，介護を必要とする人も増加すると予測される．高齢者の**低栄養**が問題となっており，介護現場での管理栄養士の役割は大きい．地域における在宅医療や介護連携などだけでなく，**介護予防**なども実施して地域支援事業の多様化を図ることで持続可能な社会保険制度の確立が目指される．

（e）産業保健の場

標準的な健診・保健指導プログラム
7章参照．

労働安全衛生法に基づき「事業場における労働者の健康保持増進のための指針」（トータルヘルスプロモーション指針）が公表され，身体測定，運動指導，保健指導，メンタルヘルスケアおよび栄養指導が行われている．

また，「仕事と生活の調和（ワーク・ライフ・バランス）憲章」が策定されており，やりがいや充実感を感じながら働けるように労働者の健康を支援することも重要である．

栄養教育では，食事提供や食環境改善，個別の支援など各職場環境やライフスタイルに合った教育内容を検討することが重要である．

（f）給食経営管理の場

栄養管理された給食の提供は，適正な栄養素の摂取という面からだけでなく，その提供された食事が教育媒体として有益であることから，喫食者の生活習慣病の予防に大きく貢献できる．

特定給食施設は，病院，学校，事業所や社会福祉施設など種類が多く，施設ごとに目的や運営方法が異なっている．特定給食施設の栄養管理では，利用者の身体状況や栄養状態，生活習慣などを把握し適切な食事の提供と品質管理，評価を受けること，摂取量や嗜好に配慮して献立を作成すること，献立表の掲示やおもな栄養成分を表示するなどして利用者に栄養に関する情報を提供すること，衛生管理を行うことが求められる．

（g）地域社会での栄養教育

健康日本21（第三次）の推進に当たり，「全ての国民が健やかで心豊かに生活できる持続可能な社会の実現」をビジョンとし，「誰一人取り残さない健康づくりの展開」と「より実効性をもつ取組の推進」を行う．行政栄養士の業務として，組織体制の整備，健康課題の明確化とPDCAサイクルに基づく施策の推進，生活習慣病の発症予防と重症化予防の徹底のための施策の推進，社会生活を自律的に営むために必要な機能の維持および向上のための施策の推進，食を通じた環境整備の推進があげられる．

取り組む健康課題については，健康関連指標にとどまらず，社会保障費や医療費などの経済的観点や今後の災害対応といった広い視点が必要である．また，行政栄養士の職務は，子育て支援，保育，教育，福祉，農政，産業振興，環境保全など多岐にわたる分野と関連する．したがって，関係職種や関連機関との連携や組織づくりなどネットワーク構築能力が求められる．

■出題傾向と対策■
健康日本21（第三次）や健康増進法，食育基本法を中核とした生活習慣病の一次予防および重症化予防，健康づくり運動に関する行政施策や栄養教育の意義についてはよく理解しておくこと．栄養教育（指導）の歴史，法的根拠も理解しておくこと．

練 習 問 題

次の文を読み，正しいものには○，誤っているものには×をつけなさい．

（1）栄養教育の目的は，対象者個人の生活習慣改善によるQOLの向上であるので，環境についてはとくに配慮しなくてもよい． 🖝重要

（2）生活習慣要因のなかで最も健康と関係が深いのは食習慣であり，各人の自己管理によって改善・修正することにより生活習慣病の予防や治療が可能である．

（3）わが国における第一次国民健康づくり運動は，平成12年（2000）より開始された「健康日本21」である．

（4）栄養教育を行うに当たっては，対象者が自ら行動するという方向づけがなされる教育が重要である． 🖝重要

（5）健康日本21（第三次）における栄養・食生活分野では，「朝食の欠食率の減少」についての基準値と目標値が示されている． 🖝重要

（6）健康日本21（第三次）の基本方針には，健康寿命の延伸や健康格差の縮小，ライフコースアプローチを踏まえた健康づくりなどがある． 🖝重要

（7）栄養教育の目標を達成するためには，知識の理解と定着や食スキルの習得が大切である．

（8）ヘルスプロモーションは，QOLの向上を目的として，健康教育や環境の整備などにより，よりよいライフスタイルを確立し，住民・国民自らの参加により，健康をコントロールする能力を高めていく活動といえる．

（9）WHOのオタワ憲章（1986年）で，ヘルスプロモーションは「人々が自らの健康をコントロールして，改善できるようにするプロセス」と定義されている．

（10）栄養教育は，健康教育や生涯教育の一環として，生涯を通して自己健康管理を実践できるよう，計画・実施・評価を継続していく必要がある． 🖝重要

（11）ライフスタイル（生活習慣）には，食事や運動，休養・睡眠，喫煙，飲酒などのほか，対人関係の取り方や生き方，価値観まで含まれる．

■出題傾向と対策■
栄養教育の定義，目的，目標，対象，機会に関する問題は重要．健康教育・ヘルスプロモーションについても理解しておくこと．

（12）栄養教育の内容は，時代の変遷に伴い変化する生活環境，食生活および国民の疾病構造，ニーズに適合するものでなければならない．

（13）学校では，栄養教諭が中心的な役割を担い，家庭や地域とも連携して食育を推進していく．

（14）平成17年（2005）7月に食育基本法が公布され，国民の健全な食生活の実現に向け，国民運動として食育が推進されるようになった． 🖝重要

(15) 第4次食育推進基本計画の重点課題として，健康寿命の延伸につながる食育の推進が掲げられている．

2 栄養教育のための理論的基礎

2.1 栄養教育と行動科学

栄養教育では,健康の維持増進のために,対象者が自発的に食習慣を変容するサポートを行う.**食習慣**とは,日常生活で繰り返される食行動のことを指す.食事による健康の害は,脂質や食塩の多い食事そのものではなく,これらの食事の習慣化が問題となって起こる.習慣変容,すなわち日々繰り返される食行動の変容は,知識を提供するだけでは難しい.そこで,行動科学の研究の成果を活用して,教育の計画,実施,評価を行うことが重要視されてきている.

行動科学(behavioral science)は,心理学,社会学,教育学,人類学,医学などさまざまな専門分野から,人間の行動を総合的に研究する学問である.研究や実践を通して人間の行動の成立や変容過程の法則を明らかにし,理論やモデルを提唱してきた.理論とモデル,および概念の関係は図2.1のとおりである.理論は,一般に起こる出来事の基本的原理を系統的に整理したものである.理論を包み込む形で,モデルが存在する.モデルは理論の補助的なものとして考えられ,より実践的な場面で用いられる.理論やモデルは概念によって構成される.異なる理論やモデルで共通する概念があるのは,理論,モデル,概念が図2.1のような関係にあるからである.

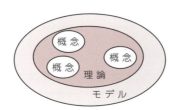

図2.1 理論,モデルと概念の関係
畑 栄一,土井由利子 編,『行動科学:健康づくりのための理論と応用(第2版)』,南江堂(2009),p.7,図1-3一部改変.

Plus One Point
行動と習慣

繰り返されることによって学習された行動を習慣と呼ぶ.行動科学では良い習慣だけでなく,悪い習慣であっても学習された行動と考える.

（1）栄養教育の課題に応じた理論の選択と展開

理論やモデルは，研究の成果によってできているが，人の行動を完全に説明するものはない．そこで，実践においては理論やモデルのそれぞれの特徴や問題点を理解したうえで，状況に応じて使い分けることが重要である．実際，教育では1つの理論やモデルだけで進めることは少なく，複数用いることが多い．たとえば，教育の過程（問題の特定，計画，実施，評価など）や対象者の規模（個人，グループ，組織，地域社会など）によって，それぞれに適した理論やモデルを使い分ける．さらに，理論やモデルの概念だけ用いることもある．よく用いられる理論やモデル，概念，技法（表2.1）については，次節以降で紹介する．

（2）栄養教育マネジメントにおける理論の活用

栄養教育マネジメントにおける理論やモデルの活用の利点は，まず，①対象者の行動を具体的に考えられることである．このことにより対象者の問題点が明らかになり，どのような働きかけが必要であるかを考えることができる．次に，②教育の効果を行動科学的な側面から評価できる．従来の健康教育の評価では，体重が減った，血圧が下がったなどの健康状態の評価が中心であった．しかし，理論やモデルを用いることによって，行動の変化に合わせ，行動変容の動機が高まったなどの認知的要因の評価も行うことができる．そして，

表2.1　おもな理論，モデルと技法，概念の関係[*1]

おもな技法・概念 \ 理論，モデル	刺激―反応理論	ヘルスビリーフモデル	計画的行動の理論	社会的認知理論	トランスセオレティカルモデル
行動分析	○				
刺激統制	○			○	
反応妨害・拮抗／行動置換	○			○	
オペラント強化	○			○（強化のマネジメント）	
認知再構成		○[*2]	○[*2]	○[*2]	○（感情の体験，自己の再評価[*2]，環境の再評価等の認知的プロセス）
目標宣言／行動契約				○	○（自己の解放）
セルフモニタリング				○	
ストレスマネジメント				○	
ロールプレイ				○	
ソーシャルサポート				○	○（援助関係の利用）

[*1] ここでは，関連が深いものに○印をつけた．ただし，○印がないことは関連がないことを示しているわけではない．
[*2] ヘルスビリーフモデルの意思決定バランス，計画的行動の理論の態度，社会的認知理論の結果期待の変容が，認知再構成に関連する．

③ 理論やモデルを用いることで，スタッフの間で同じ言葉を用いて教育を行うことができる．つまり対象者の問題点を，スタッフの間で共通した認識のもとに考えることができる．行動科学で用いられる言葉には認知的要因（態度や自己効力感など）を指すものが多い．これらは目に見えないものであるため，表現にあたっては共通した言葉が使用されることが望ましい．

2.2　行動科学の理論とモデル

（1）刺激-反応理論（stimulus-response theory，S-R theory）

行動の学習に関する基本には，「行動は刺激による反応で学習する」という考え方がある．刺激-反応理論（図2.2）は，レスポンデント条件づけ（または古典的条件づけ）とオペラント条件づけ（または道具的条件づけ）からできた理論である．

レスポンデント条件づけは，図2.2でいう前半部分，きっかけ（先行刺激）により，行動（反応）が起こるという考え方に応用されている．パブロフが犬に行った条件づけの実験は有名である（図2.3）．ベルの音を鳴らしながら餌を与えていると，餌がなくてもベルの音だけで犬はよだれを出すようになった．この場合，「ベルの音」という刺激と「よだれを出す」という反応が連合されている．

オペラント条件づけは，図2.2の後半部分を指す．行動（反応）はきっかけ（先行刺激）によって起こり，その結果（強化刺激）が次の行動の刺激（きっかけ）になり，その行動が繰り返されるという考え方である．スキナーは，レバーを押すと餌が出るような仕組みの箱にネズミを入れて実験を行った（図2.4）．ネズミは最初レバーを押すことを知らなかったが，レバーを押すと餌が出てくるこ

図2.2　刺激-反応理論

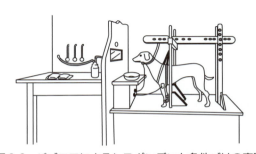

図2.3　パブロフによるレスポンデント条件づけの実験
山田冨美雄 監修，『医療行動科学のためのミニマム・サイコロジー』，〈シリーズ医療の行動学Ⅰ〉，北大路書房（1997），p.22 より作成．

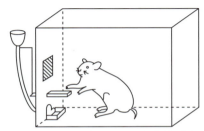

図2.4　スキナーによるオペラント条件づけの実験
山田冨美雄 監修，『医療行動科学のためのミニマム・サイコロジー』，〈シリーズ医療の行動学Ⅰ〉，北大路書房（1997），p.24．

とから，やがてレバーを押すことを覚える．つまり，ごほうびである餌はレバーを押す行動を繰り返す刺激であり，これを正の強化子という．たとえば，「お腹がすいた(内的刺激)」や「おいしそうな食べ物を見た(外的刺激)」といった先行刺激によって，「食べる(反応)」行動が起こる．そして，その結果，「おいしいと感じること(強化刺激)」により，さらに「食べる」行動を継続させる．

　行動の結果は，その行動を強めたり弱めたりする．この刺激を強化刺激(強化子)と呼ぶ．たとえば，「お菓子を食べる」行動の結果が「おいしかった」「満足した」という正の強化子であれば，「お菓子を食べる」行動が継続される．逆に「食べ過ぎて気持ち悪くなった」「後悔した」という負の強化子であれば，その行動は弱まっていく．

　刺激−反応理論を応用した行動変容技法には，刺激統制，反応妨害・拮抗，行動置換，オペラント強化などがある．これらは行動に直接働きかけるため，知識や準備性が十分ない状態でも，実行が可能である．刺激統制，反応妨害・拮抗，行動置換は，レスポンデント条件づけの応用，オペラント強化はオペラント条件づけの応用である．

（a）刺激統制(stimulus control)

　行動を起こす刺激(きっかけ)をコントロールする方法である．食行動の場合，食べない(もしくは食べる)ようにするため，食べる(もしくは食べない)刺激に働きかける．

（b）反応妨害・拮抗(response prevention)，行動置換(counterconditioning)

　反応妨害・拮抗，行動置換(または逆条件づけ，拮抗条件づけ)ともに，きっかけ(刺激)の後の反応に働きかける方法である．反応妨害・拮抗は，きっかけ(刺激)の後の反応(行動)が起こらないよう，抵抗する方法，行動置換は，反応である行動を他の行動に置き換える方法である．反応妨害は，反応を抑えこむことで，その刺激があっても反応を起こらないようにするのが目的であるのに対し，行動置換は，その刺激に対して，他の反応(行動)を連動させることを目的とする．

（c）オペラント強化

　反応の後の結果に働きかける方法である．オペラント強化には4つの種類がある(図2.5)．

【刺激統制の具体例】
・控えたい食物の場合→お菓子は見えないところに隠す，お菓子を小分けにして食べる分だけ器(もしくは小さい器)に盛る，食べる時間や場所を決める，食事が終わったら食卓から離れる，よく食べる(飲む)人に近づかないなど．
・もっと食べたい食物の場合→冷蔵庫に野菜を切らさない，果物は目のつくところに置いておくなど．

【反応妨害・拮抗，行動置換の具体例】
5分我慢してから，もう一度食べたいかを考える，食べたくなったら歯を磨く，ジュースの代わりにお茶を飲む，肉料理を減らし，代わりに野菜料理を増やすなど．

	プラスする	取り除く
望ましい結果 (正の強化子，例：ほめる)	a　行動を促進する (正の強化)	c　行動を弱める
望ましくない結果 (負の強化子，例：しかる)	b　行動を弱める	d　行動を促進する (負の強化)

図2.5　オペラント強化のマトリクス
足達淑子，『栄養指導のための行動療法入門』，医歯薬出版(1998)，p.113，図4を一部改変．

行動を促進させる（増やす）ためには，aとdの2つの方法がある．aは，望ましい結果（正の強化子）を行動の後にプラスすることで，行動を促進させる．たとえば，ほめることで行動変容の準備性を高める．一方，dは，望ましくない結果（負の強化子）を取り除くことで，行動を促進する．たとえば，叱ることで準備性が低かった場合，叱ることをやめると行動変容の準備性は高まる．

同様に，行動を弱める（減らす）方法も，bとcの2つある．bは，行動を弱めるために，望ましくない結果（負の強化子）を行動の後にプラスする．たとえば，ある行動をやめさせるために，行動の後に叱ったり，罰を与えたりする．一方，cは行動を弱めるために，望ましい結果（正の強化子）を取り除く．つまり，ほめることをやめると，行動は弱まっていく．

オペラント強化は，新しい行動を取り入れるために用いられるだけでなく，改善したい行動を分析するときにも用いられる．たとえば，野菜が食べられないのは野菜がまずいこと（負の強化子）があるのではないかと考える．そして，おいしいと思ってもらえるよう，調理方法を変える（負の強化子を取り除く）ことを提案する．食行動の変容が難しいといわれているのは，「食べる」という行動は，おいしいと感じたり，空腹が満たされたりといった望ましい結果（正の強化子）を伴うことが多いためだと考えられている．

（2）行動分析

行動分析（behavior analysis）は，行動の原因を明らかにしようとする心理学の1つであり，刺激－反応理論は，行動分析の中核となる理論である．行動分析では，行動の原因を心の状態によって説明するのではなく，観察可能な行動や環境によって説明しようとする．

たとえば，「お菓子を食べる」という行動について，「だらしがない性格」「意志が弱い」といった性格や心の状態を原因とするのではなく，「コンビニに行く」「目の前にお菓子がある」から，といったように，行動や環境のなかから行動の原因を探す．

習慣化された行動は，行動の鎖のように，連なってパターン化している．行動を行動の鎖として把握することで，刺激統制や反応妨害・拮抗や行動置換を応用することができる．たとえば，「お菓子を食べる」という行動を分析すると，「電車に乗る」と「お菓子の広告を見る」．その後，「コンビニ店舗前のPOPを見つける」．お菓子の広告を思い出し，「コンビニに入る」．そして，「お菓子を買う」（図2.6）という行動の鎖が描ける．

このような行動の鎖がイメージできると，「お菓子を食べる」の行動にたどりつかないように，どこで鎖を切ればよいかを考えることができる．「コンビニの前を通らない行き方はありませんか（刺激統制）」「コンビニ入る前に，少し我慢することはできませんか（反応妨害・拮抗）」「お菓子を買う日を決め，そうでない日は，別のものを買うというルールをつくりませんか（行動置換）」といった刺激－反応理論を応用したアドバイスが可能になる．

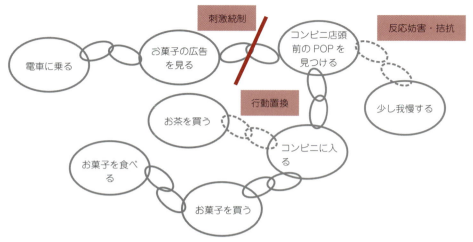

図2.6 行動の鎖 例「お菓子を食べる」行動

(3) ヘルスビリーフモデル(健康信念モデル)

ヘルスビリーフモデル(health belief model)は，1950年代，アメリカの公衆衛生の分野で疾病予防行動を説明するモデルとして生まれた．その後，ローゼンストックやベッカーなどにより改訂され発展してきた，健康行動を総合的に説明するモデルである．予防行動を実行する可能性を，疾病に対する脅威の程度および予防行動の有益性と障害の認知で予測する．疾病に対する脅威は，疾病への罹患性と重大性からなると説明している(図2.7)．

たとえば，両親が糖尿病で，自分もこのまま体重が増えていくと糖尿病になる可能性が高いと感じること(疾病"X"への罹患性の認知)と，両親を見ていて糖尿病の合併症はたいへんだと感じること(疾病"X"の重大性の認知)で，糖尿病に対して脅威を感じる(疾病"X"の脅威の認知)．そして，「カロリーの摂取を控える」行動を実行すると，「糖尿病が改善する」「体重が減る」という有益性(メリット)のほうが「好きなものが食べられない」「外食ができない」という障害(デメリット)より自分のなかで大きいと感じた場合，糖尿病の予防行動実行の可能性は高くなる．メリット(pros)とデメリット(cons)は，意思決定バラン

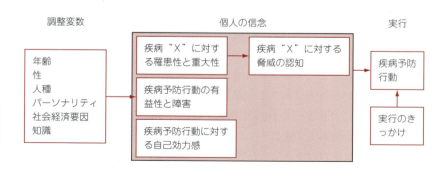

図2.7 ヘルスビリーフモデル
ヘルスビリーフモデルの自己効力感は，開発当初なかったが，社会的認知理論の開発・普及により，1988年ヘルスビリーフモデルにも自己効力感の概念が加わった．

ス(decisional balance)と呼ばれる．栄養教育では，デメリットを減らし，メリットを高めるような話し合いが必要とされる．

（4）トランスセオレティカルモデル

行動変容段階モデル(stage of change model)は，人の行動が変化する過程には段階があることを提唱しているモデルである．行動変容段階モデルのなかでも，1983年に禁煙教育の方法として紹介されたプロチャスカらのトランスセオレティカルモデル(transtheoretical model：TTM)は，実践的で理解しやすいモデルであることから，現在では幅広い健康教育で用いられており，行動変容段階モデルというとトランスセオレティカルモデルのことを指すことが多い．

トランスセオレティカルモデルの変容段階(stage of change)は，行動変容の準備性(readiness)によって5つの段階に分けられている．

① 前熟考期または無関心期(precontemplation)：6か月以内に行動を変えようと考えていない時期．
② 熟考期または関心期(contemplation)：6か月以内に行動を変えようと考えている時期．
③ 準備期(preparation)：1か月以内に行動を変えようと考えている時期．
④ 実行期(action)：新しい行動を始めてまだ6か月以内の時期．
⑤ 維持期(maintenance)：行動を変えて6か月以上たった時期．

人はこれらの段階を進む過程で，多様な変化の過程を経験する．これは変容過程(process of change)と呼ばれ，考えや気持ちなどの認知的な側面と行動的な側面から10の変容過程があげられている（表2.2）．

行動変容の段階に沿った変容の過程を理解することで，より具体的な方法を提案できる．禁煙教育の研究における変容段階と変容過程の関係性によると，準備性の低い段階は，意識の高揚，感情的体験，環境への再評価，社会的解放，自己の再評価の認知的変容過程と呼ばれ，認知的な働きかけが効果的だと考えられている．行動変容の準備性が低い人では，思い込みが強い人も少なくない．この場合，認知再構成(cognitive restructuring)という方法がとられる．たとえば，「やせると老けて見える」といった考え方をもっている人に対しては，「そんなことはない」と否定する対応は禁物である．他の考え方もあることに気づくことをねらい，どうしてそう思うかたずねてみる(2.4節参照)．一方，準備期以降の変容段階では，自己の解放，行動置換，強化のマネジメント，刺激統制，援助関係の利用といった行動的変容過程が有効だといわれている．

トランスセオレティカルモデルは，これまでの行動変容に関する理論を統合したモデルであるため，変容過程の内容は，他の理論やモデルと内容が重なるものも多い．自己の再評価は，行動変容に関するメリットとデメリットを考える過程であり，ヘルスビリーフモデルに使われる意思決定バランス(p.19参照)

準備性
新しい行動を学習するための準備状態を指す．たとえばダイエットを始めるには，ダイエットに興味をもち，ダイエットの方法を勉強し，ダイエットができるという自信が必要である．

終了期(termination)
維持期の後に終了期という時期を設定する場合もある．この時期は自己効力感が100％あり，かつ，まったく誘惑されない時期を指し，喫煙やアルコール依存など，依存的な健康行動の変容で見られる．しかし，食行動や運動など，他の行動で100％の自己効力感で誘惑がないという状態をつくることは難しいため，通常5つの段階が用いられている．

表2.2 変容の過程の内容と具体的方法

変容の過程	内　容	栄養教育の具体例
① 意識の高揚 (consciousness raising)	行動変容のために，新しい情報を集めたり，理解しようと努力すること	自分が肥満であることに気づき，肥満のままでいると，健康にどのような影響があるかを理解させる
② 感情的体験 (dramatic relief)	行動を変えたら(あるいは変えなかったら)，どんな気持ちになるか考えること	これから先，肥満のままでいる自分をイメージさせ，どういう気持ちになったか，考えさせる．同様に，やせた自分をイメージさせ，そのときの気持ちを考えてもらう
③ 環境への再評価 (environmental reevaluation)	行動を変える(あるいは変えない)ことで，周囲にどういう影響があるか考えること	今の自分(もしくはやせた自分)に対し，周囲の人はどう考えているか，を考えてもらう
④ 自己の再評価 (self-reevaluation)	行動を変える(あるいは変えない)ことで，自分にどういう影響があるか考えること	ダイエットすることによるメリットとデメリットをあげさせ，メリットを高める話し合いをする
⑤ 自己の解放 (self-liberation)	行動変容をしようと決断すること	ダイエット宣言書を書かせたりして，ダイエット実行の決断を意識化させる
⑥ 行動置換 (counterconditioning)	問題行動に代わる行動を取り入れること	「お菓子の代わりに果物を食べる」など，具体的な方法を提案する
⑦ 強化のマネジメント (contingency management)	行動変容を促したり，維持させるための強化(ごほうびや罰など)を行うこと	目標体重になったら旅行をするなど，ごほうびを最初に設定する
⑧ 刺激統制 (stimulus control)	行動変容や維持に役立つ刺激を設定したり，取り除いたりすること	体重記録票を冷蔵庫に貼る，お菓子を見えないところにしまうなど，具体的な方法を提案する
⑨ 援助関係の利用 (helping relationships)	行動変容に役立つソーシャルサポートを活用すること	同僚にお酒を控えていることを話し，協力を得るようにすすめる
⑩ 社会的解放 (social liberation)	周りの環境が自分の行動変容の支援になっていることに気づくこと	周りの環境でダイエットに役立つことはないか，考えさせる

重要性と自信

　動機付け面接(motivational interviewing)を応用した「健康のための行動変容(health behavior change)」では，行動変容の準備性を重要性(importance)と自信(confidence)で尋ねることを提案している(図)．

　図中のAが重要性も自信も両方高い状態であり，行動変容段階でいう準備期に当たる．それに対し，Bは重要性も自信も両方低い状態である．つまり，準備性が低い．Cは重要性は高いが自信が低い．いわゆる「わかっているけど，できない」状態である．Dは自信は高いが重要性が低い状態を指し，「やればできるけど，やる必要がない」状態である．

　Cの人に重要性を高めるアプローチは非効率的である．Cの人には自信を高めるアプローチを行い，Aに近づける．

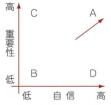

図　重要性と自信

ステファン・ロルニックほか，『健康のための行動変容：保健医療従事者のためのガイド』，法研(2001), p.326

と，同様の概念である．自己の解放は，行動変容をしようと心に決める過程であり，目標宣言や行動契約とも呼ばれる．行動変容はなんとなく始めるより，決心したことを自覚しているほうが成功の可能性が高いため，契約書を目標実行の前に本人に書かせるとよい．行動置換，強化のマネジメント（オペラント強化），刺激統制は，刺激－反応理論を応用した技法と同様であり（p.17参照），援助関係の利用はソーシャルネットワーク・ソーシャルサポートと同様である（p.27参照）．

（5）計画的行動理論

計画的行動理論（theory of planned behavior, TPB）は，1975年，フィッシュバインとエイゼンによって提唱された合理的行動理論（theory of reasoned action, TRA）が発展した理論である．行動意図（behavioral intention）は行動意思とも呼ばれることから，この理論は「行動意思理論」と訳されることもある．

合理的行動理論と計画的行動理論は，「人がある行動を行うには，その行動を実行しようと考える行動意図がある」という考え方を基本にしている．

計画的行動理論で行動意図は，態度（attitude）と主観的規範（subjective norm），知覚された行動のコントロール感（perceived behavioral control，以下，行動のコントロール感）の三つの要因から説明されている．合理的行動理論では，態度と主観的規範の二つの要因で行動意図を説明している．計画的行動理論は，合理的行動理論に「行動のコントロール感」という要因が加わったものである．図2.8に計画的行動の理論を示す．

行動意図
この先，その行動をとる予定（つもり）であるといったような，ある行動を実行する意志を指す．

態　度
自分にとって重要であると価値をおいているかを意味する．

主観的規範
周囲から期待されていることに気づき，かつ，それに応えたいという気持ちのことを指す．

知覚された行動のコントロール感
その行動をコントロールできるかという，自己効力感や自信に似た概念である．

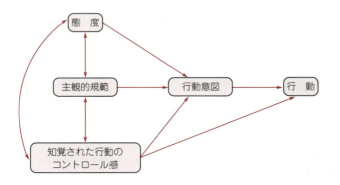

図2.8
計画的行動理論

計画的行動理論の特徴は，行動を実行しようと思う気持ち（行動意図）を考えながら行動変容を進めることである．つまり，行動を実行しようと思う気持ちは今どれぐらいであるのか，また，この気持ちを高めるためには何が必要なのかを考える．たとえば，減量をしようと思う気持ちが低い場合，減量することは自分にとって意味のないことだと思っている（態度），周りの人は自分の減量を期待していないと思っている（主観的規範），減量はできないと思っている（行動のコントロール感）など，減量をしようと思う気持ちを低くしているいくつかの原因が考えられる．

(6) 社会的認知理論

社会的認知理論(social cognitive theory)は，1970年代，バンデューラによって提唱された社会的学習理論(social learning theory)から名称が変わった理論である．社会的学習理論が提唱されるまで，行動は個人が体験することによって学習されると考えられていた．しかし社会的学習理論では，「人間は人の行動を見たり，話を聞いたりするだけでも行動を学習していく」ことを主張しており，この理論は学習に関する研究や実践の場で大きく発展した．バンデューラは社会的学習理論が人間の社会行動を理解する包括的な理論であるとし，1986年にこの理論を社会的認知理論と呼んだ．

社会的認知理論では，人間は行動と個人的要因と環境の3つの相互関係(相互決定主義)から，行動を学習していく過程を考えている(図2.9)．個人的要因と行動，そして環境の3つの要因は互いに関連し合っているという考え方，つまり，個人的要因への介入が難しい対象者では，行動や環境への介入から入ることも可能であることを示している．

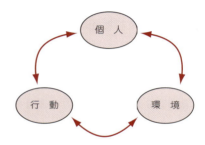

図2.9 相互決定主義
個人とは，個人の認知(知識や態度など)を指す．

「人間は，人の行動を見たり話を聞いたりするだけでも行動を学習していく」のは，人が行動を実行するには2つの期待が関係しているためだと考えられている．まず，ある行動を実行するとこういう結果があると考える結果期待(outcome expectancy)と，そのためにその行動を実行できると考える効力期待(efficacy expectancy)である．効力期待は自己効力感(セルフ・エフィカシー，self-efficacy)と呼ばれている(図2.10)．

社会的認知理論を応用した技法は数多くある(p.25 コラム参照)．ソーシャ

KAB モデル

KAB モデルとは，学習の過程を知識(knowledge)，態度(attitude)，行動(behavior)の3つのレベル(K-A-B)で考えるモデルである．得た情報が人々の知識となり，態度変容につながり，最終的に行動の変容になると考えられている．しかし，KAB モデルの効果を示す研究は少なく，知識型の教育は行動変容につながらないとされている．K-A-Bの流れ以外に，行動の変化が態度を変えて知識を変えたり(B-A-K)，知識が行動を変えて態度を変える(K-B-A)こともあり，これら3つの項目は相互に関係している．

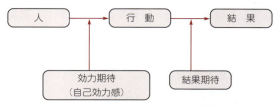

図 2.10 結果期待と効力期待の関係

ルスキルトレーニング（social skill training，社会技術訓練）は，問題解決（problem solving）やロールプレイ（role play）などを通して，社会的にスキルを身につける総合的な学習方法である．問題解決は新しく始める行動の実行が難しいと考えられる場面をあげ，その場面になったときに，どう対処をするか，あらかじめ考えておくことである．行動の実行が難しい場面とは，「できない」と思う場面のことを指す．つまり，自己効力感が低くなる場面である．

たとえば，普段の生活ではお酒の適量を守れるが，人から勧められたときは，「できない」と思っている場合，どういう断り方をしたらよいか話し合っておく．実際の場を想定して練習する方法もよくとられる．たとえば，「同僚のお酒を上手に断りましょう」とアドバイスするだけでなく，栄養士が同僚の役になって，その場で断る練習をする．これはロールプレイと呼ばれる．このように練習をすることで，具体的な言葉まで考え，実際の生活場面での準備が整う．

体重や血圧といった身体的な記録や目標の達成度を記録するセルフモニタリング（self-monitoring，自己監視法）は社会的認知理論の自己調整（self-

自己効力感（セルフ・エフィカシー）に関連する要因

バンデューラは，自己効力感に関連する要因として，過去の成功体験，代理体験，言語的説得，情動的喚起をあげている．

① 過去の成功体験（performance accomplishments）

これまでに成功体験をもっているほうが，自己効力感が高まる．目標設定では，小さな目標にし，成功体験を積み上げていく．小さな目標はスモールステップ（small step）と呼ばれる．また教育のなかでは，過去に似たような体験で成功したことがなかったかを尋ねると，「もしかしたら，できるかも」という気持ちになる．

② 代理体験（vicarious experience）

すでにやっている人，成功している人の話を聞いたり，観察したりすることで，自己効力感が高まる．これは，モデリング（modeling）という技法で応用されている．お手本（モデル）を設定することで，自分は体験していなくても学習は進む．

③ 言語的説得（verbal persuasion）

周囲から，「大丈夫」「できる」と声をかけられることで，自己効力感は高まる．とくに専門家の言葉がけは，自己効力感を高める．

④ 情動的喚起（emotional arousal）

自己効力感と生理状態は互いに関連し合っている．たとえば過食の行動変容では，空腹感がないときは，食べ過ぎをコントロールする自己効力感が高いのに対し，空腹のときは自己効力感が低くなる．空腹感のコントロールは重要である．

regulation）を応用した技法である．自分で行動を観察し，記録し，さらに評価することで，目標の達成度を客観的に見ることになり，自己強化が働く．これがセルフコントロールになる．目標の達成度の記録で，×がつくと反省し，○がつくと達成感を実感する（正の強化）．

（7）ストレスマネジメント

ストレスを感じると，直接血圧を上昇させるなど身体的に影響を及ぼすほかに，飲酒，喫煙，食行動など健康行動に影響を及ぼすことが多い（7.4節参照）．そこで，栄養教育においても，ストレスマネジメント（stress management）の話し合いも必要になってくる．

ラザラスらのストレスの相互作用モデルとコーピング（transactional model of stress and coping）は，個人と環境の相互作用を重視し，ストレスコーピング（coping）の過程を説明している（図2.11）．

> **コーピング**
> 対処と訳される．ストレス反応を低減させるために行われる認知的または行動的プロセスを指す．

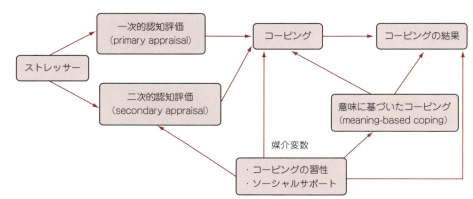

図2.11　ストレスの相互作用モデルとコーピング

> **ストレッサー**
> ストレスの原因のことをストレッサーといい，騒音や気温などの物理的ストレッサー，ウイルスなどの生物的ストレッサー，酸素や薬物などの化学的ストレッサー，怒りや喜びなどの心理的ストレッサーがある．

一次的認知評価とは，ストレッサーに対する評価である．ストレッサーが自分にとって，無関係か，あるいは良いストレスなのか，それとも脅威となるストレスなのかといった評価である．それに対し，二次的認知評価は，脅威とされるストレッサーに対し対処できるかという自分のストレス対処の能力の評価である．この2つの評価の後，コーピングが行われる．

コーピングには，一次的・二次的認知評価のほかに，コーピングスタイルの習性や意味に基づいたコーピングなどが関係している．コーピングスタイルの習性とは，いわゆる癖である．意味に基づいたコーピングとは，コーピングすることは自分にとって意味のあることと肯定的にとらえることである．肯定的にとらえてコーピングをするかによって，コーピングの結果も異なる．コーピングの結果は，精神的・身体的健康状態のほか，健康行動に現れる．

ストレスはなくすことはできない．ストレスとどのようにつき合っていくか，すなわちストレスへの対処であるコーピングが重要である．ストレス対処方法は，ストレス発散やストレス解消といった気分転換だけではない．ストレスコー

ピングは，直面している問題を解決しようとする問題焦点型と自分の気持ちを安定させようとする情動焦点型に大別される．さらに，方法の分類として，積極的にかかわろうとする関与型と遠ざかろうとする回避型，実際行動しようとする行動型と頭のなかで考えようとする認知型に分類される（表2.3）．ある特定のコーピングに偏らず，いくつか複数のコーピングができるほうが，多くの場面でストレスに対処できる．なお，ストレスは心理的なことであるため，ストレスマネジメントについて管理栄養士がかかわる場合，専門家と連携して進めたほうがいい場合もある．

表2.3 ストレスマネジメントの分類と具体的方法（例）

分類			具体的方法（例）
問題焦点	関与	行動	情報を集める（例：すでに経験した人から話を聞いて参考にする）
		認知	問題解決の計画を立てる（例：原因を検討し，どのようにしていくか考える）
	回避	行動	責任を逃れる（例：責任を他の人と分担する）
		認知	あきらめる（例：対処できない問題だと考え，あきらめる）
情動焦点	関与	行動	誰かに話を聞いてもらう（例：誰かに話を聞いてもらい，気を静める）
		認知	良い面を探す（例：これからは良いこともあると考える）
	回避	行動	気晴らしをする（例：趣味を楽しむ）
		認知	考えないようにする（例：嫌なことを頭に浮かべないようにする）

島井哲志，嶋田洋徳，『イライラのマネジメント』，法研（2000）を参考に作成．

（8）ソーシャルサポート

ソーシャルサポート（social support）は理論的な内容を意味するのではなく，対人関係（social relationships）の構造や過程，機能を説明する概念である．ソーシャルサポートに並んで使われる言葉が，ソーシャルネットワーク（social network）である．ソーシャルネットワークはその個人の周囲に存在する人々との対人関係の仕組みを指す一方で，ソーシャルサポートはその仕組みにおける対人関係の機能を意味している．すなわち，ソーシャルネットワークは人と人とのつながりを意味しており，ソーシャルサポートはそのつながりの間で実際に行われているやりとりを指している．人と人とのつながり（ソーシャルネットワーク）があったとしても，実際にやりとり（ソーシャルサポート）があるとは限らない．

ソーシャルサポートの定義はさまざまであるが，ハウスは，4種類のサポートがあると定義した（1981年）．つまり，①情動的サポート（emotional support，同情や愛，信頼，心配などの心理的なサポート），②道具的サポート（instrumental support，実際に手助けをしたりすること），③評価的サポート

(appraisal support, 自己評価に役立つ情報のことであり, 建設的なアドバイスやその人の意見を認めるなど, よい自己評価につながる情報のこと), ④ 情報的サポート (informational support, 健康に関する情報やアドバイスを提供すること) である. 評価的サポートがその個人の自己評価に役立つ情報であるのに対して, 情報的サポートは行動を実行するために必要な具体的な情報を指している.

(9) コミュニティオーガニゼーション

コミュニティオーガニゼーション (community organization) とは, 地域社会における問題を達成するために, それぞれの資源を活用してその問題を解決していくことである. そこでは, 地域住民を組織化し, 住民の間での協議や協力が重要視される.

コミュニティオーガニゼーションについて, ロスマンは大きく3つに分けている. まず, 地域開発 (locality development) である. コミュニティのメンバーの意見と共同作業を重視しながら, 集団や地域のアイデンティティや雰囲気をつくり, コミュニティをつくっていく. 2つ目が, 社会計画 (social planning) である. 専門的技術を活用し, 合理的な計画を立て実施し問題解決を図る. 3つ目がソーシャルアクション (social action) である. ここでは, コミュニティにおける問題に対して, 連帯化して組織をつくり, 改善を目指す. 地域開発では利害が一致しているのに対し, ソーシャルアクションでは必ずしも利害は一致していない.

たとえば, 健康都市づくり計画においてコミュニティオーガニゼーションの考え方が用いられる. 健康都市づくりのための専門委員会では, 専門家が主導で行うのではなく, 住民の代表を委員として参加させ, 専門家からの助言を受けながらコミュニティの健康上の問題点について分析し, 問題解決の計画を立てていく. このことにより, 地域がもっている力が強化される. このことをエンパワメント (empowerment, p.47参照) と呼ぶ. そして, 地域住民が参加する活動を通して, 住民は地域に対して信頼や愛着をもつ. これが近年健康に関連する重要な考え方として注目されるソーシャルキャピタル (social capital, p.47参照) である.

(10) イノベーション普及理論

イノベーション普及理論 (diffusion of innovation theory) は1960年前半, ロジャースが社会学の視点から, 新しい情報や技術がどのように普及し, 社会や文化を変化させていくかを紹介した理論である. 普及理論の考え方は社会学にとどまらず, 現在では健康行動の変容にまで活用され, 他の健康に関する理論にも影響を及ぼしている.

この理論では, イノベーションが普及していく過程を5つの段階で説明している. 現状の問題点に気づき, 新しい考え方や活動, 物の必要性を感じ, それらを開発するイノベーションの開発 (innovation development), その新しい考

Plus One Point

コミュニティ

生態学的に見たコミュニティは, 大きさ, 人口密度, 社会的組織の構造などである. 一方, 社会学的に見たコミュニティは, 経済や政治など, コミュニティが行う社会的な機能を指す.「地域社会」は生態学的な意味としてとらえられがちだが, コミュニティは社会的相互作用のある個人の集まりの意味も含んでいる.

え方を人々へ伝える積極的な活動である普及(dissemination)，人々が新しい情報や活動を取り入れる採用(adoption)，実際に実施する実行(implementation)，そして最後の段階がその活動を継続させる維持(maintenance)である．

イノベーション普及理論では，このように5つの段階に沿って地域社会への働きかけを紹介する．たとえば，健康に関する地域のサービスをよりよいものにするために，まず地域住民にアンケートを行い，意見を聴取する(イノベーションの開発)．そして，そこから考えられた新しいサービスをいかに住民に伝え(普及)，行ってもらうか(採用，実行，維持)，その方法を計画し，実施することが専門家の仕事になる．

普及理論では，イノベーションの普及のために適切なチャネルの選択が必要であるとしている．時間経過とともに，イノベーションは普及していく(図2.12)．ロジャースは，初期採用者に最初に普及すると，普及が速くなるとしている．栄養教育においても，普及した食行動をいかに初期採用者に採用してもらうかが重要になる．

Plus One Point

チャネル

情報などの伝達経路，手段．テレビや新聞などのマスメディアやクチコミと呼ばれる人から人へ伝える方法など．チャネルにはさまざまな種類がある．

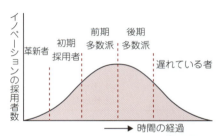

図2.12 時間経過とイノベーションの普及

(11) ヘルスリテラシー

コミュニケーションとは，記号や言葉を用いてメッセージを伝える過程である(図2.13)．コミュニケーションは，メッセージを送る送り手と受ける受け

コラム 普及の速さを決める条件

ロジャースは，イノベーションが普及する速さには次の5つの条件が関係していると考えている．

① 相対的優位性(relative advantage)：イノベーションがこれまでの考え方や行動，物よりよいものだと感じられるか．

② 適合性(compatibility)：イノベーションが対象者の価値観や文化，ニーズなどに合っているか．

③ 複雑性(complexity)：イノベーションを実行する，もしくは使うことが難しいと感じないか．

④ 試行可能性(trialability)：イノベーションを本格的に取り入れる前に，試すことができるか．

⑤ 観察可能性(observability)：イノベーションの採用や実行を他の人が見てわかるか．

印刷媒体でのコミュニケーションにおいては，非言語的コミュニケーションとして，文字のフォント，大きさ，色の他，余白やイラストが含まれる．

リスクコミュニケーション

　コミュニケーションのなかで，リスクに関するコミュニケーションを**リスクコミュニケーション**（risk communication）と呼ぶ．食の安全に関するリスクコミュニケーションは栄養教育の一環である．リスクコミュニケーションというと，行政や企業が情報提供を行うと思われているが，実際はコミュニケーションであるため，双方向のやり取りが必要である．リスクコミュニケーションでは，不確実な内容（リスク）をやり取りしており，受け手がとるべき行動はどれが正しいかわからない．したがって，意思決定には，受け手の意見や価値観が必要になる．

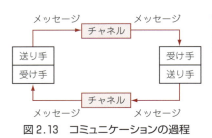

図 2.13　コミュニケーションの過程

表 2.4　コミュニケーションの種類

対象者の規模	コミュニケーションの種類	栄養教育例	おもなチャネル
個人のレベル	パーソナルコミュニケーション	栄養カウンセリング	（1対1のカウンセリングのほか）電話，電子メール，手紙
集団・組織レベル	中間的コミュニケーション	糖尿病教室，学校における食育	（直接講話で伝達するほか）スライド，ビデオ，配布物，ポスター
コミュニティ・社会レベル	マス・コミュニケーション	マスメディアやインターネットなどを使った情報発信	テレビ，新聞，雑誌，ウェブサイト

手の相互関係によって成り立つ．対象者の規模によって，コミュニケーションの種類やチャネルが異なる（表2.4）．

　健康情報に関するコミュニケーションを**ヘルスコミュニケーション**（health communication）と呼ぶ．情報化社会の現代，情報の受け手は，情報の入手，理解，評価，活用するスキルをもつ必要がある．このスキルを**ヘルスリテラシー**（health literacy）と呼ぶ．

　送り手には，ヘルスリテラシーの他に，メッセージの伝え方のスキルも求められる．たとえば，明るくはきはきとした声で笑顔で話す場合と小さな声でうつむいて話す場合では，同じ内容を話したとしても，受け手の信用が異なるのは想像できるであろう．話の内容，すなわち言語に関することを**言語的コミュニケーション**と呼び，声の大きさ，トーン，表情，しぐさといったものを，**非言語的コミュニケーション**と呼ぶ．

（12）ナッジ

　ナッジ（nudge）とは，「ヒジで軽く突く」ように，知らぬ間に行動をさせることを意味する．適切な日本語がないことから，そのままカタカナでナッジと呼ばれている．ナッジは行動経済学の領域から発展した概念である．一般的な経済学では，人はよく考え，合理的な意思決定を行うと考えられていた．しかし，

実際，人は不合理な意思決定を行うことがある．行動経済学では，人の意思決定は，直感的に判断する（システム1）と熟考して判断する（システム2）があると考え，システム1に働きかけ，行動変容を促すことを試みている（表2.5）．

表2.5 人間のもつ2つの認知システム

自動システム（システム1）	熟慮システム（システム2）
制御されてない	制御されている
努力しない	努力する
連合的	演繹的
速い	遅い
無意識	自覚的
熟練を要する	ルールに従う

リチャード・セイラー，キャス・サンスティーン 著，遠藤真美 訳，『実践行動経済学』，日経BP社（2009），p.39より作成．

【ナッジの具体例】
たとえば，「健康な食事」を選択してもらおうとしたとき，「〇〇シェフの〜」や「産地直送〜」といったメニュー名にする．他のメニューより安くする．選択するとポイントが2倍になる，などのお得感を出すなどの工夫で，メニューを魅力的に見せることは，ナッジの活用になる．ほかにも，人は面倒なことを避ける傾向にあり，提示された最初の状態（デフォルト）を採用しやすいということを活用し，「外すこともできるが，最初から定食に，サラダや野菜の小鉢をつけておく」という方法もナッジを活用した方法である．

合理的な意思決定は，システム2を用いた意思決定になる．一方で，システム1で意思決定を行うと，速い決定ができるが，間違いも起こしやすい．いわゆる，早とちりである．このことを，ヒューリスティック（heuristic）と呼ぶ．この背景には，認知バイアスがある．認知バイアスには，いくつかの種類があり，たとえば，利用可能性ヒューリスティックは，入手しやすい情報で判断してしまうことであり，代表性ヒューリスティックは，私たちのもつ思い込みや偏見で判断してしまうことである．ほかにも，提示された情報の一部を基準にしてものを判断してしまうアンカリング効果，特徴的なものに引っ張られ判断してしまうハロー効果がある．情報発信の際，死亡率10％と生存率90％のように，同じ内容であるのに表現を変えると受け止め方が変わるのも，フレーミング効果という認知バイアスの1つである．

2.3 栄養教育マネジメントで用いる理論やモデル
（1）プリシード・プロシードモデル

プリシード・プロシードモデル（precede-proceed model）は，グリーンらが1991年に開発した健康増進プログラムの立案，実施，評価に関するモデルである．このモデルは社会学，行動学，教育学を含む疫学的視点から考え出されており，公衆衛生の分野で広く使われている．とくに，健康教育におけるアセスメント，目標設定，評価を考える際，役に立つモデルである．

第1〜4段階までをプリシードと呼び，さまざまなレベルで目標実施に必要な要因を診断する．第5段階の実施と第6〜8段階までの3つの評価をプロシードと呼ぶ（図2.14）．プリシード・プロシードモデルの特徴は，最終目標を生活の質（QOL）としているところであり，最終目標に至るまでの過程も評価の対象になっている．2005年，グリーンらは遺伝要因を加え，モデルを改訂した．

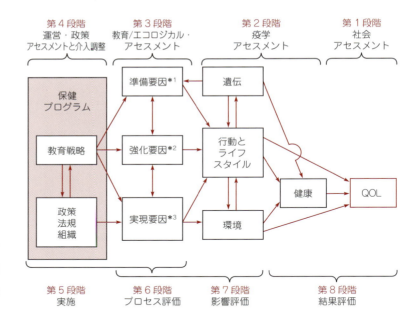

図2.14
プリシード・プロシードモデル
*1 準備要因：行動を起こす動機に関する要因，知識，態度など．
*2 強化要因：行動の継続に影響する周りの人のサポートなど．
*3 実現要因：行動の実現に関する法律や制度，個人のスキルや収入など．

（2）ソーシャルマーケティング

ソーシャルマーケティング(social marketing)とは，社会的な目的や問題の解決のためのプログラムについて商業分野のマーケティングの考え方を応用したものであり，公衆衛生の分野でも活用されている．公衆衛生分野でソーシャルマーケティングを使う場合，商業分野で売ろうとする商品を対象者に取り入れてほしい健康行動に置き換えて用いる．

マーケティングの目的を達成するためには，4P（マーケティングミックス）を考える．

①プロダクト(product，製品がよいか)，②プライス(price，適正価格か)，③プレイス(place，よく流通しているか)，④プロモーション(promotion，適切な宣伝がされているか)である．これを健康行動に置き換えると，①健康に効果がある行動であるか(プロダクト)，②実行するのに負担や障害は少ないか(プライス)，③実行しやすい環境であるか(プレイス)，④実行を促す工夫がされているか(プロモーション)となる．

対象者を似たようなニーズでセグメントに分け，ニーズに応じて，4Pを使い分ける．

（3）生態学的モデル

生態学的モデル(ecological model)は，人の行動はいくつかのレベルの影響を受けているという考え方を基本とする(図2.15)．したがって，健康行動の変容を促す場合，1つのレベルだけでなく，総合的なレベルからアプローチするほうが効果的である．たとえば，健康的な食生活を推進するため，各学校で食育に取り組むだけでなく，地域において自治体が健康的な食事が食べられる

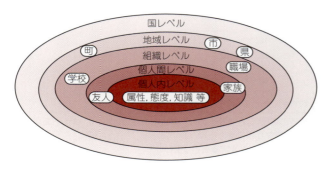

図 2.15　生態学的モデル

レストランを推進したり，国が健康や栄養に関する法や制度をつくったりすることで，より実践しやすい環境になる．また，これらの取組みはレベル間で相互に関連し合っているため，協力して行うことが大切である．

2.4　栄養カウンセリング

わが国において**カウンセリング**（counseling）は，心の問題を解決する場面で始まり，発展してきた．しかし，カウンセリングの基本的考え方は，心理学の分野に限らず対人援助の場面で常に有用であることから，現在では幅広い分野で用いられている．

ここでは，栄養教育におけるカウンセリング（**栄養カウンセリング**：nutrition counseling）について説明する．したがって，カウンセリングを行う人は管理栄養士とする．一方，栄養カウンセリングを受ける人は，患者だけでなく健康な人も対象になる場合もあることから，ここでは**クライエント**（client）とする．

栄養カウンセリングの技法だけを身につけても，栄養カウンセリングは進められない．管理栄養士の態度や倫理をベースに，栄養カウンセリングの基本的考え方，その上に栄養カウンセリングの技法が存在する（図 2.16）．基礎となる態度や倫理をよく理解することが大切である．

（1）栄養カウンセラーの態度と倫理
（a）一般的な人間関係のマナーを守る

栄養カウンセリングは人を対象として行われる．したがって，人間関係における一般的なマナーは守らなければならない．むしろ，管理栄養士はサービス業であるという意識をもってクライエントに接することが重要である．きちんとしたあいさつや言葉づかい，身だしなみなど，クライエントに不愉快な印象を与えないよう常に意識することが重要である．とくにカウンセリングの初回には配慮が必要である．

（b）クライエントに偏見をもたないで接する

友人関係では同じような考え方をもつ人が集まることが多い．しかしカウンセリングに訪れる人は，国籍，人種，宗教などさまざまであり，いろいろな価値観や考え方をもっていることを理解しておかなければならない．クライエン

クライエント
クライアントとも呼ばれる．日本語では，来談者といい，カウンセリングを求めて来た人のことを指す．

- 栄養カウンセリングの技法

  > 傾聴
  > 肯定・支持
  > 要約
  > 開かれた質問

- 栄養カウンセリングの基本的考え方

  1. クライエントの自律性の尊重（管理栄養士のほうが上の立場ではない．クライエントを一人の人間として対等な立場で進める）
  2. クライエント中心（クライエントが決定権をもっている）
  3. 信頼関係（ラポール）の確立（押しつけで進めない．信頼関係をベースに進める）
  4. 目的の明確化（目的なしに行うものではない）

- 管理栄養士の態度と倫理

  1. 一般的なマナー（あいさつ，言葉づかい，身だしなみ）
  2. 平等感（偏見をもたない，差別をしない）
  3. 自己の健康管理
  4. 守秘義務
  5. 私的関係の禁止
  6. 専門的な知識の習得と技術の向上
  7. 他の業種との連携

図2.16　栄養カウンセリングの技法の位置づけ

トの見かけなど一部分だけの情報で判断したり，クライエントの考え方を否定したり，差別したりすることは，信頼関係を損じることになる．クライエントに偏見をもたないで接することは重要である．

（c）自分自身の健康状態を整える

カウンセリングを行う人が体調を崩していたり疲れていたりすると，客観的にクライエントの話を聞けなくなる原因になる．日頃から自分自身の身体的・精神的健康状態を整えておくことが重要である．

栄養カウンセリングと心理カウンセリングの違い

カウンセリングというと，クライエントの感情について尋ねたり心の深層を探ったりすることと考えられがちであるが，心理カウンセリングと栄養カウンセリングでは実施する目的が異なるため，その内容も異なる．心理カウンセリングは心理カウンセラーが行い，心の問題を解決するための援助を目的としている．一方，栄養カウンセリングは管理栄養士が行うカウンセリングであり，栄養教育の一環である．栄養カウンセリングでは食行動の変容の援助が目的となる．つまり栄養カウンセリングでは，健康に影響する食行動を変容することがカウンセリングの中心テーマとなる．

栄養カウンセリングのような行動変容を目標としたカウンセリングでは，クライエントが健康を目指して生活習慣を変容させ，維持することが目標になり，管理栄養士はその援助を行う．ここで重要なポイントは，クライエントの自律的決断を尊重し，クライエント自身のもっている能力を伸ばすことである．クライエントは栄養カウンセリングを通して，食行動を変容させて維持する自己管理能力を習得していく．

（d）管理栄養士とクライエントの役割を守る

カウンセリングの回数が重なり信頼関係が形成されてくると，管理栄養士とクライエントという関係を見失いがちになる．あくまでも管理栄養士が行うのは栄養カウンセリングであり，管理栄養士とクライエントの関係を崩してはならない．そのためには，クライエントが嫌がることやカウンセリングの目的に必要のないクライエントのプライバシーにはかかわらないことが重要である．管理栄養士自身のプライバシーも不必要にさらさないことが必要である．

（e）クライエントのプライバシーを尊重する

業務上，知り得たクライエントの情報に関しては，正当な理由なく他人に漏らしてはいけない．

（f）専門的な知識の習得と技術の向上に努める

管理栄養士業務にかかわる情報は日々更新される．専門家として，常に最新情報を入手し，正確でかつ適切な情報提供を行わなければならない．

（g）できないことは他の専門家に相談する

管理栄養士として何が援助できるのかについて明確にしておかなければならない．すべて自分一人で抱え込もうとするのではなく，自分のできないことについては他の専門家（医師や心理カウンセラーなど）にクライエントを紹介するなどの対応が必要である．また，困ったときに相談できる同僚をもっておくことも重要である．

（2）栄養カウンセリングの基本的考え方（図2.17）

（a）クライエントの自律性を尊重する

栄養カウンセリングでは，クライエントの自律性の尊重を基本としている．

Plus One Point

栄養カウンセリングの場所

カウンセリングに集中するためには，専用の部屋で行うほうが望ましいが，部屋がない場合は，パーティションなどで，カウンセリングとして使う空間を確保する工夫を行うとよい．カウンセリングを行う場所については，クライエントが落ち着いてカウンセリングを受けられるよう，周りの音，照明，空調など部屋の雰囲気づくりにも配慮することが重要である．

コラム　管理栄養士・栄養士倫理綱領

本倫理綱領は，すべての人びとの「自己実現をめざし，健やかによりよく生きる」とのニーズに応え，管理栄養士・栄養士が，「栄養の指導」を実践する専門職としての使命と責務を自覚し，その職能の発揮に努めることを社会に対して明示するものである．

1. 管理栄養士・栄養士は，保健，医療，福祉及び教育等の分野において，専門職として，この職業の尊厳と責任を自覚し，科学的根拠に裏づけられかつ高度な技術をもって行う「栄養の指導」を実践し，公衆衛生の向上に尽くす．
2. 管理栄養士・栄養士は，人びとの人権・人格を尊重し，良心と愛情をもって接するとともに，「栄養の指導」についてよく説明し，信頼を得るように努める．また，互いに尊敬し，同僚及び他の関係者とともに協働してすべての人びとのニーズに応える．
3. 管理栄養士・栄養士は，その免許によって「栄養の指導」を実践する権限を与えられた者であり，法規範の遵守及び法秩序の形成に努め，常に自らを律し，職能の発揮に努める．また，生涯にわたり高い知識と技術の水準を維持・向上するよう積極的に研鑽し，人格を高める．

〔公益社団法人日本栄養士会　学術研究事業部　平成26年（2014）6月23日改訂〕

栄養カウンセリングは管理栄養士とクライエントによって協同的(cooperative)に進められる．管理栄養士にはクライエントの食行動の変容を援助する役割があり，クライエントには自分の意思で，より健康的な食行動を習得していく役割がある．

図 2.17 栄養カウンセリングの基本的考え方
クライエント中心であるが，管理栄養士とクライエントは対等に位置し，信頼関係で結ばれ，目標に向かって栄養カウンセリングは進められる．

(b) クライエント中心で進める

栄養カウンセリングは，クライエント中心(client-centeredness)という考え方で進められる．栄養カウンセリングは協同作業であり，互いのやり取りで行われるが，カウンセリングの主役は常にクライエントであり，管理栄養士ではないことを忘れてはならない．管理栄養士は，クライエントの価値観が自分と異なっているとしても，否定することなく受け止めなければならない．つまり，クライエントを自分の価値観で良い，悪いと評価せずに，クライエントの価値観をまず尊重することが重要である．

(c) 信頼関係を確立する

管理栄養士とクライエントの協同作業の関係は，両者の相互作用(interaction)によってつくられていく．カウンセリングの場での管理栄養士とクライエントの関係は，無理のない雰囲気であることが必須であり，そのためには信頼関係を確立する必要がある．信頼関係のことをラポール(rapport)という．ラポールの形成には，管理栄養士はそれぞれのクライエントの価値観を否定することなく，クライエントの話を聞くことが重要である．クライエントの主体性を尊重した態度が，クライエントとの信頼関係をつくっていく．

(d) カウンセリングの目標を明確にする

栄養カウンセリングは目標を達成するため(goal-oriented)に行われる．管理栄養士とクライエントがそれぞれにもっている情報を交換しながら，一緒に問題を解決し，目標の達成を目指す．カウンセリングでは，最初に立てた目標の方向性が途中で変わることもある．目標が変わった場合，変わったことに気づかないままカウンセリングを行うのではなく，変わったことを確認してからカウンセリングを続けることが必要である．

(3) 栄養カウンセリングの技法

(a) クライエントの話を注意深く聞く(傾聴)

栄養カウンセリングの基本となる技法は，行動変容に必要な情報を得るため，

ラポール
カウンセリングを効果的に進めるために必要なクライエントとの人間関係．クライエントに対して受容的な態度で臨むことによって，ラポールはつくられる．

傾聴

クライエントの話を注意深く聞くこと（傾聴）である．そのためには，クライエントが話しやすい環境をつくったり，必要な情報を聞くための的確な質問をしたりすることが必要である．ここでいう話しやすい環境は，管理栄養士とクライエントの信頼関係の確立，さらにクライエントの価値観を尊重したクライエント中心で進められるカウンセリングのなかでつくられていく．さらに，クライエントの話している内容の意味を間違ってとらえないよう，クライエントの言葉だけでなく，しぐさや表情にも注意を配ることが必要である．

（b）クライエントの考え方や価値観を認めて受け入れることを示す（支持または肯定）

そこで管理栄養士は，クライエントの考え方や価値観を認めて受け入れていると示すことが重要である．クライエントは問題を抱えていることから，自分自身に否定的になりがちである．管理栄養士のうなずきや「そうですね」という言葉によってクライエント自身で自分の考えを整理し，自分を認めることにつながっていく．

支持

（c）話のポイントを要約して返す（要約）

クライエントの考え方や価値観を確認することと同様に重要なことが，クライエントの話のポイントを要約して返すことである．これがクライエントの考えや気持ちを整理させ，今まで気づかなかったことに気づかせる場合もある．

要約

（d）必要な情報を得るための質問をする（開かれた質問）

さらに，クライエントとの会話で重要な技法は，行動変容に必要な情報を得るための質問をすることである．そのためには，「はい」「いいえ」や短い答えで答えられる質問（閉ざされた質問）でなく，「どんなことに困っているのですか」「何が原因だと思っていますか」といったような，クライエントの食行動に関する考えを尋ねる質問をすることが重要である．「はい」「いいえ」で答えられる質問は得られる情報も少なく，クライエントも自分の考えを話しにくい．自由に答えられる質問では，クライエントは自分が最も関心のあることから話をする．したがって管理栄養士は，クライエントの求めていること（ニーズ）を把握できる．

開かれた質問

行動変容は，クライエントの関心があることから始めると成功しやすい．クライエントが自分の関心のあることを聞いてもらうことは，管理栄養士に対して信頼感をもつことにつながる．

2.5 カウンセリングの栄養教育への応用

個人を対象とした栄養カウンセリングは，栄養カウンセリングの基本となる．個人を対象とした内容も基本的には，家族やグループなど複数の人数を対象とした場合と共通する．

（1）行動カウンセリング

栄養カウンセリングにおいても，食行動の変容と維持に焦点が当てられてい

> **Plus One Point**
> **家族と行う
> カウンセリングの注意点**
> カウンセリングを始める発端となった家族のメンバーが，カウンセリングの中心である．家族と一緒に栄養カウンセリングを行う場合，問題を抱えた本人でなく，周りの家族がその家族の行動を変えようと一生懸命になったりすることがある．家族はあくまでも本人のサポートであり，動機を高めていく対象は問題を抱えた本人であるということを，管理栄養士は常に意識して進めなければならない．

> **Plus One Point**
> **グループで行う
> カウンセリングの注意点**
> カウンセリングを進める管理栄養士が，グループ全体とメンバー一人一人を常に把握する．グループを対象としたカウンセリングには長所もあるが，グループのメンバーの人間関係がうまくいかない場合は短所にもなる．メンバーがグループのカウンセリングに適応しているかを見きわめ，進めていくことが重要である．場合によっては，グループと個別カウンセリングを並行して進めていくことも考えられる．

るため，行動変容に関連する理論やモデルを理解し，活用していかなければならない（2.2節参照）．個人を対象とした場合では，とくに個人の行動を説明する理論やモデルと，個人の行動を社会環境とのかかわりで考える理論やモデルが使われる．たとえばトランスセオレティカルモデルは，行動変容にかかわる個人の要因（知識，態度，信念など）に働きかけるのに役立つ．また社会的認知理論などは，ソーシャルサポートや周りの環境に働きかけて行動変容を促す場合に役立つ．このように，行動科学を用いたカウンセリングを行動カウンセリング（behavioral counseling）と呼ぶ．行動カウンセリングでは，食行動や運動行動，喫煙行動など，健康に関する行動変容を目的とし，その手順を5A（assess, advise, agree, assist, arrange）として紹介している．

（a）行動変容に必要な情報を収集し，評価する（assess）

現在の食生活の状態とその食生活に関連する要因を明らかにする．普段の食生活の状態を把握すると同時に，性，年齢，家族状況といった属性を尋ねる．さらに，行動科学的な側面からの評価も必要である．たとえば，行動変容段階モデルでいう行動変容に対する準備性の把握は，最初に行う重要なポイントである．

（b）クライエントに合った情報を提供する（advise）

クライエントに合った，個別化した情報を提供することが重要である．つまり，健康に関連する一般的な内容でなく，収集した個人の情報を専門知識で評価し，専門家としてきちんと説明する．ここで管理栄養士は，自分の価値観で話をしたり脅したりしてはいけない．客観性をもって伝える姿勢が重要である．

（c）クライエントの意思を尊重して進める（agree）

実際，行動変容についての話し合いが行われる段階になってくると，目標を決めるなどさまざまな決断が必要となる．ここで管理栄養士は，クライエントの意思を尊重して進めていくことに注意しなければならない．つまり，管理栄養士は専門家として情報やアドバイスを提供するが，管理栄養士が一方的に目標や方法を与えるのではない．常にクライエントの意思を確認しながら栄養カウンセリングを進め，最終的な決定はクライエント自身が行うことが重要である．

（d）クライエントの行動変容をサポートする（assist）

行動変容を実際に始めると，次はクライエントが自主的に行動変容を行っていくことをサポートする段階になる．具体的には，行動変容を妨げている問題について解決策を一緒に考えたり，行動変容に有効な情報を提供したりして動機を高める．

（e）クライエントの行動の継続をサポートする（arrange）

栄養カウンセリングで重要なことは，変容した行動が維持され，習慣化することである．したがって，変容した行動が継続できているかどうかを確認するフォローアップの予定をカウンセリングに組み込むことが必要である．行動変容がうまくいっている場合はさらに継続できるようサポートし，失敗している

2.5 カウンセリングの栄養教育への応用

場合は失敗の原因を話し合い，目標の立て直しを行ったりする．

（2）認知行動療法

認知行動療法(cognitive behavior therapy)は，個人の認知と行動に焦点を当てた心理療法である．認知行動療法は，行動に焦点を当てた行動療法と認知療法や論理療法といった認知的アプローチに主眼を置いた心理療法が融合した心理療法である．

行動療法(behavior therapy)は，おもに行動科学から得られた理論や考え方を用いて，適応的な習慣を形成したり不適応な習慣を変えたりする心理療法である．一方，認知療法は，認知が偏りにより問題が生じている場合，活用されるのが認知療法である．たとえば，食行動では，「自分は水を飲んでも太る」という信念により，行動変容が進まない場合，認知の修正を検討する必要がある(認知再構成，cognitive restructuring)．このように偏った信念のことを不合理な信念という．認知再構成では，クライエントの信念を否定せず，なぜ，そのような考えに至ったのか説明してもらい，自分自身で，不合理な信念であることに気づくよう，カウンセリングを進める．

（3）動機付け面接

動機付け面接(motivational interviewing)は，アルコール依存症の患者の行動変容のために開発されたカウンセリング法である．よって，依存症特有の心の葛藤(アンビバレンス ambivalence)に焦点を当てて行う点に特徴がある．動機付け面接は，クライエントの主体性を尊重し，行動変容の準備性を考慮して進めていく．これは，動機付け面接が，クライエント中心療法を基本に，トランスセオレティカルモデルを参考にして，開発されたからである．

動機付け面接は，4つの精神を基本に(表2.6)，4つのプロセス(表2.7)と5つの技法を提唱している(表2.8)．4つの精神のうち，受容には4つの側面があり，これは，来談者中心療法を提唱したロジャーズの考え方に基づいている．

行動療法と行動科学

行動療法の言葉には，臨床的側面が強い．よって，肥満や糖尿病の患者に対して，行動療法を応用した栄養教育(または栄養カウンセリング)といえるが，小学校における食育について，行動療法を応用した栄養教育とはいわない．この場合，行動科学を応用した栄養教育のほうが一般的である．

アンビバレンス

心の葛藤の1つであり，両価性とも呼ばれる．意思決定の際，たびたび私たちは葛藤に出くわす．たとえば，「夜，お菓子を食べない」という行動目標を決める際，「体重が減る」というメリットと「ストレスがたまる」というデメリットで迷う．このように，メリットとデメリットで迷うことがアンビバレンスである．意思決定と同じ考えである．

表2.6 動機付け面接の4つの精神

項目	意味
協働性(collaboration)	カウンセラーとクライエントは同等の立場で，一緒に課題を解決する
喚起性(evocation)	クライエントから行動変容の動機を引き出す
思いやり(compassion)	クライエントを評価したり，批判したりしないで，共感や思いやりをもって接する
受容(acceptance)	① 絶対的な価値(absolute worth)：すべての人が価値のあると理解すること ② 正確な共感(accurate empathy)：クライエントに関心をもち，クライエントの視点でものごとを見る ③ 自律性(autonomy)：クライエントの自律性を尊重し，カウンセラーは支援の立場であることを理解すること ④ 肯定(affirmation)：クライエントの強みや努力を認めること

4つのプロセスは，動機付け面接を進める手順を示している．このプロセスは，積み木が重なるようなイメージであり，「かかわる」プロセスが一番下に位置づく．協働的な関係性が築くことができた後，「フォーカスする」「引き出す」「計画する」のプロセスに順に進むことができる．つまり，「かかわる」プロセスが大切であり，クライエントと信頼関係を築き，協働してカウンセリングを進める雰囲気にすることが最初に行うべきことである．

チェンジトーク
クライエントの気持ちが変化した瞬間を聞き逃さず，話を展開すること．動機付け面接では，「引き出す」プロセスで，このチェンジトークに注意を向けることを推奨している．たとえば，それまで抵抗を示していた人が，「そうなんですよね．家族が心配してるんですよね」といったような言葉がチェンジトークのきっかけになる．

表2.7 動機付け面接の4つのプロセス

項目	意味
かかわる（engaging）	協働的な関係性を築くプロセス
フォーカスする（focusing）	クライエントの目標は何か，その目標に向かっているかに，注意を向けるプロセス
引き出す（evoking）	クライエントの変化を引き出すように，話を展開するプロセス（チェンジトーク）
計画する（planning）	具体的な計画を立てるプロセス

5つの技法は，カウンセリングの基本的技法と重なるものも多いが，「情報提供と助言」は動機付け面接の特徴的な技法といえる．カウンセリングでも，専門家としての立場で，情報提供や助言をすることが動機付けや行動変容に必要であることがわかる．

表2.8 動機付け面接の5つの技法

項目	意味
開かれた質問（open question）	クライエントの考えを引き出す質問をする
肯定（affirming）	クライエントのよいところを見つけ認める
聞き返し（reflecting）	クライエントの発言を聞き返すことで，理解を深める
要約（summarizing）	クライエントの考えを要約し整理する
情報提供と助言（informing and advising）	クライエントが必要とした情報を提供したり，助言したりする

2.6 栄養カウンセリングの方法

ここでは図2.17の流れに沿って，個人を対象とした栄養カウンセリングの例（「お酒を控える」行動を目標とした栄養教育）をあげて，行動科学の理論やモデルを用いた具体的な栄養カウンセリング（行動カウンセリング）の方法を紹介する．

（1）行動変容の対象となる行動を決める

まず，行動変容の対象となる行動を決めなければならない．改善が必要となる食行動は，対象者の健康状態と食生活からいくつか候補としてあげられる．複数の行動があがった場合，すべての行動を一度に実施するのではなく，焦点を絞って行うほうが対象者は実施しやすい．

行動変容の対象となる行動の決定方法は，大きく分けて2通りある．1つは

	〈教育の流れ〉	〈トランスセオレティカルモデルのアプローチ〉
(1)	行動変容の対象となる行動を決める	(導入)
(2)	行動変容の準備性を高める	前熟考期(無関心期),熟考期(関心期)に対するアプローチ
(3)	具体的な目標を設定する	準備期に対するアプローチ
(4)	目標の達成度を確認する	実行期に対するアプローチ
(5)	行動の維持をサポートする	維持期に対するアプローチ

図2.17 栄養教育の流れ
この流れは,トランスセオレティカルモデルに沿ってまとめた.このモデル以外に活用しているおもな理論やモデルの考え方については,それぞれの内容に記されている.理論やモデルの詳しい内容は,それぞれのページを参照すること.

対象者が改善したいと考える行動にすることであり,もう1つは専門家としての見解から決めることである.行動科学の考え方では,対象者の行動変容の動機が高いものから始めたほうが行動変容は成功しやすいが,専門家の立場からの意見も重要である.対象とする行動の特定には十分な話し合いが必要である.

(2) 行動変容の準備性を高める

改善する行動が決定したら,次にその行動を変容させる準備性を確認する.行動変容の準備性によってアプローチの方法は変わってくる.

(a) 行動変容の関心が低い場合

管理栄養士の言葉	解 説
「こんにちは.……先日お渡しした食事記録はもってこられましたか.……それと血液検査の結果は先生から聞いておられますか.この結果には,アルコールと脂質の摂取が影響していると考えられるのですが,食事記録をつけてみて,何か思い当たることはありましたか……」	客観的データを提示し,検査データに関連した情報を提供する.
「…確かに,油で揚げたお料理はとってらっしゃらないですが,マヨネーズやカレーには脂質が多く含まれていますので,これらを控えると,検査結果も改善されるかもしれませんね」	専門家としての意見も述べる.
「今いくつか改善すべき習慣が候補としてあがっていますが,○○さんはどの習慣なら変えてみようと思いますか」	対象者の関心のある行動を尋ねる.
ポイント:専門家が一方的に問題行動を決めるのではなく,対象者の行動変容の準備性や動機を考慮し,話し合いながら決定する.	

管理栄養士の言葉	解 説
「……これは肥満の程度を表す数値で，BMIといいます．BMIと心疾患の関係が統計学的に示されたのがこのグラフです．○○さんのBMIは今30なので，このあたりですが，このグラフを見てどう思われますか」	客観的に情報を提供する．情報は一般的なことではなく，対象者の検査結果に合った個別化された情報を提供する．そして専門家としての評価をしないで，対象者の考えを尋ねる．
「○○さんは，今のままの生活習慣を続けたとして，これから30年後どうなっていると思われますか」	将来自分のあるべき姿をイメージさせ，現在の習慣とのギャップに気づかせる．
「○○さんのご家族は○○さんの健康について何かおっしゃいますか．……お酒を飲んだときに何とおっしゃいますか」	自分の健康が周りにどのような影響を及ぼしているか考えさせる．
「……これまで○○さんの健康とお酒の関係について考えてきましたが，今，お酒を控えることについてどれくらい重要だと思っておられますか」	「お酒を控える」行動を実行した結果をイメージさせ，その結果が自分にとって，どれくらい重要か考えさせる．
ポイント：話し合いを行っても準備性が高まらない場合，無理に進めない．この場合は必要な情報だけを提供し，「やる気になったときや困ったときは，いつでもいらしてください」と，問合せ先のメモと対象者の生活習慣改善に関するパンフレットなどを渡す．	
関連する理論やモデルの考え方：社会的認知理論(結果期待を高める)	

(b) 行動変容の関心はあるが，実行の意思が十分に固まっていない場合

管理栄養士の言葉	解 説
「○○さんはお酒を控えたほうがいいというのはわかっておられるようですが，まだ迷っているように見えます．お酒を控えると，どんな困ることがあると思っておられますか．……では逆にお酒を控えると，どんなよいことがあると考えておられますか」	「お酒を控える」と「病気がよくなる」というメリットを感じている一方で，「つき合いでお酒が飲めなくなる」というデメリットを感じている．そこで，今考えられるメリットとデメリットをあげさせ，デメリットとなっている問題点を解決する話し合いを行う．
「お酒を控えると困ることに宴会に出づらい点をあげておられますが，お酒を飲まない人の横に座るとか，宴会でお酒をあまり飲まなくていい方法は何かありませんか」	行動変容の障害となっている問題について，具体的な解決策を提案する．
ポイント：デメリットの項目のなかに，思い込みのような内容をあげる場合がある(たとえば，「お酒をやめると，ごはんを食べるので太る」)．このとき，「そんなことはありませんよ」と相手を否定する言葉をかけると，行動変容の準備性は高まらない．「そう思う人は多いですよ」と，いったん相手の考え方を認めたうえで，「どうしてそう思われるのですか．そういった経験があるのですか」と，自分自身でその考えが思い込みであることに気づくよう質問をする．	

2.6 栄養カウンセリングの方法

（3） 具体的な目標を設定する
（a） 行動を観察し，記録する

改善する行動が決まり，準備性がある程度高まれば，次に具体的な行動目標を立てる．具体的な目標設定には，行動を観察させ，行動記録をさせることが必要となる．

管理栄養士の言葉	解　説
「それではこちらの用紙に，お酒を飲んだときのことを記録して，次回もってきていただけますか．自分の行動を観察すると，今まで気づかなかったことに気づくこともありますよ」	自己観察記録を渡し，行動を観察する課題を与え，自分の行動パターンを気づかせる．
「1週間記録をつけて，自分のお酒の飲み方で何か気づかれたことはありましたか」	管理栄養士の気づいたことをいう前に，相手の意見を聞く．
「そうですね，残業して一人で食事をとるときのほうが，家族と一緒に食事するときよりお酒の量が多いみたいですね．あと，遅くまで外で飲んだときは，次の朝気持ちが悪いということも，今まで気づかれていなかったのですね」	話した内容を要約する．

関連する理論やモデルの考え方：刺激−反応理論

（b） 行動変容の自信（自己効力感）を高める

行動観察が終わった段階では，行動変容に対して重要だと思っているが，自分にはできないと思っている場合が多い．そこで，自己効力感を高める会話を行っていく．

管理栄養士の言葉	解　説
「外で飲むときと，残業したとき家で飲むお酒の量が多いことに気づかれたのですね．もし，お酒の量を控えるとしたら，外でのお酒と残業したときの家でのお酒，どちらのほうができそうですか」	いくつかの選択肢から，できそうな行動を選択させる．
「一人のときだと，つい冷蔵庫をあけて2本目，3本目と飲まれるようですが，常に冷蔵庫に1本だけ冷やしておいてはどうでしょう」「もう1本飲みたくなったら，3分間だけ我慢してみてはどうですか」	相手の自己効力感を確認しながら，具体的な対策を提案する．
「少しここで，宴会のときにお酒を断る練習をしましょうか．私が○○さんの同僚になります．……『まぁまぁ，もう1杯ぐらいいいじゃないですか』，こういわれたときどうしますか」「ご家族や同僚の方に，お酒を控えることに協力してもらうことはできますか」	そのほか，さまざまな理論やモデルを用いて，自己効力感を高めるアプローチを行う．

管理栄養士の言葉	解　説
「……今日はお酒を断る練習をしたり，お酒を控える具体的な方法についてお話ししましたが，今お酒を控えることについてどれぐらい自信がありますか」	実行する自信を尋ねる．
関連する理論やモデルの考え方：刺激統制，反応妨害・拮抗（刺激-反応理論），ロールプレイ（社会的認知理論），ソーシャルネットワークとソーシャルサポート	

（c）目標を決める

ある程度自己効力感が高まったら，具体的に取り組む目標を考える．

管理栄養士の言葉	解　説
「お酒を控える自信もだいぶついたようですので，具体的な目標を立ててみませんか．……一人で家で飲むときのお酒ですが，やめるのは難しそうですので，まず1本にするのはどうですか」	「お酒を控える」という抽象的な目標でなく，具体的な場面や数値を入れた目標にする．
「では，一人で飲むお酒は缶ビール1本という目標にして，とりあえず1か月実行してみませんか」	期間を設け，気軽な気持ちで取り組むよう励ます．
「こちらのカレンダーに，目標を守れたら○，できなかったら×をつけてください」	目標の達成を記録させる課題を与える．
「いつから始めましょうか．こちらの用紙に目標を実行する宣言を書いてみませんか．もしできたらご家族にサインをしてもらい，目標を実行するお手伝いをしてもらえたらいいですね」	宣言書には，行動実行の意思を固める役割がある．家族や同僚，友人に署名をもらったり，宣言書を目につくところに貼ったりすることで，周囲からの期待やプレッシャーを感じ，これが目標の継続に影響する．
「もしよろしかったら，目標を達成したときのごほうびを考えて，こちらに書いておくと励みになりますよ」	
ポイント：目標は，できそうな内容にすることが重要である．目安として70％ぐらいできそうなものにする．内容は具体的なものにし，小さな目標から始め，実践できた段階で次の目標にレベルアップする．	
関連する理論やモデルの考え方：スモールステップ，セルフモニタリング（社会的認知理論，自己効力感を高める），ソーシャルサポートとソーシャルネットワーク，正の強化（刺激-反応理論）	

（4）目標の達成度を確認する

実際にその目標の実行に移った後は，目標をどれくらい達成できたかフォローアップすることが必要である．目標の達成度によって，話す内容は変わってくる．

（a）決めた目標がある程度できていた場合

管理栄養士の言葉	解説
「……あれから1か月経ちましたが，お酒の目標は守れていますか．……家で飲むお酒の目標はほとんど達成できていますね．がんばりましたね」	セルフモニタリングを行っていたときは，セルフモニタリングを見ながら話をする．目標を達成できていたときは，ほめる．
「もう，家で飲むお酒は缶ビール1本でも大丈夫ですか．つい増えてしまいそうなときはありませんか」	目標が実行できなくなりそうなときは，問題点を尋ね，その対策案を考える．
「……この目標はもう達成できるようになったので，今日は新しい目標を考えてみませんか」	体重や血圧などの身体的変化を見ながら，目標のレベルを高める．
関連する理論やモデルの考え方：正の強化（刺激-反応理論）	

（b）目標の達成度が低かった場合

管理栄養士の言葉	解説
「……あれから1か月経ちましたが，お酒の目標は守れていますか．……あまり達成できていないようですね．難しかったですか．できなかった理由を何か考えられますか」	達成できなかったことを責めるのではなく，まず相手の意見を聞く．
「残業が多い時期だったんですね．ちょっと始めるタイミングがよくなかったようですね．では，宴会のときの目標に変えてみましょうか．いかがですか」	目標を実行できていなかった場合，目標が高すぎたと考えたり，目標を実行するにはまだ早かったと考えたりする．新たな目標を立てたり，どのような場面でできなかったのか，自信が低いときを考えさせ，その対策を一緒に考えたりする．

（5）行動の維持をサポートする

　新しい行動を始めて6か月以内は，まだ不安定な時期である．管理栄養士は目標としている行動を維持できるよう，最低6か月はサポートする必要がある．またこの時期，管理栄養士のサポートの終了に向けて，周りの人々のサポートを得るよう働きかけることが必要になってくる．

管理栄養士の言葉	解説
「○○さん，一人で飲むお酒の量を控えるようになって2か月経ちましたが，何かいい変化はありましたか」「ご家族や同僚の方は，何かおっしゃっていませんか」	新しい行動をとってよかったことが自分や周りでなかったか，尋ねる．
「○○さんの周りでお酒の量が多くて困っている方がいたら，ぜひ○○さんの体験談を話してみてください」	周りの人たちに行動変容をすすめる．自分が他の人のサポートをすることは，本人の行動の維持につながる．
関連する理論やモデルの考え方：ソーシャルサポートとソーシャルネットワーク	

2.7 組織づくり・地域づくりへの展開

ヘルスプロモーションの考え方にもあるように，食生活の改善も，個人の努力だけでなく個人をとりまく環境の視点からも考える必要がある．環境には，店舗やレストランといった物理的な環境だけでなく，ソーシャルサポートといった人的環境も含まれる．ここでは栄養教育で行われる組織づくり・地域づくりへの展開について解説する．

（1）セルフヘルプグループ

セルフヘルプグループ（self-help group）とは，同じ問題や悩みを抱える人たちやその家族が集まって構成される集団のことで，自助集団とも呼ばれる．共通する目的意識をもった人たちであることから，互いの経験を話し合ったり，互いに励まし合ったりすることができる．問題解決のための具体的なサポートだけでなく，精神的なサポートにもなる．食生活関連では，アルコール依存症や摂食障害などの自助集団がよく知られている．

自助集団はメンバーの主体性に基づいた集まりであるため，運営や活動も基本的にメンバーによって行われる．自助集団ができると，専門家の手を離れても，改善された生活習慣も維持されやすい．たとえば，肥満教室の最終日に，減量維持をねらって，教室終了後に参加者同士が集まってウォーキングするなどの自助集団の提案がときどき行われる．しかし，教室最終日に突然このような提案をしても，主体的な自助集団ができるわけではない．グループ作業を取り入れた教室にしたり，リーダーを育成したりして，主体的に自助集団ができるような教室を計画・実施することが求められる．教室開催中に**グループダイナミクス**（group dynamics）が起こり強い集団感情が芽生えると，教室終了後の自助集団もつくりやすい．

（2）組織づくり，ネットワークづくり

人は毎日の生活の時間の大部分は，企業や学校など所属している組織で過ごす．つまり，所属する組織の考え方や提供されるサービスなどが，健康や食生活に大きく影響する．栄養教育を行う場合，組織に対しても働きかけが必要である．

組織開発の理論（organizational development theory）では，組織のメンバーは，組織の雰囲気，文化，能力の影響を受けると考えている（表2.9）．そこで，

表2.9 組織開発の理論の3つのキーワード

① 組織の雰囲気（organizational climate）
　組織がもっているムード，つまり組織特有の雰囲気のこと．
② 組織の文化（organizational culture）
　組織に対して，メンバー間で所有している共通する考え方や価値観．組織の雰囲気により，変化しにくく安定している．
③ 組織の能力（organizational capacity）
　人材，プログラムの実施に関する組織の専門的技術など．組織の雰囲気や文化によって，発揮される程度は変わる．

グループダイナミクスの効果

(1) 観察効果
グループのなかで互いの言動から自分自身を振り返ることができる

(2) 普遍化
自分の問題を自分以外の人ももっていることを知って気が楽になる

(3) 希望
他の人達の成長や変化を見ることで自分にもできるという希望が起こる

(4) 対人関係学習
他人と話をしたり，聞いたりすることで自己表現能力や感受性の向上が図れる

(5) 愛他性
他の人に対して慰めの言葉や助言をすることを通して，他者を助ける喜びや安心感を得ることができる

(6) 現実吟味
自分の問題をグループのなかで再現することで解決方法を学び自信が高まる

(7) グループ凝集性
相互の援助能力を高める

組織の機能を改良することと，組織にかかわるメンバーの生活の質を改良させることの2つを目標としている．実際この理論を使って組織を変化させる場合，①組織の診断（組織の抱える問題点を明らかにする），②プログラムの計画（解決案を考え，組織がその計画を実行できるか，その可能性を把握する），③介入（プログラムを実行する），④評価（組織の雰囲気や能力などの変化を評価する）の4つのステップに沿って進める．

この理論では，環境の影響と組織の規範や価値がどのように人々に伝わっていくかに焦点を当てている．たとえば企業の禁煙プログラムを実施する場合，喫煙者のみに働きかけるのではなく，部署単位に働きかけ，部署内に禁煙に取り組む雰囲気をつくる．すなわち，部署内の新しい雰囲気が社会的規範となり，喫煙者の喫煙行動に影響を及ぼす．また評価の段階においても，禁煙者の人数を評価するだけでなく，組織内の規範がどのように変化したか組織の雰囲気を測定することも，この理論では評価の対象となる．

新たなネットワークをつくることで，栄養教育を効率よく進める方法もある．**組織間関係論**（interorganizational relations theory, **IOR theory**）は，いくつかの組織が共同で働くことで，サービスや資源をより効率よく利用できるなどの長所をうまく活用し，新しい計画を実施していくことを提案している．たとえば，行政が企業の福利厚生と連携して保健活動を実施することが公衆衛生で考えられる．このように複数の組織が共同で作業をする場合，目標の焦点が弱まったり考え方が一致しなかったりなどの短所もあるが，これをいかに克服し効率よく行うかがこの理論の焦点となる．

組織やネットワークづくりにおいては，**コーディネート**となる人の役割が重要になる．コーディネートとなる人が主導権をもって計画・実施するわけではなく，対象となる人たちにいかに参加してもらうかを考える．**エンパワメント**（empowerment）を考慮した栄養教育プログラムでは，対象者が力をつけるため，プログラム終了後もその効果を維持しやすい．

（3）ソーシャルキャピタル（社会関係資本）

ソーシャルサポートが個人レベルの関係性を指すのとは別に，社会レベルの関係性を示す概念として，**ソーシャルキャピタル**（社会関係資本, social capital）がある．ソーシャルキャピタルは，社会的格差と健康の関係において，近年注目されている．アメリカの政治学者のパットナムは「信頼，規範，ネットワークといった社会制度の特徴」と定義し，これらは人々の協調行動によって高まり，社会の効率性を改善するとした．近所づき合いがある，助け合える信頼関係がある，道徳心のある行動を促す社会的規範が備わっている，といった地域にいる人々ほど主観的健康度は高く，死亡率が低い．

ソーシャルキャピタルと健康の関連は二つの効果で説明されている．一つは**構成効果**と呼ばれ，地域社会を構成する人々の特性を反映しているというものである．つまり，ソーシャルキャピタルが低い地域には貧困者が多く住んでい

コーディネート
間に入って組織間の調整・連携を行うこと．

エンパワメント
個人やコミュニティは，自己決定できる力があるという考え方をもとに，自分たちでコントロールできるよう，もっている力を引き出すプロセスのこと．

るため，健康度が低い結果になる．

　もう1つは脈絡的効果と呼ばれるものである．これは，個人の特性ではなく，住んでいる地域社会から影響を受ける効果である．公衆衛生学者であるカワチは健康への効果を以下に4つあげている．①地域社会の規範がしっかりしていることで，望ましい健康行動をとりやすくなる．②公園や健康教室など健康に良い環境が増えることで，健康度が高まるだけでなく，地域社会のつながりもできる．③地域社会に信頼感があることで，心理的ストレスも減り，精神的健康度も高まる．④住民の地域参加も高いことから，住民の満足のいく保健・医療関連の社会制度ができ，よいサービスが受けられる．

2.8　食環境づくりとの関連

　2004年(平成16)に健康づくりのための食環境整備に関する検討会が開かれ，「栄養士・管理栄養士は，常に社会・地域全体を視野に入れて，健康・栄養・食品に対する正しい情報を発信して健康づくりやQOLの向上に役立つ食環境づくりに努める」ことが大切であると述べている．

　「健康日本21（第2次）」の基本的な方針のなかにも「(4)健康を支え，守るための社会環境の整備」が盛り込まれている．社会全体として個人の健康を支える環境づくりに努め，行政機関，企業，民間団体の積極的な参加・協力による総合的な健康づくり支援環境の整備をあげている．

　食環境づくりには大きく分けて，食物へのアクセス面と情報へのアクセス面がある（図2.18）．

（1）食物へのアクセスと栄養教育

　食物へのアクセスとは，健康的な食べ物が生産され，加工，包装，流通，販売の過程から，消費者のもとに提供されるまでの一連のフードシステムを整備することであり，現在，このフードシステムの6次産業化の方策が進んでいる．農産物の付加価値を高め，いかに収益をあげ，短期間に消費者へ提供し，活用してもらうかが，農業の6次産業化であり，健康づくりおよび食育を取り入れることが食物へのアクセスの整備にもつながる．食物へのアクセスの整備の例としては，弁当開発や配食サービス，健康に配慮したヘルシーランチの提供などがある．

（2）情報へのアクセスと栄養教育

　情報へのアクセスとは，栄養・食生活関連の情報やその情報の流れのシステム全般をさす情報提供システムを整備することである．情報へのアクセス整備の例としては，地域，学校，職場などにおいて栄養相談の場の提供，ホームページによる情報提供，健康に関する食事レシピ集の配布，メニューの成分表示やヘルシーメニューの関連情報の発信がある．

（3）食環境にかかわる組織・集団への栄養教育

　食環境の場である企業や事業所では，生活習慣病予防や健康増進を目的とし

「健康日本21（第2次）」においての基本的な方針
(1) 健康寿命の延伸と健康格差の縮小
(2) 生活習慣病の発症予防と重症化予防の徹底
(3) 社会生活を営むために必要な機能の維持・向上
(4) 健康を支え，守るための社会環境の整備
(5) 生活習慣および社会環境の改善

1章，巻末資料4参照．

2.8 食環境づくりとの関連

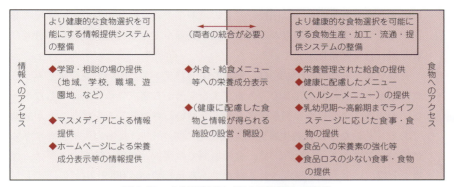

図 2.18　食環境整備に関する取組みの現状
厚生労働省，健康づくりのための食環境整備に関する検討会報告書(2004).

図 2.19　健康な食事を構成する要因
厚生労働省，「健康な食事」のあり方に関する検討会報告書(2015)より抜粋.

て提供する食事において，栄養教育の推進活動を整備する必要がある．

厚生労働省は平成 27 年(2015)9 月に，日本人の長寿を支える「健康な食事」

図2.20 主食・主菜・副菜を組み合わせた食事の推奨のためのシンボルマーク

に関する検討会を開いた．国民や社会の理解を深め，取り組みやすい環境の整備が重要であるという観点から，日本人の長寿を支える「健康な食事」の普及に取り組む普及啓発を示している．

長寿を支える「健康な食事」は，健康や栄養バランス，おいしさや楽しみから食料生産・流通，食文化まで，さまざまな要因から構成されている．したがって，まず食文化の良さを引き継ぎながら，おいしさや楽しみを伴うことが必要である．そのために食料生産流通，食物へのアクセス（食物の入手しやすさ），情報へのアクセス（情報づくり），食の場面での選択，調理，栄養バランス，健康など幅広い要素から構成されるべきであるとしている（図2.19）．

また，生活習慣病の予防のための「健康な食事」を事業者が提供するための基準を策定し，普及活動のためのシンボルマークを決定した（図2.20）．シンボルマークの円を三分割し，主食（黄色）・主菜（赤色）・副菜（緑色）を組み合わせた「健康な食事」を推奨している．健康な食事のシンボルマークをレシピ集などに活用するなど，情報へのアクセス整備につなげて，地域，学校，職場などで食環境づくりの整備に活用することが必要である．

（4）食環境整備に関連した法律・制度・施策

食環境整備に関連した諸外国の法律や制度では，ファストフードなど（ジャンクフードや不健康な食品）のコマーシャルについて，子ども向けの番組での放映禁止や広告規制が行われている（イギリス，2008年）．アメリカおよび台湾でも禁止令や自粛制度が行われている．

またアメリカやオーストラリアの学校では，子どもの肥満対策として清涼飲料水の販売が禁止されている．

■出題傾向と対策■

栄養教育における行動科学の必要性と行動科学の理論やモデルの特徴や考え方，またそれら理論やモデルが実際の教育に応用できるかが問われる．各理論やモデルに関連する具体的方法について理解する．

練 習 問 題

次の文を読み，正しいものには○，誤っているものには×をつけなさい．

（1）「おいしい」と感じることは強化刺激であり，行動を強める．

（2）ヘルスビリーフモデルでは，疾病予防行動に対する有益性と重大性が疾病予防行動の実行可能性を説明している．

（3）刺激統制は，行動のきっかけとなる刺激をコントロールする方法である．

（4）行動科学の理論やモデルを用いると，人の行動を完全に理解できるので，対象者に適した理論やモデルを使い，栄養教育を進めることが重要である．

（5）プロチャスカらが提唱する行動変容の段階は，行動変容に関する知識がどれだけあるかによって，行動変容の段階を5つに分けている．

（6）5つの行動変容段階には，段階に沿った10の変容の過程がある．変容過程を理解すると，行動変容の準備性に適した効果的な教育ができる．

（7）行動変容の段階には，意思決定バランスと態度の2つの認知的要因が深く関連

している．

（8）行動意図は，「この先その行動をとる予定」あるいは「その行動をとるつもり」といったように，ある行動を実行する意思を指しており，合理的行動の理論と計画的行動の理論の基本的考え方である．

（9）社会的認知理論（または社会的学習理論）では，行動は個人が体験することによって学習されると考えられている．

（10）社会的認知理論（または社会的学習理論）には，結果期待と効力期待の2つの期待がある．結果期待は自己効力感を指し，ある行動を実行するとこういう結果があるという期待を意味する．

（11）ナッジとは，健康な行動を理解して実行してもらうよう，仕向ける方法である．

（12）セルフモニタリングで記録する目標は，本人ができると思う小さな目標から始め，少しずつ目標を上げていくことが重要である．

（13）モデリングは，トランスセオレティカルモデルからできた健康教育の方法である．

（14）ソーシャルネットワークとは対人関係における実際のやり取りのことを指す．

（15）エンパワメントを促すために，地域住民を含めず，専門家でプログラムを実施した．

（16）イノベーションとは新しい考え方や活動，物のことを指す．

（17）組織変化の理論では，個人の行動変容に着目するのではなく，組織全体を変化させることに焦点を当てている．

（18）公衆衛生の分野でよく用いられているプリシード・プロシードモデルは，健康増進の最終目標を生活の質（QOL）としていることが特徴とされる．

（19）地域に対する健康教育では，専門家が主導権をもって進めることが重要である．

（20）個人に対してカウンセリングを取り入れて指導を行うときは，相談者との間でラポールが形成されることが重要である．

（21）カウンセリングは心理学の分野で発展してきたため，栄養カウンセリングにおいても心の問題を解決することを目的としている．

（22）栄養カウンセリングは管理栄養士主導で進めることが重要である．

（23）クライエントと信頼関係（ラポール）をつくるためには，クライエントの価値観を否定することなく，受け入れることが重要である．

（24）クライエントの話を聞くとき，クライエントの言葉だけでなく，しぐさや表情などにも注意を配ることが必要である．

（25）栄養カウンセリングでは，「はい」「いいえ」で答えられる「閉ざされた質問」を用いて質問するほうが，カウンセリングの時間が短縮され，スムーズに進められてよい．

（26）クライエントと親密な関係を築くためには，クライエントとのプライバシーにかかわることも十分把握しておくことが重要である．

（27）管理栄養士は自分の役割を理解し，自分の専門以外のことは他の専門家に相談したりクライエントを紹介したりするなど，他の専門家との連携が重要である．

（28）食行動変容を目的とした栄養カウンセリングでは，行動変容に関連する理論や

■重要

■出題傾向と対策■
栄養カウンセリングの基本的考え方とそれに基づいたカウンセリングの技法を理解しておく．カウンセリングの技法を実際の栄養教育で用いる場合，行動変容の技法（行動科学の理論やモデル）を合わせて理解することが重要である．また，栄養カウンセリングを行ううえでの管理栄養士としての態度と倫理も理解する．

■重要

■重要

■重要

■出題傾向と対策■
栄養教育と組織づくり，食環境づくりとの関連についても，理解しておく．

モデルを用いる必要がある．
(29) 動機付け面接の技法には，「開かれた質問」や「肯定」など，カウンセリングの基本的技法のほかに，「情報提供と助言」も含まれる．
(30) 食環境づくりの概念は，食物へのアクセスと情報へのアクセスの2つがある．
(31) 消費者がどのような食物を求めているか，市場調査やマーケティングを行うことは食環境づくりの情報へのアクセス面とした取組みである．

3 栄養教育マネジメント

3.1 栄養教育マネジメント

栄養マネジメント(nutrition management)とは,対象者の栄養状態を判定し,改善すべき栄養上の問題を解決するために,個々人に最適な栄養ケアを行い,その業務遂行上の機能や方法,手順を効果的に行うための管理システムをいう.

図3.1に栄養マネジメントの過程を示す.栄養マネジメントを適切に行うためには,対象者の栄養スクリーニング(nutritional screening),栄養アセスメント(nutritional assessment),栄養ケア(栄養補給,栄養教育,多領域からの栄養ケア,multidisciplinary nutrition care)などの栄養マネジメントの計画(plan),実施(implementation),モニタリング(monitoring),評価(evaluation and quality control, clinical and cost effectiveness),フィードバックの順に進めていく.また,栄養マネジメントシステム(栄養管理体制)とは,これらの過程全体,すなわち栄養状態を診断するために栄養アセスメントを行い,対象者の栄養素適正量を算定し,適正な栄養補給(nutrition support),栄養教育

図3.1 栄養ケアとマネジメントの概略

3章 栄養教育マネジメント

栄養ケアプロセス（Nutrition care process, NCP）

　アメリカ栄養士会（Academy of Nutrition and Dietetics, AND）のワーキンググループが患者・クライエントあるいはグループ（以下、対象者）のために、個々のケアの品質と一貫性を改善し、また、対象者の結果（予後）を改善するようにデザインした。個々の対象者の栄養ケアを単に標準化するだけではなく、ケアを提供するための過程を標準化することを目的にしている。その過程には、①栄養アセスメント、②栄養診断、③栄養介入、④栄養モニタリングと評価、の4つの段階がある。

　「栄養診断」は、栄養アセスメントの後に栄養状態を判定し、栄養介入により解決、改善すべき『栄養に関する特異的な課題』を明確化して、標準的な方法で記録するものである。「アセスメントの項目」「栄養診断の項目」「栄養介入の項目」といった、すべての項目がコード化され用語の標準化がなされている。
＊ただし、用語マニュアルの言葉がすべて日本の実情に合致するかは、今後の検証が必要とされている。

栄養ケア
健康を保持・増進するための栄養上の課題について、ヘルスケアサービスの一環として取り組むことをいう。

栄養ケアマネジメント（nutrition care and management, NCM）
生涯にわたって健康・栄養ケアとそのマネジメントを行うことをいい、栄養マネジメントにかかわるさまざまな作業を総括して栄養マネジメントサービスという。

栄養ケアマネジメントの利点
① 健康寿命の延伸
② 感染症などの合併症の減少
③ 要介護状態の予防
④ 平均在院日数の減少
⑤ 医療費の減少
⑥ QOLの向上

アウトカム（outcome）
栄養ケアあるいは栄養プログラムにおいて、目標を設定し、栄養状態を改善することにより、期待できる成果を得ること。

（nutrition education, nutrition counseling）の計画と実施を行い、その成果をモニターし、評価・フィードバックしていくシステムをいう。
　栄養教育マネジメントの到達目標は、個人および集団を対象として、適切なアセスメントに基づき適切な栄養教育計画を立案、実施し、教育方法や教育効果について評価を繰り返し、対象者の行動変容、健康増進を意識した自己管理能力を向上させることにある。すなわち、適切な栄養教育マネジメントは、栄養マネジメントの成功に大きく影響している。

3.2　栄養教育マネジメントで用いる理論やモデル
（1）プリシード・プロシードモデル
（2）ソーシャルマーケティング
（3）生態学的モデル
詳細は2章参照。

3.3　健康・食物摂取に影響を及ぼす要因のアセスメント
（1）栄養教育のためのアセスメント
（a）栄養アセスメントの意義、目的
　栄養アセスメント（nutritional assessment）とは、各種パラメータから得た主観的・客観的情報により、個人やある特定集団の栄養状態を総合的に評価・判定することであり、栄養教育や栄養補給には不可欠なプロセスである。栄養教育のためのアセスメントは、臨床診査、臨床検査、身体計測、食事調査などを組み合わせて対象者の栄養状態を評価・判定し、効果的に改善するための栄養教育を計画・実施していく。
　臨床栄養におけるアセスメントの意義は、栄養療法の適応の決定、栄養障害の程度の診断、栄養療法の処方の決定、効果の判定、手術患者における予後の

推定などである．さらに近年は，生活習慣病を予防し，国民の健康維持・増進をはかるための栄養アセスメントも重要になってきている．

栄養アセスメントのうち栄養士が直接行うものは，多くの場合，身体計測と食事調査である．しかし，それ以外の情報も正しく理解し，対象者の健康上・栄養上の問題（課題）を見つけ，その人に望ましい適切な栄養教育計画を立てる必要がある．

（b）健康状態のアセスメント

身体的健康状態のアセスメントは表3.1のような内容である．

表3.1　身体的健康状態のアセスメント

一般診察	問診，身体診察（全身所見，局所所見）
おもな症状	血圧，脈拍，呼吸，体温
	全身症状：発熱，全身倦怠感，体重の増減，ショック，意識障害，痙攣，めまい，脱水，浮腫の有無など
	その他の症候・病態：チアノーゼ，黄疸，発疹，喀血，頭痛，運動麻痺，腹痛，悪心・嘔吐，嚥下困難，食欲不振，便秘，下痢，下血，腹部膨隆，腹水，睡眠障害など
臨床検査	（p.57参照）

（2）栄養アセスメントの種類と方法

（a）静的アセスメントと動的アセスメント

栄養指標として用いられる項目は，静的アセスメント（主観的パラメータ）と動的アセスメント（客観的パラメータ）に大きく分けられる（表3.2）．

① **静的アセスメント**（static nutritional assessment）

個人あるいは集団の栄養状態を調査し，摂取栄養素の過不足，あるいは肝・腎障害などの疾患に特有な栄養状態の異常の存否を判定するものである．栄養指標としては，身体計測や免疫能，代謝回転の遅い指標が用いられる．

② **動的アセスメント**（dynamic nutritional assessment）

全身の栄養状態の改善をはかるため，適切な栄養補給法を用いて必要な栄養素を積極的に摂取させる．その治療効果を判定するためには，代謝動態を鋭敏に反映する指標が用いられる．窒素たんぱく質代謝，エネルギー代謝動態，骨格筋力（握力），呼吸筋力といった生理学的機能などを時系列的に測定し，その変動を評価する．

③ **予後判定アセスメント**（prognostic nutritional assessment）

各種の栄養指標を組み合わせて，高リスク群を判別し，予後あるいは各種治療効果を判定する．とくに外科領域では，術前術後で，術後合併症や回復過程を推測するための予後判定も行われている．

（b）臨床診査

臨床診査（clinical method）では，対象者に直接面接して，視診，問診（聞診）

特定健康診査の項目（必須項目）

○質問票（服薬歴，喫煙歴等）
○身体計測（身長，体重，BMI，腹囲）
○理学的検査（身体診察）
○血圧測定
○血液検査・脂質検査（中性脂肪，HDL-コレステロール，LDL-コレステロール）・血糖検査（空腹時血糖またはHbA1c）・肝機能検査（AST，ALT，γ-GTP）
○検尿（尿糖，尿たんぱく）

詳細な健診の項目

○心電図検査
○眼底検査
○貧血検査（赤血球数，血色素量，ヘマトクリット値）

自覚的包括的評価

SGA（subjective global assessment）と略される．簡単な問診と診察からなり，主として前者に重点が置かれ，主観的初期評価の意味合いが強い．より分析的な客観的栄養評価法に対応している．簡便であるが，初心者にとっては難しく，種々の客観的栄養評価と対比しながら習熟する必要がある．

%IBWと%UBWの計算式

%IBW（理想体重）
＝実測体重/IBW×100
%UBW（通常時体重）
＝実測体重/UBW×100

バズビーの予後判定指数

PNI（prognostic nutritional index）
PNI≧50：ハイリスク
40≦PNI＜50：中等度
PNI＜40：低リスク

表 3.2 栄養アセスメントの指標

	自覚的包括的評価	栄養評価法の項目	
静的アセスメント	身体組成 　身長，体重 　皮下脂肪量，筋肉量 　浮腫	身長，体重の測定 皮下脂肪量 LBM(lean body mass)の測定 内臓たんぱく質量 免疫能	BMI(body mass index) ％IBW(ideal body weight) ％UBW(usual body weight) TSF(上腕三頭筋部皮脂厚) AMC(上腕筋囲長) Alb(アルブミン) 総リンパ球数
動的アセスメント	食事摂取量 消化器症状 生活活動度 基礎疾患(侵襲度)	喫食調査 間接熱量計 カロリーカウンター	窒素平衡(kcal/N) REE(安静時代謝量) RQ(呼吸商) エネルギー消費量 PA(プレアルブミン) Tf(トランスフェリン) RBP(retinol-binding protein: 　　レチノール結合たんぱく質)

などにより主訴，現病歴，既往歴のほか，家族歴，生活歴，食生活歴，職業歴や喫煙歴，飲酒歴などの健康障害因子と関連していると思われる事項について調査し，自・他覚症状などを総合して栄養状態を評価する．

（c）臨床検査

臨床検査(biochemical method)には，検体検査(一般検査，血液検査，生化学検査，免疫・血清検査，微生物検査など)，生体機能検査(心電図，呼吸機能，脳波，筋電図検査など)，画像検査(X線検査，エコー検査，CT検査，MRI検査，核医学検査，内視鏡検査など)がある(p.61，コラム参照)．

ⅰ）生化学検査

表3.3に，栄養療法が重要な疾病に関係するおもな生化学検査と，その基準値および測定意義をまとめた．

ⅱ）基準範囲とカットオフ値

栄養アセスメントで用いられる検査データには，基準範囲がある．多くの場合，測定した検査データは平均値を最頻値とする正規分布となることから，平均±標準偏差の2倍($M±2SD$)の範囲を基準範囲に採用することが多く，この場合は$M-2SD$以下，$M+2SD$以上の値を異常値とする．健康診断では基準範囲の利用がすすめられる．

これに対してカットオフ(病態識別)値とは，生理的または臨床的な異常の有無を効率よく判定するために設定された境界値であり，栄養療法をはじめとする治療の適応基準である．たとえば，各学会から示されている疾患の基準値や，表3.4に示す栄養療法の適応の基準はカットオフ値である．

基準範囲もカットオフ値も，もともと施設ごとに決められていたが，施設間

表 3.3 栄養と関連疾患に関係した代表的な生化学検査

検査項目	略語	基準値	関係する疾患および栄養状態 高値の場合	関係する疾患および栄養状態 低値の場合
肝機能				
アスパラギン酸アミノ基転移酵素	AST（GOT）	10～40 IU/L	肝炎，心筋梗塞，肝硬変	透析
アラニンアミノ基転移酵素	ALT（GPT）	5～40 IU/L	肝炎，脂肪肝	透析
アルカリホスファターゼ	ALP	80～260 IU/L	胆管炎，閉鎖性黄疸	亜鉛欠乏
ロイシンアミノペプチダーゼ	LAP	男80～170 IU/L 女75～125 IU/L	急性肝炎，肝硬変，悪性腫瘍	
γ-グルタミルトランスペプチダーゼ	γ-GTP	男<70 IU/L 女<30 IU/L	アルコール性肝障害，閉鎖性黄疸	
コリンエステラーゼ	ChE	男203～460 IU/L 女179～354 IU/L	脂肪肝，ネフローゼ症候群	肝硬変，肝がん
ビリルビン　間接	DBil	0～0.3 mg/dL	肝炎，肝硬変，溶血性疾患	
直接	IBil	0.1～0.8 mg/dL		
腎機能				
尿中アルブミン		2～20 mg/日	糸球体腎炎，ネフローゼ症候群	
クレアチニンクリアランス	Ccr	男88～155 L/日 女82～112 L/日		糸球体腎炎，腎硬化症，うっ血性心不全
膵臓・消化管機能				
インスリン	IRI	<17 U/mL	高インスリン血症，肥満	1型糖尿病
C-ペプチド	CPR	0.6～2.8 ng/mL	糖尿病性腎症	1型糖尿病
グルカゴン	IRG	40～180 pg/mL	肥満	糖尿病
セクレチン		60～120 pg/mL	慢性腎不全，肝硬変	膵臓病
アミラーゼ	AMY	760～200 IU/L	急性膵炎	糖尿病
糖質代謝系				
空腹時血糖	FBS	70～110 mg/dL	糖尿病	甲状腺機能低下症
ヘモグロビンA1c	HbA1c	4.3～5.8 %	糖尿病，腎不全	溶血性貧血
フルクトサミン	FRA	205～285 μmol/L	糖尿病	肝硬変，ネフローゼ症候群
乳酸		3.3～14.9 mg/dL	糖尿病，心不全	
たんぱく質代謝系				
総たんぱく質	TP	6.7～8.3 g/dL	脱水症，嘔吐，下痢，火傷	低たんぱく質血症，ネフローゼ症候群，短腸症候群，肝硬変，肝がん，悪性貧血，たんぱく質漏出性胃腸症
アルブミン	Alb	4～5 g/dL		低アルブミン血症，ネフローゼ症候群
レチノール結合たんぱく質	RBP	2.5～8.0 mg/dL	腎不全，過栄養性脂肪肝	低栄養，甲状腺機能亢進症
尿素窒素	BUN	6～20 mg/dL	尿毒症，ネフローゼ症候群，腎炎，脱水	
クレアチニン	Cr	0.6～1.3 mg/dL	尿毒症，腎不全	甲状腺機能低下症
尿酸	UA	男3.4～7.8 mg/dL 女2.3～5.7 mg/dL	高尿酸血症，痛風	
脂質代謝系				
総コレステロール	T-Ch	150～220 mg/dL		肝硬変
LDL-コレステロール	LDL-Ch	<150 mg/dL	高LDL-コレステロール血症	
HDL-コレステロール	HDL-Ch	>40 mg/dL		低HDL-コレステロール血症
中性脂肪	TG	50～150 mg/dL	高TG血症	甲状腺機能亢進症，アジソン病
遊離脂肪酸	FFA	0.14～0.85 mEq/L	糖尿病，甲状腺機能亢進症	甲状腺機能低下症
リン脂質	PL	160～260 mg/dL	ネフローゼ症候群	肝硬変
ケトン体	KB	<55 μmol/L	糖尿病，絶食	
電解質代謝系				
ナトリウム，塩素，カリウム，カルシウム，リン，マグネシウム，鉄，総鉄結合能，銅，亜鉛				

Ch: cholesterol（コレステロール）．

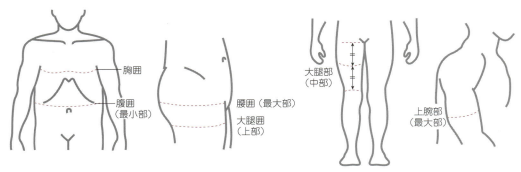

図 3.2　身体計測部位

表 3.4　栄養療法の適応の基準

項　目	基準値
窒素平衡	負の値が 1 週間以上継続
%IBW (% 標準体重)	80% 以下
Alb (アルブミン)	3.0 g/dL 以下
Tf (トランスフェリン)	200 mg/dL 以下
総リンパ球数	1000/μL 以下
PPD (ツベルクリン皮内反応)	直径 5 mm 以下

PPD: purified protein derivative of tuberculin.
窒素平衡が最も重要．いずれか一つが該当すれば栄養障害と診断され，栄養療法の対象となる．

血清たんぱく質の半減期（日）	
アルブミン	17～22
トランスフェリン	7～10
プレアルブミン	2
レチノール結合たんぱく質	0.4～0.7

の計測値格差が解消されるのに伴い，標準化と整備が進んでいる．

（d）身体計測

<u>身体計測</u>(anthropometric method) では，身長，体重，胸囲など（図 3.2）を測定する．身長，体重，胸囲は最も基本的な身体状況の指標である．成長期には，身長，体重およびそれらの増加量や基準値との差から，栄養素の過不足を推定する．また，栄養指数（体格指数）も用いられる．成人期以降で急激な体重の減少がある場合は，栄養状態の悪化を推測する．また，体格指数，肥満とやせの判定表図などによってやせすぎ／太りすぎのスクリーニングを行う．

i ）栄養指数

栄養状態の判定に用いられる<u>栄養指数</u>(nutrition index) の計算式，対象，判定基準を表 3.5 にまとめた．

ii ）体脂肪率の算出

体脂肪量を推定するために，皮下脂肪厚（皮脂厚）が測定される．背部肩甲骨下端部と上腕伸展側中間部（上腕三頭筋部）を測定し（図 3.3），2 点の測定値の合計を標準値と比較して肥満度を判定したり，体脂肪率の推定値を算出したりする．体脂肪率は機器分析により測定できる（p.61，コラム参照）．

iii ）除脂肪組織の推定

<u>上腕周囲径</u>(AC) は，たんぱく質とエネルギー欠乏の評価に用いることがで

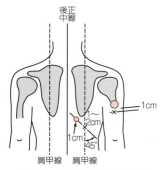

図 3.3　皮脂厚の測定部位
○：つまむ部位，×：測定部位．
厚生省，「健康の指標策定検討会報告書」(1982)．

3.3 健康・食物摂取に影響を及ぼす要因のアセスメント

表3.5 栄養状態判定に用いられる栄養指数と判定基準

栄養指数	計算式	対象と判定基準
BMI (body mass index) 体脂肪との相関が認められる．ケトレー指数と同じ．日本肥満学会に肥満の判定基準として採用されている．	体重(kg)/身長(m)^2	成人 **肥満の判定基準** BMI　日本肥満学会(2016) 18.5未満　　　　低体重 18.5以上25未満　普通体重 25以上30未満　　肥満(1度) 30以上35未満　　肥満(2度) 35以上40未満　　肥満(3度) 40以上　　　　　肥満(4度) ただし肥満は医学的に減量を要する状態とは限らない．
BMIを用いた標準体重(理想体重)	身長(m)^2×22	BMI 22が有病率最低
カウプ指数 (Kaup index)	体重(kg)/身長(cm)^2×10^4	生後3か月～満6歳の乳幼児 10以下：消耗症 10～13：栄養失調症 13～15：やせ 15～18：正常 18～20：良好 20～22：やや肥満 22以上：肥満
ローレル指数 (Rohrer index)	体重(kg)/身長(cm)^3×10^7	児童生徒 100未満：やせ 120～140：標準 身長 110～129 cm　180以上：肥満 　　　130～149 cm　170以上：肥満 　　　150 cm以上　　160以上：肥満
標準体重の算出(学校保健統計調査)	a×身長(cm) − b	標準体重算出式の係数(a, b)を用いる（表6.7参照）． 肥満度（下記の式を参照する） 20～29％：軽度肥満 30～49％：中等度肥満 50％以上：高度肥満
肥満度 (obesity rate)	$\frac{実測体重(kg) − 標準体重(kg)}{標準体重(kg)}$×100(％)	−20以上：やせ −20～−10：やややせ −10～＋10：正常 ＋10～＋20：やや過体重 ＋20以上：過体重

きる．また，上腕筋周囲(AMC)や上腕筋面積は，全身の筋肉量や除脂肪組織 (lean body mass：LBM) の推定に有用である．

除脂肪組織が減少すると，内臓機能が低下したり，感染に対する抵抗力が減少したり，創傷が治りにくくなったりする．AMCはLBMとの相関が高く，体たんぱく質の貯蔵量を反映しており，重要な栄養評価パラメータとなる．

筋肉量の評価のために，握力測定を行う場合もある．

iv）エネルギー代謝量の測定

1日の摂取エネルギー量の目安は所要量で示される．しかし個々人で活動量に差があるだけでなく，基礎代謝量も年齢や体格による差に加えて，個人差が

除脂肪組織
筋肉，内臓，骨髄，骨などが含まれる．筋肉，内臓は運動によって発達し，長期の摂取エネルギー不足で減少する．

メタボリックシンドローム，腹囲の測定，健診項目，内臓脂肪型肥満については9章参照．

骨格筋の判定
〈測定値〉
上腕伸展側中間部（上腕三頭筋部）．皮下脂肪厚（TSF）は通常 mm で表示される．計算の際には単位に注意する．
〈算出式〉
上腕筋周囲（AMC）（cm）
＝ AC（cm）－3.14×TSF（cm）
上腕筋面積（cm²）
＝（AC－π×TSF）²／4×3.14
〈基準値〉
AMC　男 24.8，女 21.0

かなりある．また感染症や疾患による発熱時，甲状腺機能亢進症などでは代謝量が増加し，甲状腺機能低下症などでは逆に減少する．したがって疾病時は，エネルギー所要量で示される値をそのままエネルギー供給量にはできない．

エネルギー消費量の推定は，呼気から酸素消費量，二酸化炭素産生量，尿中窒素排泄量を測定して算出されるが，臨床では尿中窒素排泄量の値なしで推定することも多い．

栄養アセスメントで用いられる項目には，以下のようなものがある．

① 基礎代謝量：BEE（basal energy expenditure）または BMR（basal metabolic rate）
② 安静時代謝量：REE（resting energy expenditure）
③ エネルギー代謝：％ BEE，％ REE，REE／BEE
④ 食事誘導性熱産生（p.185 参照）
⑤ 呼吸商：RQ＝二酸化炭素産生量／酸素消費量

（e）食事調査

食事調査（dietary method）には，24時間思い出し法，食物摂取頻度調査法，記録法（秤量記録法，目安記録法），分析法などがある（表3.6）．食事調査は栄養士にとって最も専門性が要求される栄養アセスメントであり，信頼性や精度の高い方法を用いて，できる限り複数の方法で総合的に評価することが望ましい．

ⅰ）食生活状況を把握するための調査

① 食生活状況調査の種類

調査方法や調査内容は，対象や目的に応じて使い分ける必要がある．

1）栄養素など摂取状況：栄養素充足率，栄養比率など．
2）食品摂取状況：摂取食品数，食品（群別）摂取量など．
3）食習慣：欠食状況，外食状況，嗜好など．
4）世帯状況：家族構成，調理者など．

表3.6　おもな食物摂取状況調査

調査方法	方　法	特　徴	集団	個人	信頼性
24時間思い出し法	昨日またはよくある1日の食事を，調査者が聞き出す方法	・記憶に頼る ・食事内容は日々変動が大きいので，個人の栄養状況の判断には適さない	○	△	△
食物摂取頻度調査法	過去数か月間，食べたものについて，その頻度と1回量を回答してもらう方法	・面接者の技術や対象者の記憶に左右される ・協力を得られやすい	○	○	△
記録法（秤量，目安）	食べた食事を記録してもらう方法．秤量法は量った分量を記録し，目安法は茶碗1杯などの目安で記録する．複数日実施し，平均をとることが多い．	・摂取量を的確に把握できる ・手間がかかる		○	○

5）生活習慣：睡眠時間，起床時間，生活活動量など．
6）その他：食品入手状況，食事観など．

② 栄養を阻害する要因

栄養指導は，基本的には栄養状態を改善する目的で行われる．<u>栄養の阻害</u>は直接的には，1つないし複数の栄養素量やエネルギー量が，個々の身体にとって欠乏あるいは過剰なときに生じる．栄養指導は，単に欠乏した栄養素の補給や過剰な栄養素の減量について説明するだけでなく，それが生じるに至った要因について考え，その解決を含めた指導を進める必要がある．

栄養を阻害する要因を表3.7に，薬と食物の相互作用を表3.8にまとめた．

ⅱ）栄養素摂取量の判定，評価

基準値との比較により行う．適正な栄養比率とその算出方法を表3.9にまとめた．近年，薬物と食物やサプリメント（ビタミンなど）の相互作用も考慮されるようになった．適正な栄養評価を行い，栄養教育を計画・実施しなければならない．

（f）食知識，食態度，食行動，食スキル

栄養教育を行う際に，対象者が「食」に対してどのような知識や価値観，嗜好をもっているか，あるいは健康保持のためにどのような食行動や態度をとっているか，食べ物の購入・調理加工をするための技術（スキル）はどうかなどを，十分に把握することが必要である．また食行動に関しては，自己効力感（セル

推定エネルギー必要量

日常生活を営んでいる健康人の測定法は二重標識水法が望ましいといわれている．

基礎代謝量の算出
① 基礎代謝量基準値（kcal/kg）×体重 kg
② ハリス－ベネディクトの式
　男 BEE＝66.47＋13.57×W＋5.00×H－6.76A
　女 BEE＝655.10＋9.56×W＋1.85×H－4.68A
（W：体重 kg，H：身長 cm，A：年齢）
③ 日本人の簡易式
　男 BEE＝14.1×体重＋620
　女 BEE＝10.8×体重＋620

特殊な機器を用いる身体構成組織の測定法

生体インピーダンス分光分析法

BIA（bioelectrical impedance analysis）と略される．脂肪組織は水分をほとんど含まず電気伝導性がほとんどないのに対して，除脂肪組織は水分を多く含み電気伝導性が高いことを利用して，身体組成，おもに体脂肪と水分を測定する．機械はもち運びが可能で，手と足に電極を取りつけるだけで簡便に測定できる．インピーダンス（電気抵抗）は摂取食事量や水分量などから影響を受けやすいので，測定時には注意が必要である．

二重エネルギーX線吸収測定法

DEXA（dual energy X-ray absorptiometry）と略される．2種類の異なるエネルギーのX線を用いて，体脂肪量，除脂肪重量，骨塩量などを測定する．X線でなく光子を用いた測定法は DPA（dual photo absorptiometry）という．

コンピュータ断層撮影法

CT（computerized axial tomography）と略される．X線を照射し，コンピュータ処理されたデータを基に横断面の映像表示を行う．内臓脂肪の表示などに用いられる．

核磁気共鳴

NMR（nuclear magnetic resonance）と略される．核磁気共鳴による画像は MRI（magnetic resonance imaging）という．CT同様に身体の横断面の映像表示を行えるが，X線を用いないので被曝の危険がない．

その他

TOBEC（total body electric conductivity：生体内電気伝導度測定法）による体脂肪測定，近赤外インフラクタンス法による体脂肪測定，IVNAA（*in vivo* neutron activation analysis）による総体内窒素量の測定，RTPによるたんぱく質代謝の測定などがある．

表3.7　栄養を阻害する要因

要因	内容
食料確保の不十分	不漁・不作，食料運搬の不十分 食料購入店まで交通手段を確保できない 配食サービスが不備，食料購入のための金銭が不足 身体的もしくは知識として調理不能 （戦争，災害）
身体的要因による栄養素の過剰と不足	成長期・妊娠授乳期・疾病時における栄養要求量の亢進 先天性もしくは疾病による栄養素の腸管吸収阻害・代謝異常・栄養素の利用障害 疾病時の食欲の低下・亢進 摂取機能障害による食品摂取量の低下 運動量の増加・減少
心理的要因による摂取食品量の過剰と不足	偏食，神経性の摂取障害 間食・欠食，嗜好の偏り 食生活の改善が困難 禁煙・禁酒が困難
社会生活の不可避要因による食事内容の不備	職業などによる食事時間・回数などの制限 身体機能低下時において生活の介護者がいない
健康教育が不十分なための食事内容の不備	栄養知識の不足 健康や食生活に対する関心希薄 宗教上のタブー・俗信

表3.8　薬と食物の相互作用

飲食物	薬物	影響	機序
牛乳（乳製品）	テトラサイクリン類	吸収↓	Caキレートを形成するため吸収↓
グレープフルーツジュース	Ca拮抗薬	顔面紅潮，薬効の増強	薬物代謝酵素の阻害
	テルフェナジン	不整脈の誘発，薬効の増強	
	免疫抑制剤	吸収（血中濃度）↑，薬効の増強	
	睡眠導入剤	吸収（睡眠効果）↑，薬効の増強	
チラミン含有食品（チーズ，ヨーグルト，ワイン，ビールなど）	MAO阻害薬 イソニアジド	高血圧症状（動悸，頭痛，発赤）	MAO（モノアミンオキシダーゼ）阻害による食品中のチラミンの作用↑
ヒスタミン含有食品（はまち，さば，まぐろ，ぶり，かじきなど）	イソニアジド	顔面紅潮，頭痛	イソニアジドが，ヒスタミナーゼやN-メチルヒスタミンオキシダーゼを阻害して，ヒスタミン↑
ビタミンK含有食品（納豆，クロレラ，ブロッコリーなど）	ワルファリン	抗凝血作用↓	食品中のビタミンKがワルファリンと拮抗
コーラ，ビール	アスピリン	吸収遅延	pH低下による
クラッカー，ゼリーなど	アセトアミノフェン	吸収遅延	複合体形成により初期吸収速度減少
お茶（濃い），コーヒー	鉄剤	吸収率↓	タンニン100 mg/dL，タンニン酸鉄を形成．不溶化
高脂肪食	脂溶性ビタミン製剤 グリセオフルビン	吸収率↑	胆汁分泌促進
ビタミンA	抗生物質 テトラサイクリン	頭痛，頭蓋内圧上昇	
アルコール	トルブタミド，バルビタール，シメチジン	意識不明	

表 3.9 栄養比率とその算出方法

項 目	算出式	対象と適正比率
たんぱく質エネルギー比	$\dfrac{たんぱく質量 \times 4\,(\mathrm{kcal})}{総エネルギー\,(\mathrm{kcal})} \times 100$	成人一般：20％未満
総脂質（脂肪）エネルギー比	$\dfrac{脂質量 \times 9\,(\mathrm{kcal})}{総エネルギー\,(\mathrm{kcal})} \times 100$ 飽和脂肪酸, n-6系脂肪酸, n-3系脂肪酸のエネルギー比は挟み込みの小冊子「日本人の食事摂取基準（2020年版）」参照.	生後0〜5か月：50％（目安） 生後6〜11か月：40％（目安） 1〜29歳：20〜30％ 30〜69歳：20〜25％ 70歳以上：20〜25％
炭水化物エネルギー比	$\dfrac{(総エネルギー)-(たんぱく質エネルギー+脂質エネルギー)}{総エネルギー\,(\mathrm{kcal})} \times 100$	18歳以上 50〜70％
穀類エネルギー比	$\dfrac{穀類エネルギー\,(\mathrm{kcal})}{総エネルギー\,(\mathrm{kcal})} \times 100$	幼児期・成長期：40〜50％ 成人：50％
動物性たんぱく質比	$\dfrac{動物性たんぱく質\,(\mathrm{g})}{総たんぱく質\,(\mathrm{g})} \times 100$	幼児：50％, 成長期：45〜50％ 成人：40〜45％
ミネラル比率	リン：カルシウム＝1〜2：1, マグネシウム：カルシウム＝1：2	

フエフィカシー）や行動変容がどの段階かをアセスメントすることも必要である（2章参照）．

（g）食環境

現代の食環境は都市生活者の利便性に重点が置かれており，個人がどのような環境に置かれているか，正確に見きわめることが困難な状況になっている．食環境，生活環境についてのアセスメントも重要である．

（h）生活習慣（ライフスタイル）

生活習慣は毎日無意識のうちに繰り返される生活行動であるが，居住地，家族構成，学校生活，職場などに依存しており，ライフステージとともに変化していく．喫煙，飲酒，嗜好品，服薬，身体活動，労働など，日常の行動が習慣化し，無意識のうちに繰り返されるものも少なくない．生活習慣病の予防と治療のためにも，生活習慣のアセスメントはきわめて重要である．

> **生活環境の問題意識**
> ① 家庭：孤独，孤食，個別，家庭内別居，個室，団らん
> ② 地域社会：近所付き合いの欠如，一軒家，高層マンション，密閉度，平均的な情報収集
> ③ 学校・職場：教育の偏重，成績重視，倫理観の欠如，学閥，対人恐怖

3.4 行動記録，行動分析

（1）行動療法の手順と行動技法

クライエントの問題行動を特定するためには，行動を観察し，行動の分析を行うことが有用である．この分析結果を踏まえ，問題行動改善のための目標設定を行い，クライエントに適した指導を行う．新たな行動を始める際には，より具体的な対策を考えられるように行動記録をつけることが望ましい．この記録より，問題行動とその行動のきっかけなど前後の刺激との関係を明らかにしたうえで，行動変容を促す栄養教育を行っていくことが大切である．

行動分析
p.19 参照.

（2） 行動分析(2.2節参照)

（3） 個人要因(知識, スキル, 態度, 行動)のアセスメント

　対象者の個人要因は，問診や調査などによって把握する．知識やスキルの項目は，行動の実行に必要な内容にする．「3色食品群によるバランスのよい食事」を実行するなら，3色食品群の働きの知識や調理のスキルを確かめる．知識やスキルのアセスメントを行うことで，対象者の理解度が把握でき，具体的な栄養教育の内容を立案できる．

（4） 環境要因(家庭, 組織, 地域)のアセスメント

　環境要因とは，生活環境やソーシャルサポートなどである．

　例として，職場で職員が昼食をとる場所は確保されているか，昼食場所は近くにあるか，買い求めやすい価格で提供されているか，などがこれらの項目に相当する．ソーシャルサポートも環境要因に含まれる．

3.5　情報収集の方法

　情報の収集は対象者からが基本であるが，対象者が高齢者であったり，重篤な状態にある場合や，対象者自身が不在の場合には，代理人から収集せざるを得ないこともある．代理人は極力，対象者に近い関係で，生活習慣，疾病の状況などを熟知した者を選ぶことから，通常は配偶者，親，子どもなどの家族，入院・入所者であれば担当医師，看護師，介護員などがなる．ただし，たとえば家族全員が同一の食事をしているか一緒にしていないことがあるかなど，代理人がすべてを知っているわけではないため，収集した情報に偏りが生じる可能性を考慮しなくてはならない．

　情報収集法は，実測法，観察法，面接法，質問票法のほかに，既存資料による方法などがある．

（1） 実測法での注意点

　実測法におけるバイアスとして，誤差の発生を考慮する必要がある．誤差には，同一測定者が繰り返し測定を行ったときに生じる個人内誤差(測定者の測定精度に関する安定度の誤差や，同一被験者のそのときの状態の違い)と，異なる測定者が実施した場合の個人間誤差(測定者同士の測定技術の差や被験者間の状態の違い)がある．

（2） 情報収集

（a） 実測法

　実測法には，臨床検査(血液や尿の生化学検査，身体計測，体力検査)，食事調査などがある．食事調査(食品・栄養素摂取状況調査)では，自記式(あらかじめ記録用紙を配布して対象者が自分で記録する)と他記式(面接によって調査員が質問して記録する)があり，質問票法または面接法と考えられなくもないが，結果として得られる情報は対象者の摂取した食品・栄養素の実数という点で，実測法と判断するのが妥当のようである．

（b）質問票法

質問票法は，質問紙や調査票を用いて記入させ，得られた回答を数量化してデータを収集する方法である．記入の方法には，直接対象者が記入する方法（自記式）と，調査員が聞き取りをして記入する方法（他記式）がある．なお自記式の場合は，選択肢のなかから選ぶ方法は対象者の負担が少なく，高回答率が期待できるが，選択肢に当てはまらない回答があることを考慮する必要がある．

（c）個人・集団面接法

面接法は，食事摂取状況や食習慣を含む生活習慣，生活の質・価値観（QOL），食スキルなどについて，面接によって聞き取る方法である．

通常は1対1で実施されるのが一般的ではあるが，場合によっては集団で行われる場合もある．その方法として，8～12人の同じような背景をもったグループを複数（通常4つ以上）つくり，聞きたいことを徹底的に聞き，また話したいことを徹底的に話してもらい，その内容を録音などで記録して分析を行う方法（フォーカスグループインタビュー法：FGI法）などがある．

面接法では栄養教育者と被教育者とが相互に影響し，主観的になりがち（都合のよい方向に解釈しがち）であることから，面接者の技術向上をはかることが結果の信頼性を向上させることになる．また面接にあたっては，表3.10に示すような事項に配慮することが望まれる．

表3.10 面接で配慮すべき点

面接を実施しやすい時期，時刻，場所を設定する．
話しやすい雰囲気をつくる．
面接時間を長引かせない（ただし，短いと情報量が少なくなる）．
対象者との信頼関係の構築．
対象者の発言を助ける（発言の誘導）．
質問事項を整理し，聞き漏らしがないようにする．

（d）観察法

観察法は，健康・栄養状態に関する事項，たとえば身体状況，皮膚の状態（ひび割れ，肌荒れなど），頭部の状態（脱毛，脱色など），爪の状態（形状，色など），眼（視力，暗視能力など），口唇・口腔・咽頭（口角炎，口唇炎，口内炎，舌炎など），腹部，四肢，神経・精神状態（頭痛，認知症，傾眠，嘔吐）などの対象者の状態を視診によって観察し，判定・評価する方法である．したがって，視覚に頼って実施するため観察者の主観が入りやすく，実測法に比べて正確性に欠ける．しかし，参考情報としては重要なものである．

（e）既存資料の活用

ⅰ）保健統計

保健統計とは，健康増進，医療，疾病予防，環境衛生など公衆衛生に関する統計である．この統計は厚生労働省をはじめとする各省庁や地方公共団体の行政政策の基礎資料になることはもちろん，これらの統計を組み合わせて栄養教育にも利用される．これらの統計のうち，とくに栄養教育での既存資料として関係するものの一部を次に示す．

① 国民健康・栄養調査

国民健康・栄養調査は，健康増進法に基づいて行われる国の指定統計で，法的根拠をもった調査であり，「栄養改善法」時代には「国民栄養調査」と呼ばれていた．この調査は国民の健康状態，栄養摂取と経済負担との関係などの実態を明確にとらえ，また栄養状態を科学的に把握するために，栄養素等摂取量と食

統計用語

度数分布：サンプルの分析状態を把握．
平均値：代表値．
分散：各サンプル値のばらつきの度合を示す．
標準偏差：分散の平方根．
変動係数：標準偏差を平均値で除したもので，単位の違うばらつきを比較する．
標準誤差：標準偏差を標本数の平方根で除したもの．
t分布：平均値の差の検定．
F分布：分散の差の検定．
χ^2分布：出現率・適合度の検定．

品群別摂取量の平均値と標準偏差を求め，国の食糧政策や栄養状態の改善，体位の向上などの方策を検討する基礎資料として実施されている．

国民健康・栄養調査では，身体状況調査〔身長・体重測定，血圧測定，血液生化学検査，1日の運動量（歩数），血圧降下薬の使用の有無，喫煙の有無と喫煙歴，飲酒の有無と飲酒歴，運動習慣などに関する問診〕，食物摂取状況調査，食生活状況調査（食品群別摂取量の充足度，食事量，体型についての自己評価，食生活上の注意項目の実践の有無についてのアンケート調査）が実施されている．

これらの結果を集計し，栄養素等摂取状況，食品群別摂取状況および身体状況，食生活状況などが作表され，調査世帯別・世帯員別に，厚生労働省によって毎年「国民健康・栄養の現状」として公開されている．

この国民健康・栄養調査の結果は，国民全体の動向としてとらえることができるほか，生活状況と健康との関係の資料として有効に活用することができる．

② **傷病統計**

病院および診療所を利用する患者について，その傷病状況などの実態を明らかにし，医療行政の基礎資料を得る統計である．この統計における疾病の罹患率などのほか，人口動態統計における死亡率や死因の変化などが，とくに資料として活用されることが考えられる．

③ **学校保健統計調査**

幼児，児童，生徒の発育状況および健康状態を明らかにすることを目的として，文部科学省によって毎年実施されている指定統計である．

この調査は，学校保健安全法に基づいて毎年4〜6月に実施される健康診断の結果によって得られる発育状態調査（身長，体重，座高など）と，健康状態調査（栄養状態，裸眼視力，う歯の有無など）の2つの調査からなる．調査の対象は，文部科学大臣によって指定された幼稚園，小・中・高等学校から無作為に抽出された幼児，児童，生徒である．

また，小・中・高等学校によって行われる体力テストや運動テストの結果と合わせて，児童，生徒の現状などが資料として利用可能である．

④ **食料需給表**

わが国で供給される食料の生産から最終消費に至るまでの総量を明らかにするとともに，国民1人あたりの供給純食料や供給栄養素量を示したものである．食料需給の全般的な動向や栄養量の水準とその構成，食料消費構造の変化などを把握するための資料として利用されている．

⑤ **生活習慣，保健活動，健康意識に関する調査**

食事，運動，休養のほか喫煙，飲酒などあらゆる生活習慣に関する調査・研究資料や，健康増進，医療，疾病の予防などの保健活動に関する調査・研究資料などがある．

また，医学的な診断ではなく，あくまでも健康度の目安となる健康に関する知識・意識についての調査による評価や疲労（過労）度診断調査などもある．

Plus One Point

対象者の抽出と調査の誤差

対象者の抽出には，調査目的により，個人を対象とする場合と地域・集団全体を対象とする場合がある．とくに集団を対象とした場合では，全数調査と一部を抽出して対象とする標本調査がある．抽出方法としては，有意抽出法と任意（無作為）抽出法があり，一般的には層化無作為抽出法を選択することが多い．調査による誤差についても認識する必要がある．調査の誤差には標本誤差と非標本誤差がある．標本誤差は抽出による統計誤差であり，統計的に推定が可能であるが，調査事項に関して関心のある集団から単純に無作為抽出すると非現実的になりかねないなど，調査手段の構成や調査対象標本選択にも注意が必要である．

ii) その他の情報源

国民健康・栄養調査のほかに，予防医学協会のようなさまざまな団体による研究結果が，学会，雑誌などのほか，近年ではインターネットを通じて公開されている．これらの情報を資料として教育に利用することによって，教育効果・効率を上げることが可能である（表3.11）．

また，栄養教育においては，栄養情報を収集し，栄養マネジメントへとつなげていくことが重要である．収集した情報が科学的根拠に基づいているかどうかを分析して，実践栄養活動に取り入れることが求められる．情報収集のためのウェブサイトを表3.12にまとめた．このような情報に従って，知識や技術を習得することが大切である．

（3）優先課題の特定

アセスメントの結果より，いくつかの課題があがる．すべての課題をくみ取り，平等に働きかけなければならないが，予算やスタッフといった資源などの関係から実際には困難である．したがって課題の重要度を考え，優先順位をつけることが大切である．課題の優先順位をつける際，下記の項目を考慮する．

1) 健康に関する問題・課題が深刻である．
2) 栄養教育の実施可能性が高い．
3) 所属する機関の理念や目標に沿っている．
4) 栄養教育により，改善が期待できる．

表3.11 栄養情報源と媒体

媒体	内容	情報の流れ	
		単方向	双方向
言語	授業（講義，演習，実習）	○	○
	講演会，講習会，研修会，討論会	○	○
	対話，口コミ，相談		○
出版印刷	学会誌（栄養学雑誌，栄養・食糧学会誌，家政学会誌，ビタミン）	○	
	学術雑誌，専門誌（食生活，臨床栄養，栄養評価と治療，食と健康のライフサイエンス，栄養と料理など）	○	
	専門図書，教科書	○	
	政府刊行物 　総務省〔人口静態統計（国勢調査），家計調査，小売物価統計〕 　厚生労働省（日本人の食事摂取基準，国民栄養の現状，国民衛生の指標，人口動態統計，生命表，患者調査，国民生活基礎調査，食中毒統計調査，循環器疾患基礎調査，糖尿病実態調査，国民健康・栄養調査，喫煙と健康問題に関する実態調査，受療行動調査） 　文部科学省（学校保健統計調査，体力・運動能力調査） 　農林水産省（食糧需給表，農業統計） 　各種白書など．	○	
	法規，通達文書	○	
	新聞，一般図書，一般雑誌，PR誌	○	
	図書目録，文献情報誌	○	
記録視聴覚	映像と音声：映画，ビデオ，LD，DVD，CD-ROM	○	
放送	テレビ，ラジオ	○	
電子通信	電子メール，ネットニュース，ウェブページ		○
	オンライン文献検索		○

表 3.12 栄養教育に関連するウェブサイト

種別	ウェブサイト名	URL	内容
行政関連機関	厚生労働省 文部科学省 農林水産省 総合食料局 水産庁 国立保健医療科学院 国立医薬品食品衛生研究所 国立健康・栄養研究所 食品総合研究所 農林水産消費安全技術センター 国立がんセンター 国立社会保障・人口問題研究所	http://www.mhlw.go.jp http://www.mext.go.jp http://www.maff.go.jp http://www.syokuryo.maff.go.jp http://www.jfa.maff.go.jp http://www.niph.go.jp http://www.nihs.go.jp/index-j.html http://www.nih.go.jp/eiken http://nfri.naro.affrc.go.jp http://www.famic.go.jp http://www.ncc.go.jp http://www.ipss.go.jp	医療，保健，栄養に関する検索 学校給食，食教育，児童生徒の健康問題 農業問題の検索 食糧問題，食糧事情などの検索 水産問題の検索 保健医療事業，社会福祉事業などの検索 医薬品の安全性，食品添加物のデータベース 健康増進と栄養に関する研究機関 各種栄養調査，食事調査の結果の解説 各種食品成分の測定方法の検索 生活習慣病（がん）の研究機関
保健医療の職能団体	日本栄養士会 日本医師会 日本歯科医師会 日本看護協会 日本薬剤師会 医療経済研究機構 健康・体力づくり事業財団（健康日本21） 健康・体力づくり事業財団（健康ネット） 全国栄養士養成施設協会 長寿社会開発センター 日本医薬情報センター 日本健康・栄養食品協会 日本食品衛生協会 福祉保健医療情報ネットワーク（WAM NET） 厚生統計協会 日本メディカル給食協会 日本病院会 日本スポーツ振興センター	http://www.dietitian.or.jp http://www.med.or.jp http://www.jda.or.jp http://www.nurse.or.jp http://www.nichiyaku.or.jp http://www.ihep.jp http://www.kenkounippon21.gr.jp http://www.health-net.or.jp http://www.eiyo.or.jp http://www.nenrin.or.jp http://www.japic.or.jp http://www.jhnfa.org/index.html http://www.n-shokuei.jp http://www.wam.go.jp/index.html http://www.hws-kyokai.or.jp http://www.j-mk.or.jp http://www.hospital.or.jp http://www.naash.go.jp	日本栄養士会のウェブサイト，栄養関係検索 日本医師会のウェブサイト，健康関係検索 歯科医師会のウェブサイト，健康関係検索 保健師，看護師の職能団体のウェブサイト 日本薬剤師会ウェブサイト，医薬品関係検索 社会保険制度や医療経済に関する情報 健康日本21に関する情報 健康体力づくりに関する情報 栄養士養成などに関する情報 高齢者の健康づくり，保健福祉に関する情報 国内外の医薬品に関する臨床的なデータ 特定保健用食品，特別用途食品，表示制度 食品衛生関連情報
関連学会	日本栄養改善学会 日本栄養・食糧学会 日本糖尿病学会 日本動脈硬化学会 日本静脈経腸栄養学会	http://www.jade.dti.ne.jp/~kaizen http://jsnfs.or.jp http://www.jds.or.jp http://jas.umin.ac.jp http://www.jspen.jp	学会活動，栄養改善に関連する情報 学会活動，食品・栄養・食糧に関連する情報 糖尿病の診断基準など基礎知識の情報 動脈硬化症の診断ガイドライン NSTに関する情報
海外関連機関	アメリカ栄養士会 アメリカ農務省農業図書館・食物栄養情報センター アメリカ連邦諸機関ウェブ アメリカ食品医薬局（FDA） 日本WHO協会 日本ユネスコ協会連盟 国際連合食糧農業機構（FAO）	http://www.eatright.org http://www.nal.usda.gov/fnic http://www.health.gov http://www.fda.gov http://www.japan-who.or.jp http://www.unesco.or.jp http://www.fao.org	アメリカ栄養士会のウェブサイト アメリカ食品情報，食品分析表など アメリカ保健社会福祉省（健康）の関連情報 アメリカの食品，医薬品に関連する情報 WHOの公式ウェブサイト，健康情報 海外協力活動に関する情報
データベース	食品成分データベース 栄養調査	http://fooddb.jp http://www.nih.go.jp/eiken/nns	五訂日本食品成分表のデータベース 各種食事調査や栄養調査の結果の解説

水上茂樹 編，『栄養情報処理論』，講談社（2004），p.21 を改変.

3.6 栄養教育の目標設定

（1）目標設定の意義と方法

　栄養教育において目標を設定することは，対象者自らが行動変容を始める契機となり，またその目標が実行できれば対象者は達成感を味わえるという意義がある．さらに目標を設定しておくと，栄養教育の実施中や実施後に評価をする際にも役立つ（図3.4）．

3.6 栄養教育の目標設定

栄養教育の目標には，実施目標，環境目標，学習目標，行動目標，結果（アウトカム）目標があり（図3.5），それぞれについては下記に述べる．また評価については後述する（p.77参照）．

目標を設定する順序として，まず栄養教育の結果がみられる結果（アウトカム）目標を立て，次に行動目標，そして行動目標を達成するために必要な学習目標を立てる．

また目標を設定する際には，面接やカウンセリングにより対象者の意思や考えに十分に耳を傾けるようにする．対象者が設定できないような場合は，目標の具体例をいろいろと見せるのもよい．次に，目標それぞれについて述べる．

（2）結果（アウトカム）目標

結果（アウトカム）目標とは，教育成果についての目標である．大切なことは，

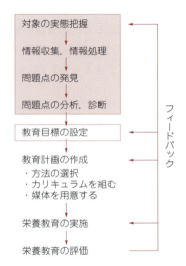

図3.4 栄養教育マネジメントの基本的な手順

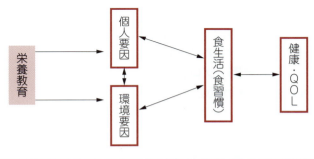

目標の種類	実施目標	環境目標	学習目標	行動目標	結果（アウトカム）目標
評価の種類	経過（過程）評価	影響評価	影響評価	影響評価	結果評価

図3.5 栄養教育で期待する対象者の変化と目標と評価の種類
赤松利恵 編，『行動変容を成功させるプロになる 栄養教育スキルアップブック』，化学同人（2009），p.9より改変．

指標を定めるにあたり，測定可能な結果(outcome)を得られるようにすることである．一例をあげると，「ウエスト周囲長を 85 cm 未満に減じる」，「HbA1cの値を 0.5％低くする」などである．

（3） 行動目標

行動目標とは，行動についての個別の目標である．勧められるのは，能力に見合った無理のない実現可能な事柄を設定し，対象者が容易に到達できる，食習慣および生活習慣の改善を目標とすることである．逆に避けるべきなのは，同時に多数の目標を立てることである．一例をあげると，「1 日に 3 食を摂る」，「汁物は 1 日 1 杯に限る」，「1 日 20 分間ウォーキングをする」，「体重および血圧を測り記録をとる」などである．

（4） 学習目標 —— 知識，調理スキル，態度

学習目標とは，その教育プログラムの行動目標へ到達するために，方向性を与えるものである．一例をあげると，「メタボリックシンドロームのリスクを低減する」という長期目標があれば，「ウエスト周囲長を減じることの有益性を知る」（知識），「低エネルギーかつバランスのよい食事を用意できる」（調理スキル），「食習慣を見直し朝食を摂る．ウォーキングをする意欲をもつ」（態度）などが学習目標となる．

（5） 環境目標

環境目標とは，食環境についての目標である．たとえば，食物はおもにどこから得ればよいか，食生活に関する情報はどこから得ればよいか，などである．

3.7　栄養教育計画立案

（1） 学習者の決定

健康増進，生活習慣病予防の観点から，集団検診などで栄養スクリーニングによって健康リスクのある者を選定し，その改善目標に沿った学習内容で教育を行う．医療，地域保健，学校教育などで，健康状態，生活習慣などに問題がある者(個人，集団)に対して栄養教育を行う．また，当事者のみならず，乳幼児や学童生徒の養育者，高齢者・障害者などの介護者，家庭における調理担当者も教育の対象(学習者)となる．

（2） 全体計画・プログラム案・学習指導案の作成

（a） 全体計画の作成

栄養教育プログラムを作成するときは，最初に，全体計画を一覧表の形にまとめる．一覧表では，「目標」「指導内容」「評価内容」などが体系的にひと目でわかるようにする．その際，単発的な知識の指導にとどまってしまうと，学習者に望ましい食習慣を形成することは難しい．実際に経験する機会も設けながら習慣化を促す，継続的な指導を行えるような全体計画を考える必要がある．

たとえば，小学校での食に関する指導の場合，学校全体および各学年の食に関する指導目標を定めたうえで，「給食の時間」「特別活動」「各教科」といった

実施目標
栄養教育の実施に際して，参加対象・人数，期間中の実施回数，教育者(スタッフ)の構成やそのかかわり方について目標を設定する．

目標を立てるときのポイント
① 対象者に合った内容である．
② 達成が評価できる内容である．
③ 達成期間を考慮した内容である．
④ 達成可能な内容である．
⑤ 実施可能な内容である．

教科ごとの指導内容，そして月別の指導内容などを決めていく．栄養教育指導が，学校教育活動全体と有機的に結びつき，体系化されるように配慮しなければならない（図3.7参照）．

（b）教育プログラムの作成

全体計画を作成したら次に，教育プログラムを作成する．具体的にはカリキュラム（curriculum）を編成する作業を行う．カリキュラムを編成するときには，次の3つの「教育プログラムの基礎理論」を適用することが大切である．

① 「行動科学理論やモデル」：対象となる個人または集団が，どんなライフステージ，ライフスタイル，健康状態にあるか考えて適用する．
② 「教育学」：健康的な食行動の形成と維持に欠かせない栄養・食生活知識や食関連スキルを学習者が獲得できるような体系的支援を行うために適用する．
③ 「カウンセリング論」：個々の栄養・食生活課題は多様であるので，学習者自らが解決を図ることができるようにするために適用する．そして，全体計画で立てた教育目標を達成できるように，学習者の発達段階や能力に合わせた学習内容，および効果的に学習できる適切な学習速度を考え，どうやって目標へ到達するか（学習，経験など）をきめ細かく組み立てなければならない．以下に，実際のプログラム作成にあたって理解しておかなければならない具体的事項を示す．

（c）教育を構成する要素 6W1H1B

教育目標に沿って具体的な教育計画を立案する際には，計画，実施，事前・事後評価について次の6W1HにBudget（予算）を加えた6W1H1Bを基本にして十分検討し，適切な教育を実施していく．

Who	「誰が」	教育者（医師，栄養士，保健師，看護師など）
Whom	「誰に」	対象者〔個人，集団（サイズの大きさ）〕
What	「何を」	教育内容
When	「いつ」	時期，時刻，所要時間，回数
Where	「どこで」	場所，会場，地域
Why	「なぜ」	目的，最終目標の達成
How	「どのように」	指導方法，媒体
Budget	「予算は」	予算の計上，学習者の負担

（d）カリキュラムの形態

縦の関係（垂直方向）を示すシークエンスと横の関係（水平方向）を示すスコープがある．

① シークエンス（sequence）：順序や進んでいく回数などの時間的序列．
② スコープ（scope）：分類，教育内容の類別，またはその範囲．
　　　　　教育目標，教育内容，実施者，媒体，教材，場所など．

（e）カリキュラム編成上の留意点

以下のことに留意し，また目的，内容，人，教材，時間，空間，対象のニー

カリキュラム
語源は「走る道」「走る」という意味である．どのようなコースを走り，どのような学習や経験をしながら目的・目標に達するかを計画的に編成した進行計画や教育課程のことをいう．

6W2H
＋1H（How much）
「経費はいくらか」

6W3H1F
＋1H（How many）
「いくつが目標か」
＋1F（Future）
「将来は，今後は」

カリキュラムの内容に必要な項目
① 教育目標（主題名）
② 教育計画（ねらい）
③ 学習内容（展開）
④ 教材，媒体
⑤ 評価

ズ，評価などを考慮して展開していくことが重要である．
① 対象に適合したもので，具体的であること．
② 静止したものでなく，ダイナミックで前進的であること．
③ 資料の活用を図り，科学的データを取り入れること．
④ 繰り返し教育を適宜に行えるよう，一貫性をもたせること．
⑤ 絶えず教育方法を工夫，改良していくこと．

（f）学習指導案の作成

学習指導案の作成とは，カリキュラムをより具体的に計画することである．

【栄養教育計画作成の意義】
① 教育の一貫性（内容の重複や偏りを防ぐ）．
② 教育のポイントの明確化（教育の重点配分が容易にできる）．
③ 計画の創意工夫や熟考による教育の質の向上．
④ 対象者が目標達成までの過程を確認でき，意欲を高めやすい．
⑤ 対象者，教育者ともにあらかじめ計画的に行動できる．
⑥ 教育スタッフなど関係者の理解と協力を得るのに役立つ．

【学習指導案】
学習指導案とは，1回ごとの教育課程を記した指導計画書のことで，決まった形式はないものの，導入，展開，まとめを設定するのが一般的である．これ以外には，次の5項目が含まれる．

・テーマ（題材）：各回で達成したい内容を1回ごとに，簡潔に記入する．
・そのテーマを設定した理由：設定したテーマの意義を，なぜ選んだか，学習者が抱える問題，ニーズとともに記入する．
・ねらい（目標）：各回の達成目標を具体的に記入する．
・学習過程：導入，展開，まとめを記入する．所要時間，学習活動の様子，発問および指示などの指導者の行動と学習者からの反応，使用した教材や資料なども記入する．
・評価：目標達成度評価のための評価基準および方法と指導方法を記入する．

学習者が自ら学び，さらに追求するような発展的な内容を想定して，学習指導案を作成する必要がある．指導者が教えたいことを考えるのではなく，発問・指示などの行動や教材，資料などが学習者に対してどういった効果を及ぼすかを重点的に検討しなくてはならない．

（3）活動の場における栄養教育計画（教育計画，指導案の例）

おもな栄養教育の活動の場における，特徴的な栄養教育計画を記載する．

（a）地域保健：集団健康教室の教育計画（教育案）

事前に教育計画を作成する．指導のテーマ，対象者，回数，1回に用いる時間をまず決定する．数回に及ぶ場合は，毎回の小テーマを決定する（表3.13）．

（b）医療機関：POSによる診療記録法

栄養食事指導では，患者をどのように診断し，治療し，教育していくかとい

教育計画，指導案の種類
① 継続教育・指導案
　一定期間にわたる教育計画
② 時間教育・指導案，時案
　最小単位時間の教育計画

栄養食事指導に必要な調査項目とその内容
① 基礎調査（性，年齢，住所，氏名，身長，体重，受診科，病名など）
② 食事摂取状況調査（質問紙法，面接法など）
③ 生活の活動調査（タイムスタディ）
④ 食事に対する意識調査
⑤ 献立記入法による食事内容評価，栄養価計算
⑥ 個人献立の処方
⑦ 栄養カルテの作成（栄養指導録，図3.6参照）

POS
problem oriented system

表3.13 教育計画の例（地域住民に対する健康教室）

回	テーマ	形態	担当者	資料	時間
1	健康を守る食生活——生活習慣病の予防	講義	栄養士		90分
2	地域の脳卒中の実態と食生活の実態	講義	医師 栄養士	調査データ	30分 60分
3	脳卒中と食生活の関係について（全般）	講義	医師	パンフレット	90分
4	肥満と循環器疾患——肥満と食生活，運動の必要性	講義 講義と実技	栄養士 専門家	パンフレット	45分 45分
5	1日に食べた食事の栄養量の把握のしかた（自己診断）	講義と演習	栄養士	各自の1日の記録 調査データ	120分
6	高血圧と食生活——コレステロールと食塩	講義	医師	パンフレット	90分
7	適塩食にしよう	講義と演習	栄養士	料理のレシピ	90分
8	うす味でもおいしい料理のつくり方	調理実習	栄養士	料理のレシピ	120分
9	食品の安全性	講義	専門家	スライド	90分
10	まとめと終了式	講義	保健所長 栄養士		90分

合計960分

図3.6 病院における栄養指導録

う総合計画を最初に立案することが必要である．食事療法に必要な知識や技術を習得させるために，何を，どのような方法で理解させていくのか，担当栄養士の適切な判断が求められる．その方法としてPOS（問題志向型システム）による診療記録法（POMR）が用いられる．

POSによる栄養食事指導を行うためには，記述方法のルール **SOAP** が設けられている．SOAPとは，S（主観的な情報），O（客観的な情報），A（アセスメント，評価），P（プラン）を示し，その内容を表3.14に示す．

POMR
problem oriented medical record

（c）学校教育：教育体制と教育計画

学校全体の健康教育活動として，栄養教諭・学校栄養職員は，校長，給食主任，学級担任などとの組織的な教育体制を整え，教科などにおける食に関する指導と給食時間における指導とを有機的に関連づけることが重要である（図3.7）．学校教育，給食指導（食に関する指導）の目標に沿うよう，年間（月別）の目標計画を立てる．共同調理場の栄養教諭・学校栄養職員は，このような教育の機会の場が設けられるように各学校とよく相談して共通理解を得られるよ

組織的な教育体制
「栄養教諭を中核とした，これからの学校の食育」，文部科学省，平成29年3月，p.6参照．

表 3.14　SOAP の内容（例）

S：subjective data （患者による主観的な情報，事実）	・食意識，食生活習慣 ・生活習慣，生活信条 ・病気に対する考え方 ・社会生活，家族，仕事に対する考え方 ・健康に対する考え方
O：objective data （客観的な情報，事実）	・医師の診察，看護師，薬剤師，検査技師，管理栄養士などから得られる情報 ・家族や友人などから得られる情報
A：assessment または analysis （評価，分析）	・食事摂取状況（食事の量，偏食，食物アレルギー，アルコール摂取量，目標栄養量と食事摂取目標量など） ・食生活（食品の選択・購入，献立作成など） ・食行動（生活活動強度，）
P：plan （治療の実施計画）	・診断計画　Dx（diagnostic plan）：診断をつけるための計画 ・治療計画　Rx（therapeutic plan） ・教育計画　Ex（educational plan）

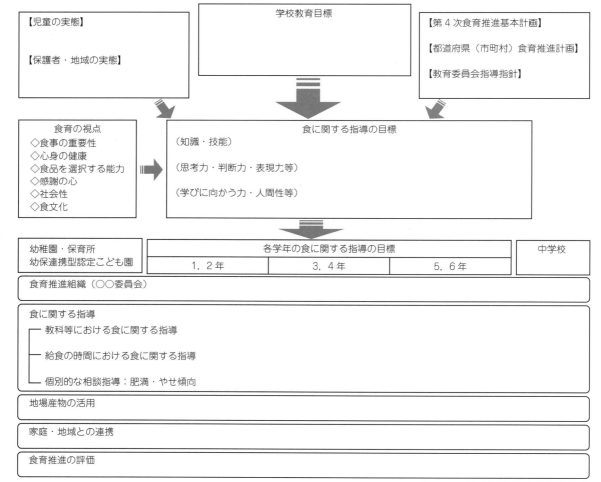

図 3.7　食に関する指導の全体計画①（小学校）例

う，積極的な働きかけをすることが必要である．

（4）期間・時期・頻度・時間の設定
（a）期　間
　教育の全体計画の目標，内容により異なるが，1〜3か月(短期)，6か月(中期)，1年(長期)の計画が多い．時期，時間については，学習者の勤務状況やニーズに応じて設定する．

（b）学習時間
　学習者によってまちまちであるが，1回の学習(教育)時間，個人教育で15〜30分程度，集団教育では60〜90分程度を目安にするとよい．

　学校における学級活動や教科，総合的な学習の時間などでの食に関する指導では45分，給食時間内での給食指導は10〜15分程度が望ましい．また社会保険診療報酬では，入院栄養食事指導料と外来栄養食事指導料が初回30分以上，2回目以降20分(巻末資料5参照)，集団栄養食事指導料が40分以上，在

食事バランスガイド

　食生活指針をより具体的な行動に結びつけるため，平成17年(2005)6月に厚生労働省と農林水産省が発表した．「なにを」「どれだけ」食べたらよいか，わかりやすくイラストで示したものである(図)．基本形は「成人」を対象としており，生活習慣病予防の観点から，肥満者や単身者，子育て世代，外食を利用する者など，一般の生活者に1日の食事バランスを考えてもらうための栄養教育の教材として使用されている．

(1)料理区分：主食，主菜，副菜，牛乳・乳製品，果物の5つの料理区分を基本とした．

(2)各料理区分の量的な基準および数え方：① 各料理区分ごとに，1日にとる料理の組合せとおおよその量を示した．② 単位は「1つ(SV)」で表記され，「SV」とはサービングの略で，各料理について1回あたりの標準的な量を大まかに示している．1SVとは，主食では炭水化物約40g，米飯100g，主菜ではたんぱく質6g，副菜では野菜類70g，牛乳・乳製品ではカルシウム100mg，牛乳コップ半分(100mL)，果物100gではみかん1個である．

　イラストは，「コマ」をイメージした形で，コマの回転を運動とみなして表し，コマの軸を水分とすることで，それらの重要性も強調している．また菓子・嗜好飲料については，「コマのひも」として表し，食生活のなかでの楽しみとしてとらえられており，食事全体の量的なバランスを考えて適度に摂取する必要がある．また，食塩や油脂類は基本的に料理のなかに使用されるものであり，イラストとして表現されていないが，実際の食事選択の場面では情報提供されることが望まれている．

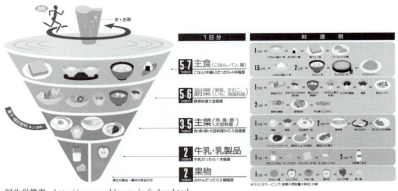

厚生労働省　http://www.mhlw.go.jp/index.html
農林水産省　http://www.maff.go.jp/index.html

宅患者訪問栄養食事指導料および介護保険法における居宅療養管理指導料は，食事の用意や摂取等に関する具体的な指導を30分以上実施された場合に算定される．特定健診・保健指導における小集団教育の時間は80分程度である．

（5）場所の選択と設定（場所の設営）

① 栄養教育を実施する場所は，教育内容，学習者の人数，学習形態，教育方法などにより指導案作成時にあらかじめ選択され，設定される．

　保健所・保健センター，学校，保育所，病院などの医療機関，事業所，公民館など従来の場のほか，スーパーマーケットや薬局，イベント会場など，教育の場は広がっている．また参加しやすいように，交通の便のよい場所や時間を設定する．個別面接室の場合は，落ち着いてカウンセリングできるような場を準備する．

② 常時専用で使用できる教室や講義室，実習室で行う場合と，新たに設定し直したり，臨時に設営したりする場合があるが，教育の場（会場）は実施前に学習しやすいように設営されている必要がある．設営に必要な設備・備品としては，黒板・ホワイトボード，スクリーンやマイク，視聴覚機器，各種教材・媒体，机・椅子，調理実習の場合は，必要な調理器具・機器，食器，冷凍冷蔵庫，水道や流し台の設備を確認し，用意する．

（6）実施者の決定とトレーニング

　栄養情報は，地域の保健センター，保健所，学校，事業所，診療所や開業医など，多くの施設や医療職種においても得られる．地域の住民健診や職場の検診，学校検診などにより疾病の疑いが判明する人々など，さまざまなケースがあるため，栄養教育の実施者の決定とトレーニングは重要である．

（7）教材の選択と作成

（a）種　類

　栄養教育の学習形態と教材の種類についてライフステージ別にまとめたものを表3.15に示す．対象者の年齢や教育のテーマに合わせた教材を選択する．

（b）選　択

　教育内容をわかりやすくする補助的手段として，教材や媒体を用いる．栄養教育の際には，講演や説明だけでなく，教材や媒体を用いると，対象者が理解しやすくなる．対象者の状況，教育のテーマ，対象者の知識レベル，個人か集団の教育かなどによって，より効果的な教材を作成する．その際は，公的資料やエビデンスの高い資料を参考にする．

（8）学習形態の選択

　集団栄養教育を実施するためには，年齢，性別，居住地域，理解度など，対象者の条件が一致する形態で指導することが指導効果を高めることにつながる．したがって，対象者の人数や理解度を考慮したうえで，指導形式や指導媒体を決定することが必要である．学習形態の種類と特徴，集団討議法における人の位置関係を表3.16に示す．

メディアを用いた栄養教育
メディアを用いた情報発信といえば，これまではテレビ，新聞，ラジオが主だったが，近年ではスマートフォンなどの携帯情報端末機器やパーソナルコンピュータの普及により，電子メール，ソーシャル・ネットワーキング・サービス（SNS），ウェブサイトを活用した健康・栄養情報の発信が増加している．

表 3.15　ライフステージ別おもな学習形態・教材・学習方法（目安）

		幼児	学童	青年	成人	高齢者
学習形態	1人			カウンセリング		
	2人～小集団			グループカウンセリング		
	中集団		グループ学習，授業，ワークショップ，セミナー，研修会			
	大集団			講演会，シンポジウム		
教材	印刷教材		テキスト，リーフレット，パンフレット，ポスター			
				ワークシート		
				卓上メモ		
	実演教材	紙芝居，パネルシアター，エプロンシアター				
	実物・立体教材		フードモデル，食品，料理			
	ゲーム教材		ゲーム			
	投影教材		ビデオ，スライド，テレビ			
	マルチメディア教材			電子メール		
				インターネット		
学習方法				ブレインストーミング，バズセッション		
			ロールプレイ，体験学習，実習			

赤松利恵 編，『行動変容を成功させるプロになる 栄養教育スキルアップブック』，化学同人（2009），p. 15.

3.8　栄養教育プログラムの実施
（1）モニタリング
　栄養教育プログラムを実施する際に，モニタリングを行う．モニタリングの項目は，対象に合わせた方法と項目を選択するが，アセスメントの項目・指標はほぼ同じであり，変化を測定することにより，対象者の以前の状態，介入の目標，期待される結果と比較し，目標が達成されたかどうかを評価するために行う．

（2）実施記録・報告
　プログラムを実施した後，計画書や指導案に変更点や修正点，問題点などを考慮し，報告書を作成，保管しておく．
　医療機関であれば，診療記録（POMR）などがこれに相当する．

3.9　栄養教育の評価
（1）栄養教育の評価の意義
　栄養教育プログラムを実施した後，プログラムは計画どおり実施されたか，学習者の目標の達成度や満足度を確認し，プログラムの有効性を評価し，それをフィードバックしてさらによりよいプログラムに改善することが重要である．
　プログラムの評価は栄養教育マネジメントサイクルに従い，栄養アセスメントを含むプログラムの計画（企画）の段階から，実施後に至るまでの各段階で行う必要がある．各段階の評価を適切に行うために，プログラムの計画段階で，評価の基準，指標，方法，時期について，明確に決定しておく．評価活動は，

POMR
p.73 も参照．

報告書作成のポイント
1. わかりやすさや読みやすさに関すること
・難しい言葉や漢字を使わない
・一文の長さに配慮する
・主語と述語を一致させる
・接続詞の使い方に注意する
・句読点や改行を入れる
・フォントや文字の大きさなどを活用する
・要点を箇条書きにまとめる
・グラフや表を活用する
・誤字や脱字の確認をする
2. 説得力・魅力ある内容に関すること
・系統立った項目を立てる
・段落ごとに，いいたいことをまとめる
・感情的な言葉は避ける

表3.16 学習形態の種類とその特徴

教育方法	種類	特徴
一斉学習	講義（lecture）	講演会や講座などで，講義形式による指導は集団に対して最もよく行われる方法である．1つのテーマについて，対象者の教育目的に応じた内容で講師が講演する．1回で行うこともあれば，数回に分けて行うこともある
	シンポジウム（symposium）	同一テーマについて，専門の異なる3～5人の講師に専門分野の研究業績や意見を発表してもらい，その後，聴衆との質疑応答が行われる．講師間の意見交換はない．学会などでよく採用される
	パネルディスカッション（panel discussion）	司会者のもと，3～6人くらいの講師（パネリスト）が聴衆の前で1つのテーマについて発表し，その後，パネリスト同士あるいはパネリストと聴衆が自由に討議を行う
	フォーラム（forum）	討論式討議法と討演式討議法がある．一種の公聴方式で，司会者のもとに講師の発表を行い，その後，質疑応答をする．意見が正反対の講師2人に講演をしてもらう方法が討論式で，1人に講演してもらうのが講演式である．使用媒体によって映画フォーラム，スライドフォーラムなどがある
グループ学習	グループ討議（group discussion） 円卓式討議（roundtable discussion）	座談会の一種で，少人数で利用される．輪になって座り（上下なく），司会者と記録者を決め，テーマに沿って話し合いを進める．司会者は全員が発言する機会をつくり，話し合いのもとで解決をはかる．最後に司会者が結論をまとめる
	分団式討議法（buzz session）	多人数の討議では全員の発言が不可能で，形式的になりやすい．そこで，全員が発言できるような小グループに分かれて，個々人の意見を自由に表現・調整し，その意見をもち寄って全体会をもつ方法で，多くの意見のなかから結論を得ることができる．この小グループによる話し合いの過程をバズセッションという．バズとは，蜂がブンブンなる音からつけられたものである．代表的なものに6・6式討議法がある
	6・6式討議法（6・6 method）	6人ずつのグループをつくり，グループには司会者と記録者をおき，1人1分，計6分間討議し，グループごとの意見を全体会で発表し，質疑応答を行う．これを2，3回繰り返し，全体のまとめをする．短時間で多くの意見を知ることができる
	ブレーンストーミング（brain storming，創造的集団思考法）	創造性を開発する方法．1つの問題をあらゆる角度から検討し，短時間でアイデアを出し合う会議法
	ロールプレイング（role playing）	参加者のなかから何人かに役割（たとえば栄養士と糖尿病の患者）を与え，即興的に演技を行う．終了後それを材料として，演技者と参加者を加えて討議を行う方法である．心理学やカウンセリングの分野でよく行われる
	体験学習（experience learning）	具体的な事例や実際の場面を設定した模擬体験や実物を用いた体験学習をする

	問題解決型学習(problem-based learning)	学習者同士で課題を提示してグループ討議を行い，課題の問題点を取り上げ，その問題について自己学習をする．自己学習の結果について助言者を加えて討議し，課題についての知識と理解を深め，問題点を解決していく学習形態である
一斉学習とグループ学習の混合型	ワークショップ(workshop)	共通の研究課題をもつ人々が集まり，運営委員の世話のもとで小集団に分かれ，専門家の援助のもとに参加者同士の研究成果(事例報告など)や見学，実習などあらゆる学習を取り入れた研究的集会．設定されたテーマについていくつかの分科会に分かれ，研究や討議がなされ，さらに全体会議で分科会の報告をまとめていく方法である
個別学習	インターネット(internet)の活用	栄養情報の収集や発信にインターネットが不可欠になった．インターネットは標準プロトコル(TCP/IP)で世界中を結ぶネットワークである．インターネット上の情報にアクセスするにはWeb(WWW)システムを使うとよい
	通信教育(education by correspondence)	通信による学習形態であり，とくに最近はインターネットを導入して，学習者と教育者との間で行われる双方向教育である
	個別カウンセリング，自己学習(読書，視聴覚教材など)	

プログラムの実施中，実施直後に行うのが一般的であるが，さらに，行動変容の定着状況，長期的効果を把握するために1年後または2年後にも行うことが望ましい．

(2) 評価の基準と指標

栄養教育の評価の目的は，実施したプログラムの有効性を評価することであり，対象となる事柄を"ある基準"と比較することにより行われる．

<u>評価の基準</u>は，目標値を設定した到達基準と，設定しない相対基準に分けられる．

① 到達基準：過去の実績，専門家の意見，理論値などから基準値が決定され，その目標値と教育プログラムの実施によって得られた成果との比較を行う．
② 相対基準：他のプログラムの成果との比較を行う．

また<u>評価の指標</u>として，知識，態度，行動，栄養素摂取状況，身体状況，QOLなどの主観的指標などがよく用いられる．また，対象が個人の場合の効果と，集団の場合(一つのプログラムとしての効果)を評価する．

図3.8に栄養教育プログラムの評価の概要を示した．

(3) 企画評価

栄養教育の計画段階に関する評価である．企画評価としては，包括的な栄養アセスメントやそれにより明らかになった問題行動の検出や要因分析の適否，目標設定や学習内容の適否のほか，指導者研修やプログラムの評価の有無や適否についての評価も行う．

(4) 経過(過程)評価

実施目標に関する評価であり，教育計画がどのように実行されたかを評価する．方法，媒体，活動が効果的で経過目標が達成されたかなど，栄養教育プログラム計画を質的に改善することを目的とし，実施過程に問題点があれば，途

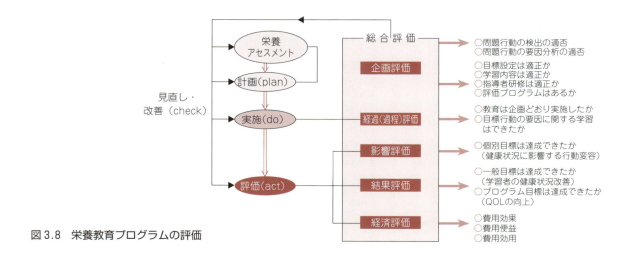

図3.8 栄養教育プログラムの評価

中でプログラムを修正し，最大限に有効な結果を導くように計画し直す必要がある．また学習者の習得状況評価は，客観的に質・量的に評価できるものだけでなく，行動変容に関する自己効力感が高まっているかなどについても評価すると効果的である．

（5）影響評価

影響評価では健康・栄養状態に影響を及ぼすような知識が獲得され，行動を変容されたかを評価するもので，短期間に指標の効果が現れるため，短期的評価とも呼ばれる．

評価には栄養アセスメントで得られたデータを用い，同じ方法で実施するのが望ましいが，項目数が多い場合は目標にあげた項目のみでも測定する．栄養教育では対象者の行動変容を目的としているので，行動目標については評価する．

（6）結果（アウトカム）評価

結果（アウトカム）評価とは，プログラム目標に関する評価であり，プログラムの実施によって，健康・栄養状態が改善されたか，結果目標が達成されたかの有効性を評価する．期間としては1年から10年くらい観察する必要があるため，長期的評価とも呼ばれる．結果評価では，個別目標の達成が継続され，その結果，学習者のQOLの向上が観察されるかを評価する．プログラム実施後の総括評価として行われ，栄養アセスメントデータ（ベースラインデータ）と比較して評価する．栄養教育だけでは効果を出すのは難しい項目も多い．たとえば，健康には遺伝的要因も影響しており，栄養教育だけでは限界がある．

よい栄養教育を実施していても結果評価では効果が見られない場合に備えて，経過（過程）評価と影響評価は正確に行うことが大切である．

（7）形成的評価と総括的評価

評価には，経過（過程）評価，影響評価，結果評価のほかに，形成的評価，総括的評価という呼び方がある．形成的評価は栄養教育プログラムの計画から実

> **想定していなかった変化についての評価**
> 評価に値すると判断した場合は評価する．この場合は，前後比較ができないという短所がある．

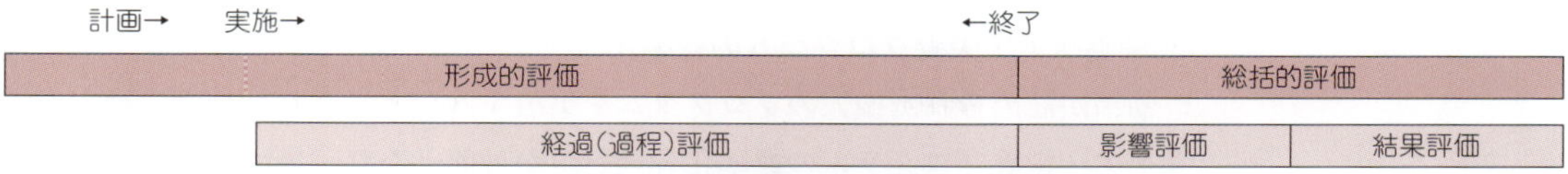

3.9 栄養教育の評価

```
計画→  実施→                            ←終了
┌─────────────────────────────────┬──────────────────────┐
│         形成的評価                │      総括的評価        │
└─────────────────────────────────┴──────────────────────┘
     ┌──────────────────────┬──────────┬──────────┐
     │    経過（過程）評価      │  影響評価  │  結果評価  │
     └──────────────────────┴──────────┴──────────┘
```

図3.9　経過（過程）評価，影響評価，結果評価
Planning Implementing & Evaluating Health Promotion Programs A Primer 5 th Edition, p.295 より．

施までについて行う評価である．総括的評価はプログラムの影響と結果について行う評価である．経過（過程）評価，影響評価，結果評価との関係について図3.9に示す．一定期間の区切りごとに到達度を確認することも重要である．

（8）総合評価

企画評価から結果評価までを総合的に評価し，栄養教育実施に伴う一連の評価を行う．行動変容ができ，QOLが望ましい方向にどの程度変化したかを判定する．総合評価では，投入された物的・人的・材的資源の妥当性など経済評価も併せて行い，栄養教育が継続して展開される予算が確保できるように報告書を作成する．

（9）経済的評価（費用効果分析，費用便益分析，費用効用分析）

経済的側面から結果を評価し，貴重な財源が最も効率的に活用されるよう，プログラムを改善するために実施する．

① 費用効果分析：一定の効果を得るために必要な費用を算出する．指標には，血圧や体重変化など客観的な測定が比較的容易であるが，種類が異なるプログラムで比較が可能である．栄養教育プログラムを実施し，達成した教育効果に対して，その費用に見合った効果が得られたか評価する．

② 費用便益分析：便益とはプログラムの成果を金銭に換算して表示したものであり，一定の便益を得るために必要な費用を算出し，栄養教育の経済性を評価する．種類が異なるプログラム間での比較は可能であるが，すべての結果を金銭に換算するのは難しい．

③ 費用効用分析：異なる種類のプログラムを比較するために，一定の効用を得るうえで必要な費用を算出する．ただし効用の評価には，主観的で測定が困難な総合的健康指標〔QALY（quality adjusted life-year：質的な生存率）や質を調整した生存率など〕を用いることが多いため，信頼性や妥当性が問題となる．

（10）評価結果のフィードバック

① **アセスメント，計画，実施へのフィードバック**

評価結果のフィードバックとは，評価から得られた情報や教訓，提言を栄養マネジメントの実施や新しい計画にフィードバックし，改善していくプロセスをいう．

② **栄養ケア・栄養プログラムの見直し**

評価結果を栄養プログラムにフィードバックし，目標に到達しなかった場合

事例評価（個別評価）
プログラム実施者に対し，実施後に個別に調査する方法．数量的な指標の評価には使用できないが，満足度などの質的な指標の評価に有用である．

QALY
ある程度の不健康を抱えて1年間生きることは，完全に健康な状態で何か月生きることに相当するかを表した生存年．

は，必要に応じてプログラムを見直し，修正していく．

③栄養ケア・栄養プログラムの標準化

効果が認められた個人のプログラムを集積することにより，集団に対する栄養ケア・栄養プログラムの標準化（一般化）が可能となり，集団教育やクリニカルパスなどに活用できる．

④栄養マネジメントの記録（報告書）

栄養マネジメントを改善し，活用していくためには，実施した栄養プログラムを記録（文章化）し，各ステップの経過記録を教育チーム内で共有し，対象者に開示することが重要である．

また，よい効果が得られた栄養教育や新しいプログラム，方法論などを開発した場合などは，学会や研究会および論文などで発表し，広く多くの関係者と情報を共有できるようにする．それが，国全体の栄養教育の質の向上，すなわち国民のQOLの向上に寄与することにつながる．

練 習 問 題

次の文を読み，正しいものには○，誤っているものには×をつけなさい．

■出題傾向と対策
栄養教育のマネジメントおよびアセスメントの方法や健康・栄養状態の判定・評価は出題頻度が高いので，よく理解しておく．食行動，食環境に関する情報の収集・分析なども重要．

（1）栄養教育マネジメントを適切に行うには，栄養スクリーニング，栄養アセスメント，栄養教育計画，実施，モニタリング，評価，フィードバックの順に進める．
（2）栄養教育の計画は，対象者個々人の栄養状態の問題点を明確にし，優先順位を決定し，目標を設定し，人，金，物の資源を配分するすべての過程で考案しなければならない．
（3）栄養プログラムにおいて，設定した目標に対して期待できる成果を得ることをアウトカムという．
（4）評価結果は，アセスメント，計画，実施の各段階にフィードバックする．

（5）栄養教育のためのアセスメントは，臨床診査と食事調査で対象の栄養状態を評価・判定する．
（6）栄養指標として用いられる項目には，静的アセスメント（客観的パラメータ）と動的アセスメント（主観的パラメータ）がある．
（7）栄養教育のためには，対象者の食知識，食態度，食行動，食スキルや行動変容のアセスメントも必要である．
（8）栄養素摂取量の判定・評価では，薬物と食物の相互作用も考慮する必要がある．
（9）栄養教育では，単に栄養素の摂取面だけでなく，食生活改善の阻害因子についても取り上げた教育を行う必要がある．
（10）BMIは，体重（kg）÷身長（m）^{2}で求められる．
（11）上腕筋周囲（cm）は体たんぱく質貯蔵量を反映しており，上腕周囲径（cm）－π×上腕伸展側中間部皮下脂肪厚（cm）で算出される．

(12) 血中アルブミンの値は低栄養の指標に用いられ，値が低ければ栄養状態は悪いことが推測される． 重要
(13) ラピッドターンオーバープロテインは短時間の栄養状態の改善の指標となる．
(14) DEXA法は体脂肪量，除脂肪重量，骨塩量などの測定に用いられる．
(15) 脂肪組織は水分をほとんど含まないので電気伝導性が高く，除脂肪組織は水分を多く含むので電気伝導性がほとんどない． 重要
(16) 血糖値，ヘモグロビンA1cなどは糖尿病の診断に用いられる． 重要
(17) 情報収集法は，実測法，観察法，面接法，質問票法のほかに，既存資料による方法などがある．
(18) 国民健康・栄養調査は健康保険法に基づいて厚生労働省が行い，身体状況調査，食物摂取状況調査，食生活状況調査が実施される．
(19) 栄養教育においては，収集した栄養情報が科学的根拠に基づいているか分析して，栄養教育の実施・評価を行うことが重要である． 重要
(20) 学校保健統計は文部科学省から報告される．
(21) 栄養教育の目標設定は，動機づけを明確にすることが重要である．
(22) 目標設定は，栄養教育実施中および実施の評価のためにも重要である．
(23) プログラム目標とは，健康改善やQOLに関する目標である．
(24) 学習目標は，その教育プログラムにおける行動目標を達成するために必要な知識，スキル，態度に関する目標をいう．
(25) 行動目標は，対象者が最も達成しやすい食習慣や生活習慣の改善を目標とし，実行可能な事柄をあげるとよい． 重要
(26) 食物や食生活環境情報の入手先など，食環境に関する目標は設定する必要はない．
(27) 栄養教育の成果に関する目標を結果（アウトカム）目標といい，ウエスト周囲長を85cm未満にするなどが，その一例である．
(28) 医療機関では，医師，看護師，管理栄養士などが栄養サポートチームを組み，患者の栄養教育に携わり，効果を上げている．
(29) POS（問題志向型システム）によるSOAP方式の診療記録法（POMR）は，患者のデータを医療チームの全員が共有し，問題別に分類・整理した後，分析・評価を行い，明確化することにより，患者の栄養治療計画を立案するのに有効である．
(30) SOAPにおけるSとは，患者が直接訴えた事柄・事実や，栄養士が面接で得た客観的な事項をいう．
(31) 慢性疾患に対しては，疾病の進展防止，病状の軽減対策などについて自律できるよう病院などにおいて教育入院を行っている．
(32) 地域健康教育の実施にあたっては，市町村保健センターや地域保健所担当者と十分に協議し，効果を上げるよう配慮しなければならない． 重要
(33) 適切な医療を行うためには，個人の主観的な情報に頼るより，各種の検査値や医師の所見を重視し，患者にとって最善であることを行わせることが必要である．
(34) 医療施設において，管理栄養士は患者に対する栄養アセスメントを積極的に行うとともに，クリニカルパスの計画やチーム医療の推進などにもコーディネーターとしての役割を果たすべきである． 重要

■出題傾向と対策■
栄養教育の計画・実施方法，評価の方法を理解しておくこと．カリキュラムの立案に関して，目標，学習時間，教育実施者，学習者の決定について，理解し応用できるようにしておくこと．また，教育計画書・指導案の作成，栄養教育者や関係者の連携などについても理解しておくこと．

■出題傾向と対策■
栄養教育の評価の意義，種類やその方法などについても十分に理解しておくこと．

(35) プレゼンテーションとは，限られた時間内に情報を正確に伝え，その結果として判断や意思決定まで行うコミュニケーションの方法をいう．

(36) シンポジウムは数名の講師が１つのテーマについて発表を行い，その後講師同士あるいは講師と聴衆が自由に討議を行う方法である．

(37) ブレーンストーミングとは，１つの問題をあらゆる角度から検討し，短時間でアイデアを得るという創造性を開発する方法である．

(38) ロールプレイングとは，ある課題について場面を想定して数人が即興劇を演じて討議することをいう．

(39) パネルディスカッションやワークショップは，グループ学習である．

重要 👉 (40) 評価項目は，栄養教育の計画段階で決めなくても，教育途中や教育後に検討すればよい．

重要 👉 (41) 管理栄養士には，相談者に関する情報を不用意に口外してはならないという守秘義務がある．

重要 👉 (42) 評価結果は，アセスメント，計画，実施の各段階にフィードバックする．

(43) 栄養教育プログラム計画の準備，実施，評価などすべてに必要な経費や人件費をあらかじめ把握し，予算を立て，そのための資金調達を行う必要がある．

(44) 評価の指標として，知識，態度，行動，栄養素摂取状況，身体状況，QOLなどの客観的指標などがよく用いられる．

(45) 影響評価の指標は長期間に効果が現れるものとし，健康・栄養状態に影響を及ぼすような知識が獲得され，行動が変容されたかを評価する．

(46) 総合評価とは，企画評価から結果評価までの一連の栄養教育実施に伴う評価であるが，経済評価は考慮しなくてもよい．

(47) 栄養教育プログラムの有効性を評価する際，用いる測定手法の信頼性や妥当性を考慮する必要がある．

重要 👉 (48) 栄養教育の評価は，対象者の目標達成度を評価する結果評価をすればよい．

重要 👉 (49) 評価項目は，栄養教育の計画段階で決めなくても，教育途中や教育後に検討すればよい．

(50) カリキュラムの立案は6W1H1Bを基本にするとよい．

(51) カリキュラムは対象に適合したものとし，絶えず教育方法を工夫し，改良していくように努める．

(52) 経過(過程)評価とは，栄養教育の実施段階に関する評価であり，教育計画がどのように実行されたか，方法，媒体，活動などが効果的で経過目標が達成されたかなどを評価する．

(53) 結果(アウトカム)評価とはプログラム目標に関する評価であり，健康・栄養状態が改善されたか，結果目標が達成されたかの有効性を評価する．

(54) 経済的評価とは，経済的側面から結果を評価し，貴重な財源が最も効率的に活用されるようプログラム改善のために実施され，費用効果分析，費用便益分析，費用効用分析などを行う．

4 ライフステージ・ライフスタイル別栄養教育
妊娠・授乳期の栄養教育の展開

4.1 妊娠期・授乳期の栄養教育の特徴と留意事項
(1) 妊娠・授乳期の特徴
(a) 妊娠・授乳期の課題

妊娠・授乳期の栄養教育,健康教育では妊娠や授乳によってもたらされる身体的,心理的(精神的),社会的変化を理解する必要がある.妊娠に伴う母体の健全な妊娠経過や胎児の発育を把握し,妊娠週数に合わせた栄養管理,栄養教育が必要である.管理を怠ると妊娠末期に妊娠高血圧症候群や貧血,妊娠糖尿病などの妊娠合併症の誘発,早産,低体重の子どもの出産などのリスクが高まる.分娩後も母体の回復や母乳分泌,乳児の健康や成長発育に大きな影響を及ぼすため,引き続き適切な栄養管理,栄養教育が重要となる.

子どもを産み,育てる環境は変化し,さまざまな情報の氾濫,地域社会でのつながりの希薄化などから女性の妊娠・出産・産後に対する不安,悩みは高まっている.平成29年度子ども・子育て支援推進調査研究事業の調査結果からも,何かしらの不安や負担を抱えている妊産婦は8〜9割程度存在していることがわかる.とくに産後2週未満の不安や負担が大きく,具体的な内容のサービスは,妊娠中や産後の各時期によって変化していくことが報告されている(図4.1).

妊娠・授乳期は10〜50歳代まで幅広い年齢層が対象となる.平成30年(2018)の人口動態統計(厚生労働省)で見ると,30〜34歳での出産が一番多いが,10歳代での出産,50歳以上での出産も見られる.20歳前後での出産と40歳以上での出産では身体的,精神的,社会的特徴においても違いがあるため,対象者の年齢によって必要な支援は異なる.さらに女性の就業率の増加,子どもの食物アレルギーの増加,産後うつなどの妊産婦のメンタルヘルスなど,育児環境の変化や新たな課題も出てきている.女性を取り巻く社会環境は個別化が著しくなっており,画一的でない個々人に対応した栄養教育が必要である.妊娠・授乳期の栄養教育をきっかけに,母親だけではなく,その家族の食習慣や生活習慣が改善されることもあるため,有効な活用が望まれる.

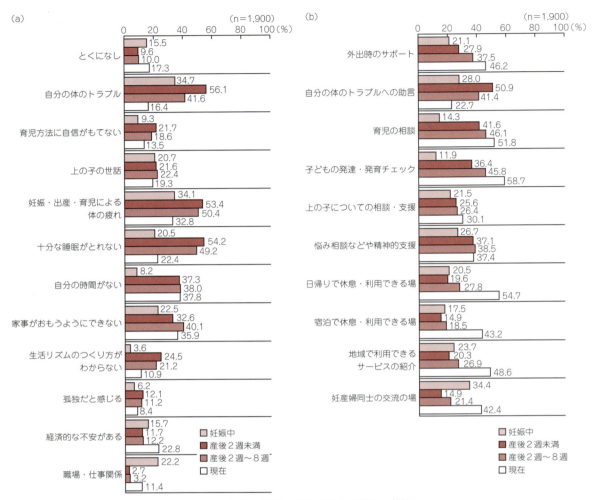

図 4.1　妊娠・出産・産後の不安に関する状況

(a)妊娠・出産・産後に感じた不安や負担，(b)妊娠・出産・産後の不安を解消するために必要なサービス．
三菱東京 UFJ リサーチ＆コンサルティング，「妊産婦に対するメンタルヘルスケアのための保健・医療の連携体制に関する調査研究(平成 29 年度子ども・子育て支援推進調査研究事業)」(2018)．

　平成 27 年(2015)に「健やか親子 21(第 2 次)」が策定され「すべての子どもが健やかに育つ社会」を目標に掲げ取組みを推進している．より身近な場で妊産婦などを支える仕組みが必要であることから，妊娠・出産から子育て期にわたるまでの切れ目のない支援を図ることが重要である．このため，平成 27 年度から，妊娠期から子育て期にわたるまでのさまざまなニーズに対して総合的相談支援を提供する子育て世代包括支援センターを立ち上げ，保健師，栄養士などの専門職がすべての妊産婦などの状況を継続的に把握し，必要に応じて支援プランを作成するとともに，関係機関と連携することにより，妊産婦などに対し切れ目のない支援を提供する体制の構築に取り組んでいる(図 4.2)．

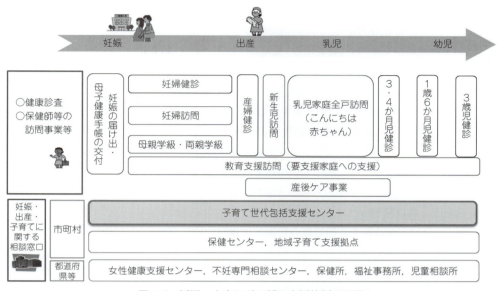

図 4.2　妊娠・出産などに係る支援体制の概要
「授乳・離乳の支援ガイド(2019年改定版)」，平成31年(2019)3月．

（2）妊娠前からの栄養教育の必要性

妊娠に対する栄養教育は妊娠してからでは遅く，思春期(妊娠前)からの適切な支援が重要となる．しかし，思春期でのやせ願望をはじめ，偏食，欠食，簡便性志向，栄養の知識不足などによる食生活・生活習慣の乱れが多く報告されている(6.5節参照)．妊娠の可能性がある若年女性が低栄養状態に陥ると低出生体重児が生まれ，将来，生活習慣病罹患のリスクが高まると報告されている(成人病胎児期発症説)．日本の低出生体重児の出生割合は諸外国と比べて高く，妊娠前からバランスのよい食生活，生活習慣を確立できるように栄養教育を行うことが重要である．思春期女子のやせ志向を含めた思春期の男女の健康不安の解消，将来の生活設計の基盤となる妊娠・分娩・子育てに関しての認識やスキルを積み重ねていくことが健やかな育児性の育成につながる．

晩婚化や未婚化といった「夫婦の出生力そのものの低下」を踏まえた次世代の健全な親づくり支援を進めることも重要である．栄養教育においても単に妊娠期，授乳期の食生活，食事内容について支援を行うだけでなく，思春期からの食を通した育児性の育成を支援する視点も重要となる．

4.2　妊娠期における栄養教育
（1）妊娠期の栄養アセスメント

妊娠期は情緒不安定な時期にあり，妊婦が精神的に過敏にならないよう，個々に応じた栄養教育を行う．栄養状態のアセスメントでは，とくに次について判定を行う．

低出生体重児
出生体重2500g未満の児とする．さらに1500g未満の児は極低出生体重児，1000g未満の児は超低出生体重児とされる．定期検診を受けて貧血の有無をチェックし，鉄剤の投与の有無を確認する必要がある．

成人(生活習慣)病胎児期発症説(FOAD説，fetal origins of adult disease)
バーカー(D.J.Barker)により提唱された．「成人病の素因は，受精時，胎児期，乳児期に，低栄養または過栄養に曝露されることにより形成され，それ以降の負の生活習慣に曝露されることにより，成人病が発症する」という考え方．胎内の栄養環境こそが成人病の素因として重要な意味をもつとされる．

① 身体状況（妊娠前の体重および体重増加速度，妊娠前後の身体活動量，休養の取り方など）．
② 生化学検査〔血液検査：血糖値，ヘモグロビン（Hb）値，ヘマトクリット（Ht）値，たんぱく質など〕，尿検査．
③ 臨床診査（既往歴：高血圧，脂質異常症，糖尿病，心身症，流産など）．
④ 栄養摂取状況（エネルギーや栄養素の摂取状態，間食の摂り方など）．

（2） 妊娠期の栄養教育のポイント

とくに問題がなければ，栄養摂取の必要性と食事摂取基準，つわりと妊娠貧血および妊娠肥満などについて理解を深め，その予防法を検討する．妊娠初期では，つわりや内分泌の変動のために基礎代謝は非妊時より低下するが，5か月以降から上昇し始める．

5か月頃より胎児側の増加と母体側の付加が顕著になってくることからも，経時的教育においては，順調な体重増加と食生活の改善や継続，合併症の予防や改善などのチェックを行い，下記のような妊娠週数に応じた新たな教育内容を追加していく．

① つわりのときの上手な過ごし方や，食べやすい食品，調理の工夫などを指導する．
② 摂取エネルギー量の過剰と不足を生じないように栄養管理を行い，適正な体重増加を指導する〔日本人の食事摂取基準（妊婦・授乳婦）を参照〕．
③ 高血圧や妊娠高血圧症候群の予防のため薄味を心がけ，塩分量は食事摂取基準（2020年，成人女性）の目標量である 6.5 g/日に近づけるようにするなど，妊娠中に問題となる疾病（妊娠合併症）を予防するための生活習慣と食生活のあり方を理解させる．
④ 妊娠前後の各3か月は，ビタミンA，とくにレチノールなどのレチノイドの過剰摂取に注意する．レバー類などビタミンA含有量が多い食品，およびビタミンAを含む栄養機能食品の継続的な多量摂取を避ける必要がある．

Plus One Point

ビタミンAの疫学的調査

平成7年（1995），「妊娠前後のそれぞれ3か月間におけるビタミンAの服用（6500 μgRE＝21,667 IU）により，新生児の奇形発現率が増加した」という結果がアメリカから報告された．このことより，妊娠前後はビタミンA製剤やビタミンA強化栄養機能食品の摂取，健康食品などのビタミンA含量に注意するよう教育する．通常の食事では問題ないが，指示範囲以上の摂取や含量の多い食品の偏食などに注意を促す．

コラム　育児性の育成

子どもを産み，育てる環境は大きく変化し，女性の妊娠・出産子育てに対する身体的・精神的負担は大きくなっている．母親が「ゆとり」をもって，妊娠・出産・子育てができる環境づくりが健全な母性の育成・維持には不可欠である．一方で，「男は仕事，女は家事・育児」を理念的に支えてきた母性・父性という概念の根本的な再検討も促されている．女性が子どもを産み，母乳を与える行為は普遍的な現象ではあるが，それと同時に「子育ては母親が行うもの」という母性感が形成されがちである．子育てのすべてを母親だけに負わせるのではなく，父親はもちろん，母子にとって身近な人びと，さらには地域社会が協力をし，皆で子育てを支え，喜びをともにするという理念（育児性）をすべての人がもつことが，これからの子育て支援において重要になることはいうまでもない．

⑤ 葉酸は神経管閉鎖障害の発症リスクを低減する．妊娠1か月前から胎児の中枢神経ができる妊娠3か月までに，食事からの摂取に加えて 400 μg/日のプテロイルグルタミン酸（サプリメントや加工食品などに添加されている葉酸の化学形態）の摂取が望まれる．

⑥ 魚介類を通しての水銀摂取が胎児にわずかな影響を与える可能性を懸念する報告がされているが，日本における食品からの平均水銀摂取量は妊婦を対象とした耐容量の6割程度であり，一般に胎児への影響が懸念されるような状況ではない．魚介類は妊婦の健康の維持と出産に重要な食品で，栄養などのバランスのよい食事に欠かせないものである．したがって，水銀濃度の高い魚介類のみを多量に食べることは避けて，水銀摂取量を減らすことで魚食のメリットを活かす．

⑦ リステリア菌による食中毒防止のため，ナチュラルチーズ，生ハム，肉や魚のパテ，スモークサーモンなど，冷蔵庫で長期保存され加熱せずそのまま食べられる食品は注意が必要である（塩分にも強く，冷蔵庫でも増殖する）．食べる前に十分加熱することが重要である．

⑧ 妊娠中の母親の飲酒は，胎児に対して低体重・顔面を中心とする奇形・脳障害などを引き起こす胎児性アルコール症候群の可能性があることから，飲酒を避けるように指導を行う．

⑨ 妊娠中の喫煙は早期破水・前置胎盤・胎盤異常の原因となり，早産や妊娠期間の短縮も見られる．胎児の成長が制限されることもある．出生後に，乳幼児突然死症候群（SIDS）を引き起こす可能性も指摘されていることから，必ず禁煙するように指導する．

（3）栄養教育の機会と教材

妊娠・授乳期の栄養教育は，① 従来からの保健所，母子センター，医療機関などにおける妊婦対象の母親学級による集団教育や，② 地域保健センター，市区町村単位でも行われている．栄養素のバランス，食品摂取目安のほかに，栄養表示や保健機能食品などについても栄養教育を推し進める．おもに用いられる媒体には，フードモデル，コンピュータ，栄養一口メモ，掲示物，パンフレット，リーフレットなどがある．最近はITによる栄養教育として，ホームページ〔厚生労働省や健やか親子21（第2次），子育て支援ネットなど〕による啓発が増えている．また，とくに妊産婦が疾患をもつ場合には，電子メールや携帯電話による栄養教育が有効に活用されている（4.3節参照）．

（4）栄養教育に必要な指針・ガイドライン

（a）妊産婦のための食生活指針

母体の栄養のみならず，子どもの生涯の健康づくりの意味でも適切な食習慣を確立させることは必要である．妊娠期や授乳期における必要な栄養摂取と望ましい食生活の実践を目的に，厚生労働省「健やか親子21」推進委員会によって，平成18年（2006）2月に妊産婦のための食生活指針が策定された．「妊産婦

神経管閉鎖障害
妊娠の初期（妊娠4週目から12週目）に起こる，先天異常の1つである．脳や脊髄などのもととなる神経管がうまくつくられず，管の形にならないことが原因で起こる．そのうち二分脊椎では，生まれたときに腰部の中央に腫瘤があることが最も多く，運動や排泄に障害が起こる．脳が十分に形成されない無脳症などを発症する場合もある．無脳症の場合，生命維持が難しく，流産や死産の割合が高くなる．

妊婦への魚介類の摂取と水銀に関する注意事項
胎児に影響を及ぼすおそれのあるレベルの水銀を含有する魚介類の摂取に関する注意事項として，妊婦または妊娠している可能性のある人が注意すべき魚介類が厚生労働省から平成17年〔(2005)，平成22年(2010)改訂〕に提示されている．本注意事項については，いわゆる風評被害が生じることのないよう正確に伝えることが重要である．

胎児性アルコール症候群（fetal alcohol syndrome）
妊娠中の母親の習慣的なアルコール摂取によって生じる．胎児・乳児に対して低体重，顔面を中心とした奇形や脳障害を引き起こす．

乳幼児突然死症候群（sudden infant death syndrome）
p.114参照．

のための食生活指針」(表4.1)のほか，妊産婦が「何をどれだけ食べたらよいか」，1日の食事の目安となる「妊産婦のための食事バランスガイド」(図4.3)と，妊娠中の体重増加の目安となる「推奨体重増加量」(表4.2)から構成されている．

妊産婦のための食生活指針は9つの項目から構成されており，妊娠前からの食生活の重要性を再認識させ，妊産婦が注意すべき食生活上の課題を明らかにしたうえで，必要とされる栄養素や食事内容，ライフスタイルにおける配慮などについて，科学的根拠に基づいて解説を加えている．食生活のみならず，妊産婦の生活全般，からだや心の健康にも配慮されている．

表4.1　妊産婦のための食生活指針

○妊娠前から，健康なからだづくりを
○「主食」を中心にエネルギーをしっかりと
○不足しがちなビタミン・ミネラルを「副菜」でたっぷりと
○からだづくりの基礎となる「主菜」は適量を
○牛乳・乳製品などの多用な食品を組み合わせて，カルシウムを十分に
○妊娠中の体重増加はお母さんと赤ちゃんにとって望ましい量に
○母乳育児も，バランスのよい食生活のなかで
○たばことお酒の害から赤ちゃんを守りましょう
○お母さんと赤ちゃんの健やかな毎日は，からだと心にゆとりのある生活から生まれます

「健やか親子21」推進検討会報告書〔平成18年(2006)2月〕．

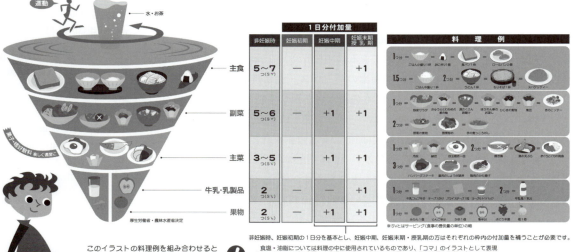

図4.3　妊産婦のための食事バランスガイド

http://www.mhlw.go.jp/houdou/2006/02/h0201-3a.html（リーフレット）より抜粋．

(b) 妊産婦のための食事バランスガイド

「日本人の食事摂取基準」でいわれる「健康な者」が対象であり，18歳未満の妊婦・授乳婦，多胎を妊娠・授乳中の者，妊娠中の授乳婦，低体重・妊娠中の体重増加が不十分，肥満などがある場合は，主治医の指示に従う．

① 望ましい食事のエネルギー量は，食事摂取基準の妊婦・授乳婦の年齢および身体活動レベルから見た推定エネルギー必要量を参考に摂取の目安を決定する．これを(非妊娠時・非授乳期)基本量として，妊娠・授乳期の時期別付加量を加えて決定する．

② 各料理区分の摂取の目安は，基本量に対して主食，副菜，主菜，牛乳・乳製品，果物における各料理区分の"SV"を設定する．妊娠初期では付加量が少ないことから基本量を目安としている．妊娠中期においては，副菜，主菜，果物を各1つ(SV)追加する．妊娠末期・授乳期においては，各料理区分のすべてから各1つ(SV)を追加する．

③ 食事バランスガイドでは，調理時および食卓で使用される油脂や食塩などの調味料は「コマ」のイラスト上に表現されていないので，とくに妊娠期は食塩摂取過剰とならないよう教育する．鉄は不足しがちな栄養素であるが，バランスガイドに例示の料理のみでは十分に摂取しにくいことが示されており，とくに鉄を含む食品を意識して摂取するよう指導する．

(c) 妊産婦の推奨体重増加量

妊娠期における望ましい体重増加量については「妊娠期の至適体重増加チャート」として，非妊娠時の体格区分別に「妊娠全期間を通しての推奨体重増加量」および「妊娠中期から末期における1週間あたりの推奨体重増加量」が作成された(表4.2)．エネルギー過剰は妊娠肥満や巨大児出産を招き，難産や妊娠高血圧症候群および生活習慣病の誘因にもなるので，異常体重増加には注意する．一方，妊娠中に低栄養で，適切に体重が増えない場合は貧血や早産，低出生体重児での出産につながる．適切な体重増加，コントロールが重要となる．

Plus One Point

乳児ビタミンK欠乏症

母乳中のビタミンK欠乏により，生後まもなく頭蓋内出血を起こすことがある．現在では，出生直後や検診時に経口投与しているので発症は少なくなっているが，予防のため母親には，ビタミンKを多く含む食品(キャベツ，ほうれん草，納豆など)を摂取するよう食事教育する．

表4.2 体格区分別　妊娠期の推奨体重増加量

体格区分[1]	推奨体重増加量	1週間あたりの推奨体重増加量[4]
低体重(やせ)：BMI 18.5未満	9〜12 kg	0.3〜0.5 kg/週
ふつう：BMI 18.5以上25.0未満	7〜12 kg[2]	0.3〜0.5 kg/週
肥満：BMI 25.0以上	個別対応[3]	個別対応

[1] 体格区分は非妊娠時の体格による．
[2] 体格区分が「ふつう」の場合，BMIが「低体重(やせ)」に近い場合には推奨体重増加量の上限側に近い範囲を，「肥満」に近い場合には推奨体重増加量の下限側に近い範囲を推奨することが望ましい．
[3] BMI 25.0をやや超える程度の場合はおおよそ5 kgを目安とし，著しく超える場合には，他のリスク等を考慮しながら，臨床的な状況を踏まえ，個別に対応していく．
[4] 妊娠初期については体重増加に関する利用可能データが乏しいことなどから，1週間あたりの推奨体重増加量の目安を示していないため，つわりなどの臨床的な状況を踏まえ，個別に対応していく．

「健やか親子21」推進検討会報告書〔平成18年(2006)2月〕．

Plus One Point

乳児用液体ミルクについて

平成30年(2018)8月8日に乳児用調製液状乳(以下「乳児用液体ミルク」という)の製造・販売等を可能とするための改正省令等が公布された．特別用途食品における乳児用液体ミルクの許可基準などが設定され，事業者がこれらの基準に適合した乳児用液体ミルクを国内で製造・販売することが可能となった．販売開始年(2019年)に発売された国産の乳児用液体ミルクは2種類ある．

液体ミルクの特徴としては，
・液状の人工乳を容器に密封したものであり，常温での保存が可能なものをいう．
・調乳の手間がなく，消毒した哺乳瓶に移し替えて，すぐに飲むことができる．
・地震などの災害によりライフラインが断絶した場合でも，水，燃料などを使わず授乳することができるため，国内の流通体制が整い，使用方法などに関する十分な理解がされることを前提として，災害時の備えとしての活用が可能．

使用上の留意点としては，製品により容器や設定されている賞味期限，使用方法が異なるため，使用する場合は，製品に記載されている使用方法などの表示を必ず確認することが必要である．

(5) 授乳期における栄養教育

(a) 授乳期の栄養教育

多くの親にとってすべてが初めての体験であり，それらに関する情報を得ていたとしても，思うように対応できないのは当たり前である．授乳を初めとする子育てにおける不安やトラブルに対して適切な支援があれば，少しずつ子育てに自信がもてるようになる．

平成27年(2015)乳幼児栄養調査(厚生労働省)の結果から，授乳期の栄養方法として，母乳栄養の割合が増加していることがわかる．混合栄養(母乳＋育児用ミルク)を含めると母乳を与えている割合は生後1か月で96.5%，生後3か月で89.8%となった(図4.4)．妊娠中の母乳育児に関する考えでも「母乳で育てたいと思った者の割合が9割を超えており，出産後，母乳育児を実現できるような支援体制が重要である．

授乳について困ったと回答した者は77.8%であり，「母乳が足りているかどうかわからない」が40.7%，次いで「母乳が不足ぎみ」は20.4%，「授乳が大変，負担」が20.0%であった．また，困ったことがある者の割合は混合栄養で育てている場合で多く，とくに支援が必要であることがわかる(表4.3)．子育て支援の観点から，授乳の進行を適切に支援していくことは母子・親子の健やかな関係づくりにきわめて重要な役割を果たす．授乳に関する具体的な支援方法については「授乳・離乳の支援ガイド」を参考に進める．

① 母体の回復と新生児への栄養補給のために，必要な栄養素と水分摂取を心がける(母親は育児に追われ，不規則な食生活，偏った食事になりやすい)．
② 授乳・離乳の支援ガイドを活用し，母子にとって適切な授乳方法が選択でき，継続できるための支援を行う．母親の身体的，精神的負担を減らすために父親をはじめとする家族などが積極的に育児支援するような環境を整えることも重要である．
③ 過食の防止と適度な運動(肥満解消)を心がけ，適正体重まで戻していく．
④ 内分泌の大きな変動によるマタニティブルー，産後うつなどに気をつける．

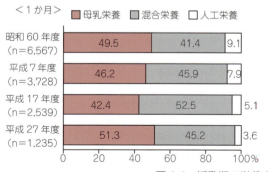 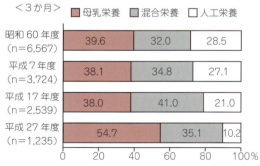

図4.4 授乳期の栄養方法(1か月，3か月)の推移

回答者：昭和60年度・平成7年度・平成17年度0〜4歳児の保護者，平成27年度0〜2歳児の保護者．
厚生労働省，「平成27年乳幼児栄養調査」(2016)．

表 4.3 授乳について困ったこと

(回答者：0〜2歳児の保護者)

授乳について困ったこと	総数* (n = 1,242)	栄養方法(1か月)別(n = 1,200)		
		母乳栄養 (n = 616)	混合栄養 (n = 541)	人工栄養 (n = 43)
困ったことがある	77.8	69.6	88.2	69.8
母乳が足りているかどうかわからない	40.7	31.2	53.8	16.3
母乳が不足ぎみ	20.4	8.9	33.6	9.3
授乳が負担，たいへん	20.0	16.6	23.7	18.6
人工乳(粉ミルク)を飲むのをいやがる	16.5	19.2	15.7	2.2
外出の際に授乳できる場所がない	14.3	15.7	14.4	2.3
子どもの体重の増えがよくない	13.8	10.2	19.0	9.3
卒乳の時期や方法がわからない	12.9	11.0	16.1	2.3
母乳が出ない	11.2	5.2	15.9	37.2
母親の健康状態	11.1	11.2	9.8	14.0
母乳を飲むのをいやがる	7.8	3.7	11.1	23.3
子どもの体重が増えすぎる	6.8	5.8	7.9	7.0
母乳を飲みすぎる	4.4	6.7	2.2	0.0
人工乳(粉ミルク)を飲みすぎる	3.7	1.1	6.1	7.0
母親の仕事(勤務)で思うように授乳ができない	3.5	4.2	3.0	0.0
相談する人がいない，もしくは，わからない	1.7	0.8	2.6	0.0
相談する場所がない，もしくは，わからない	1.0	0.3	1.7	0.0
その他	5.2	4.9	5.7	4.7
とくにない	22.2	30.4	11.8	30.2

厚生労働省，「平成27年乳幼児栄養調査」(2016).

⑤ 授乳中も引き続き，アルコール摂取や喫煙を避けるように指導する．

(b) 授乳のリズムの確立

生後間もない子どもは，昼夜の関係なく授乳と睡眠を中心に生活し，成長するにつれてその子どもなりの授乳のリズムや睡眠リズムが整ってくる．授乳のリズムや睡眠のリズムが整うまでの期間は子どもの個人差がある．同時に母親では妊娠，出産による変化が妊娠前の状態に回復していく期間でもあることから，心身の不調や育児不安を抱えていることが想定される．そのため，母親と子どもの状態を把握するとともに，母親の気持ちや感情を受け止め，あせらず授乳のリズムを確立できるよう支援する．

(c) 授乳・離乳の支援ガイド

授乳および離乳の望ましい支援の在り方について，妊産婦や子どもにかかわる保健医療従事者を対象に，平成19年(2007)3月に「授乳・離乳の支援ガイド」が策定された．作成から約10年が経過するなかで，科学的知見の集積，育児環境や就業状況の変化，母子保健施策の充実など，授乳および離乳を取り巻く社会環境などに変化が見られたことから，内容の検証および改定が行われ，「授乳・離乳の支援ガイド(2019年改定版)」が公表された．(図4.5, 表5.1参照)

Plus One Point

インターネットなどで販売される母乳に関する注意喚起

母乳をインターネット上で売買している実態があるとの報道がある〔平成27年(2015)7月厚生労働省 発表〕．既往歴や搾乳方法，保管方法などの衛生管理の状況が不明な第三者の母乳を乳幼児が摂取することは，病原体や医薬品などの化学物質などが母乳中に存在していた場合，これらに曝露するリスクや衛生面でのリスクがある．妊産婦訪問，新生児訪問，乳幼児健康診査などの保健指導の機会や広報誌などの媒体を積極的に利用し，妊産婦や乳幼児の養育者に対して，こうしたリスクについて広く注意喚起する必要がある．

参考：母乳を通じて感染する可能性がある病原体の例：HIV(ヒト免疫不全ウイルス)，HTLV-1(ヒトT細胞白血病ウイルス1型)．

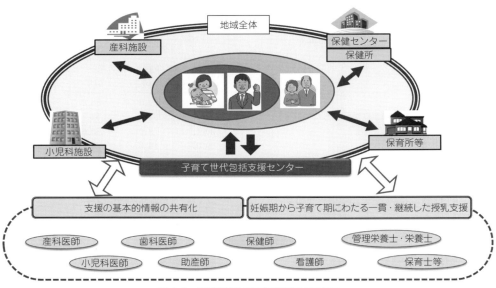

図4.5　授乳離乳の支援推進に向けて
「授乳・離乳の支援ガイド（2019年改定版）」，平成31年（2019）3月．

授乳・離乳の支援ガイドの基本的な考え方
1. 授乳および離乳を通じた育児支援の視点を重視．親子の個別性を尊重するとともに，さまざまな情報があるなかで，慣れない授乳および離乳で生じる不安やトラブルに対し，母親らの気持ちや感情を受け止め，寄り添いを重視した支援を促進する．
2. 妊産婦や子どもにかかわる多機関，多職種の保健医療従事者が授乳および離乳に関する基本的事項を共有し，妊娠中から離乳完了まで支援内容が異なることのないよう一貫した支援を促進する．

（d）離乳への移行

　離乳を開始した後も，母乳または育児用ミルクは授乳のリズムに沿って子どもが欲するまま，または子どもの離乳の進行および完了の状況に応じて与えるが，子どもの成長や発達，離乳の進行の程度や家庭環境によって子どもが乳汁を必要としなくなる時期には個人差がある．そのため乳汁を終了する時期を決めることは難しく，いつまで乳汁を継続することが適切かに関しては，母親などの考えを尊重して支援を進める．

　子どもの湿疹や食物アレルギー，ぜんそくなどのアレルギー疾患の予防のために，妊娠および授乳中の母親が特定の食品やサプリメントを過剰に摂取したり，避けたりすることに関する効果は示されていない．子どものアレルギー疾患予防のために，母親の食事は特定の食品を極端に避けたり，過剰に摂取する必要はない．バランスのよい食事が重要である．アレルギー素因のある子どもに対する牛乳アレルギー治療用の加水分解乳の予防効果について，最近では，効果がないとする報告が多い．子どもの食物アレルギーが疑われる場合には，必ず医師の診断に基づいて母子の食物制限などを行うように支援する．

4.3　集団栄養教育の展開

　妊婦やその家族に対して実施されている栄養教育の場として，1）産科施設で集団に実施されているもの（母親教室）（表4.4），2）地域の保健センターなどで集団を対象に実施されるもの（両親教室，母親教室）（表4.5）などがある．内容は画一的なものが多いため，個々の妊婦の栄養・食生活に関する知識，行

表 4.4　教育計画の例(産院での母親教室)

	テーマ	内容	担当者
第1回	快適な妊娠生活1	妊娠中の生活について	助産師
第2回	快適な妊娠生活2	妊娠中の食生活について	栄養士
第3回	母乳で育てよう	母乳の利点，仕組み，育児用ミルクについて，授乳方法について	助産師，栄養士
第4回	いよいよお産です	入院の時期・方法，分娩期の過ごし方について	助産師，医師
第5回	赤ちゃんが生まれたら	産後の生活，授乳期の栄養について	助産師，栄養士

表 4.5　教育計画の例(保健センターでの母親教室，両親教室)

教室名	内容	担当者
マタニティ講演会	安心して赤ちゃんを迎えられるように日々の生活で気をつけることを学べる	産科医師，歯科医師
マタニティヘルス講座	お話だけでなく「マタニティヨガ」などの体験したり，産後の生活にも役立つ情報も提供する	栄養士，歯科衛生士，保健師
プレママクッキング	調理実習を通してプレママの食事について学ぶ．離乳食体験する	栄養士
プレパパ・プレママ教室	赤ちゃん人形での育児体験を通して，赤ちゃんがいる新しい生活をイメージできる．お父さんの妊婦体験もできる	助産師，保健師

動を把握したうえで実施し，さらに個別教育も行うことが望ましい．

4.4　妊娠期の臨床栄養教育

(1) つわりと悪阻

つわりは多くの場合，妊娠4〜16週に発症し，起床時などの空腹時に悪心や嘔吐を訴えることが多く，唾液の分泌過多，食欲不振，食嗜好の変化，胃腸障害などが認められる．妊婦の70〜80％に見られ，平均4週間(2〜16週間)ほどで消失する．症状や継続期間にかなりの個人差がある．つわりは悪化すると妊娠悪阻に移行する可能性があるので，以下に示すように適切に対処することが大切である．

妊娠悪阻(hypermensis gravidarum)は妊婦の1％程度に見られ，つわりが悪化して悪心や嘔吐をたびたび繰り返し，ほとんど摂食不可能な状態になる．重症になると高度な栄養障害を引き起こし，水分摂取でさえ困難になることがある．

(a) アセスメント

つわり時の栄養状態の評価は，体重の低下と脱水症を念頭に入れ，一般の妊娠時の評価に加え，次の点に注意して行っていく．① 身体状況(体重増加速度の低下，疲労)，② 生化学検査(血液検査：電解質)，尿検査(脱水状況の検査：pH，尿中尿素，クレアチニン)，③ 臨床診査(合併症の有無：心身症や自律神経失調症，過度のストレスなど)，④ 栄養摂取状況(嗜好品や間食の摂取状態など)．

Plus One Point

リプロダクティブヘルス

リプロダクティブヘルスとは「性と生殖に関する健康」を意味し，女性の健康に対する権利を主張するものである．その権利主張には，安全に出産できる，母子保健が保障される，ドメスティックバイオレンスから女性を守るなどがあげられる．厚生労働省(当時厚生省)は平成12年(2000)に女性の健康支援事業として，総理府の男女共同参画プランにより，生涯を通じた女性の健康の維持・管理のための健康教育や相談事業などの充実をはかった．1994年に「性と生殖」に関し，「子どもを産むか産まないか」に対する「女性の自己決定権の保障」について国際的合意がなされた経緯がある．

つわり時の栄養管理

胎児の発育は緩慢であるため，栄養面での影響はさほど心配ない．

（b）栄養教育のポイント

発症の引き金になりやすい空腹，肉体的・精神的疲労の予防が原則である．

① 食事摂取基準にあまりこだわらず，食品の質や量および摂取時間については，妊婦の嗜好や要求にまかせてよいが，少量でも栄養価の高い食品を選択するよう心がける．

② 水分を十分に摂取する（脱水症，便秘予防）．嘔吐が激しいときはとくに注意し，牛乳，果物，野菜スープなどを摂る．吐くことには神経質にならないように指導する．

③ 出産や育児に対し，過度の心配をしないようにする．生活環境や人間関係が良好になることで軽減することもあるので，身体や精神の安静を保つ．

④ つわりが解消したら，質・量ともにバランスのとれた日常食に切り換える．

⑤ 悪阻になり，脱水症状が現れた場合は電解質の喪失が起こっている．水分，糖質および無機質などを，点滴静脈注射で補給する入院治療が必要となる．

（2）妊娠貧血

妊娠すると造血機能が活発になるが，血液希釈現象や胎児の肝臓内貯蔵のために鉄が優先利用される結果，貧血になりやすい．妊娠初期から末期にかけて，赤血球数，Hb値，Ht値が徐々に低下傾向を示す．胎児は母体の鉄分が不足していても，胎盤ホルモンによる鉄の調節機構が働き，必要な鉄を確保する．しかし胎児発育遅延，低出生体重児（2500g未満）の出産，流・早産，陣痛微弱などの原因になり，改善せずに出産を迎えた場合，分娩後の子宮収縮が悪く，大出血を起こすことがある．妊娠貧血は出産時の障害や出産後の母体の抵抗力低下，回復遅延を招くため，食事指導が重要となる（6.5節参照）．

（a）アセスメント

栄養状態の評価は一般の貧血に準じるが，妊娠週数に対応した母体の変化を基準に，次の①〜④における傾向の有無や，貧血のレベルおよび栄養摂取状況などから総合的に判定する．① 身体状況（体重増加速度の低下），② 生化学検査〔血液：赤血球数，Hb値，Ht値，平均赤血球容積（MCV），平均赤血球色素濃度（MCHC），血清鉄（60μg/dL以下）の低下，総鉄結合能（TIBC）の上昇〕，③ 臨床診査（既往歴：非妊時貧血または妊娠貧血，妊娠高血圧症候群），④ 栄養摂取状況（ビタミン・ミネラルの不足，非妊時の偏食や欠食など）．

（b）栄養教育のポイント

妊娠貧血の治療は食事だけによる改善は困難であり，鉄剤の投与が必要であることが多い．鉄剤を用いている場合でも，偏食や欠食などを併発していることが多いので，薬物に依存しない栄養教育が欠かせない．

（3）妊娠肥満

妊娠肥満における妊娠高血圧症候群の発症頻度は，正常妊婦の2〜3倍と高い．肥満妊婦は，循環血流量の増加や腎血流量の減少などにより末梢血管の攣縮やナトリウムの貯留が生じるため，妊娠高血圧症候群を発症しやすいと考

妊娠貧血の判定基準
Hb値11.0g/dL未満，Ht値33%未満である．

妊娠貧血発症の有無
貯蔵鉄フェリチンが十分にあるかどうか，必要量の鉄を食事で摂取しているかどうかによる．

妊娠時の鉄代謝
妊娠・分娩・授乳の全期を通して約1gの鉄を必要とする．非妊時の貯蔵鉄はおよそ0.3gであり，妊娠が進み鉄貯蔵が減少するに従い，鉄吸収は増加するが，鉄欠乏の場合には貯蔵鉄は妊娠中期から30週頃までに枯渇してしまう．

えられる．またインスリン抵抗性や高インスリン血症が認められ，脂肪合成能が促進されて総コレステロールやトリグリセリド(TG)が高値になりやすく，糖尿病が顕在化する傾向がある．胎児に及ぼす影響としては巨大児(4000 g 以上)の出現率が高く，分娩時の出血多量，帝王切開，遷延分娩，胎児仮死などが増加傾向にある．

（a）アセスメント

栄養状態の評価は肥満に準じるが，次項目の①〜④について評価と判定を行う．継続的な栄養教育の際には，尿中ケトン体の定期的測定により，厳しい食事制限をしていないかの評価を必ず行う．① 身体状況(体重増加量：とくに妊娠後半期に 500 g/週以上，体脂肪率，生活活動量の低下)，② 生化学検査(血液検査：血糖値，HbA1c，総コレステロールや TG の増加，肝機能検査項目の数値の増加，血圧上昇など．尿検査：ケトン体など)，③ 臨床診査(インスリン抵抗性，高インスリン血症，脂質異常症，糖尿病など)，④ 栄養摂取状況(嗜好品や間食の摂取状態など)．

（b）栄養教育のポイント

妊娠肥満のほとんどがエネルギーの過剰摂取と運動不足による原発性肥満(単純性肥満)であることから，それらに対する具体的な栄養教育が必要となる．

① BMI が 25.0 をやや超える程度の場合は妊娠全期を通じて 5 kg の増加を目安として考える．著しく超える場合には，他のリスクを考慮しながら臨床的な状況を踏まえ，個別に対応していく(表 4.2 参照)．
② 摂取エネルギーの制限を基本として肥満の是正に努めるが，胎児の発育に悪影響を及ぼすような急激な減量は決して行わない．
③ エネルギーの制限によりビタミン，無機質の摂取不足をきたしやすい．牛乳・乳製品，小魚，果物，緑黄色野菜，海藻類などを十分摂るようにする．
④ たんぱく質が不足して窒素平衡が負にならないよう注意する．摂取制限をせずに 65 〜 75 g/日の維持を心がける．
⑤ 妊娠中期の安定期に入ったら，水泳やエアロビクスなどにより過労にならない程度に活動エネルギーを高める(医師や助産師などの指導下で行う)．
⑥ 分娩後の体重復帰状態にも注意し，授乳しない場合は 6 か月でもとの体重にもどすよう努める．

（4）妊娠高血圧症候群

妊娠高血圧症候群(pregnancy-induced hypertension)とは妊娠 20 週以降，分娩後 12 週までに高血圧が見られる場合，または高血圧にたんぱく尿を伴う場合のいずれかで，かつこれらの徴候が偶発合併症によらないものをいう．浮腫は徴候としては随伴的であるが，診断基準からは除外されている．症状の程度により軽症と重症に分けられ(表 4.6)，単一の疾患ではなく，数々の症状が組み合わさった症候群と定義される．発症は妊娠 8 か月以降に多く，全妊婦の約 10 ％に見られ，妊産婦死亡の原因の多くを占める．妊娠後期の 1 週間に平

妊娠中の血糖値の目標
空腹時 100 mg/dL 以下，食後 2 時間値 120 mg/dL 以下，1 日平均血糖値 100 mg/dL 以下，HbA1c 7％ 以下．

妊娠高血圧症候群時の Ht 値
血液濃縮が生じているので，高 Ht 値が認められる．循環血液量は平均で 9 ％減少しており，重症の場合は 40 ％にも及ぶケースがある．

水分制限
浮腫は多くの場合，安静とナトリウム(食塩)およびエネルギー制限により，急速に消失することが多い．重症の場合はとくに循環血液量が減少しているので，母体の腎機能低下が認められない場合や肺水腫が生じていない場合，厳しい水分制限は行わない．

均500g以上の体重増加のある場合は要注意である．

発症の要因と母体・胎児に及ぼす影響(図4.6)のうち，とくに母児ともに予後が悪いとされているのは，妊娠30週(7か月)以前の発症，混合型，重症，高年齢，肥満である．病態は，高血圧による腎・肝機能障害を主とした血管攣縮であり，循環血液量が減少して，胎児−胎盤循環にとって好ましくない血液濃縮状態が生じる．重症になると，全身の痙攣発作(子癇)が起こる．また血圧が上昇しすぎて末梢血管が収縮し，子宮や胎盤の血行障害を生じ，機能低下が起こる．この状態が続くと，時には母体と胎児に致命的な障害が生じる．

(a) アセスメント

栄養状態の評価は，高血圧，たんぱく尿のチェックにより，軽症・重症のレベルを判定する．判定にはとくに次のことに注意する．① 身体状況(浮腫，体重増加速度の急増，肥満，るい痩，過労，精神的ストレス)，② 生化学検査(血液：アルブミンの低下，コレステロール・TGの上昇，カルシウムの低下)，尿検査(たんぱく尿)，③ 臨床診査(高齢妊娠，若年妊娠，既往歴：高血圧，貧血，糖尿病，腎疾患，家族歴：高血圧，糖尿病)，④ 栄養摂取状況(低栄養，塩分過剰摂取)．

るい痩
「やせ」の状態で，とくに著しい低栄養のとき．

表4.6 妊娠高血圧症候群の判定基準

		軽 症	重 症
高血圧	収縮期	140 mmHg以上160 mmHg未満	160 mmHg以上
	拡張期	90 mmHg以上110 mmHg未満	110 mmHg以上
たんぱく尿		300 mg/日以上2 g/日未満 (24時間尿)	2 g/日以上 (24時間尿)

日本産科婦人科学会〔平成17年(2005)4月〕．

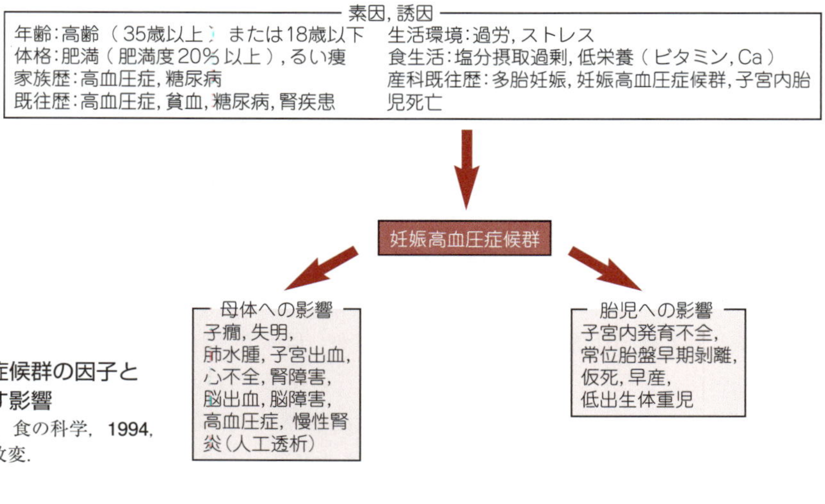

図4.6 妊娠高血圧症候群の因子と母児に及ぼす影響
瀧本秀美ほか，食の科学，1994, 201より一部改変．

素因，誘因
年齢：高齢(35歳以上)または18歳以下　生活環境：過労，ストレス
体格：肥満(肥満度20%以上)，るい痩　食生活：塩分摂取過剰，低栄養(ビタミン，Ca)
家族歴：高血圧症，糖尿病　産科既往歴：多胎妊娠，妊娠高血圧症候群，子宮内胎
既往歴：高血圧症，貧血，糖尿病，腎疾患　児死亡

妊娠高血圧症候群

母体への影響
子癇，失明，
肺水腫，子宮出血，
心不全，腎障害，
脳出血，脳障害，
高血圧症，慢性腎炎(人工透析)

胎児への影響
子宮内発育不全，
常位胎盤早期剥離，
仮死，早産，
低出生体重児

(b) 栄養教育のポイント

母児にとり最も危険性の高い「高血圧の是正」を中心に，体重管理による予防と早期発見，治療の栄養教育が中心となる．したがって，発症要因のある妊婦には妊娠初期からの食事指導，とくに塩分を7〜8g/日に制限し，良質たんぱく質を摂取する．ただし，脂質含量の高い動物性たんぱく質の摂取に注意する．適度の運動をすすめて血圧と体重の管理を行う．したがって，尿中ケトン体の定期的検査を行い，体重管理の維持状態を判定する．また，安静を優先し，睡眠も十分にとらせて心身の過労を避け，定期的な検診を受けさせる．

実際には「妊娠高血圧症候群の生活指導および栄養指導法」(表4.7)に従い栄養教育を行う（塩分制限，低エネルギー食，高たんぱく質食，不飽和脂肪酸の摂取，水分制限）．またビタミン（とくにB_6, B_{12}, C）を新鮮な野菜や果物から補給する．

(5) 妊娠糖尿病

妊娠時は生理的にインスリン抵抗性が増大し，インスリンの分泌が亢進する．潜在的糖尿病予備軍の人が妊娠すると，妊娠前は異常所見がなくても，妊娠を契機に耐糖能異常をきたすことが多い．**妊娠糖尿病**(gestational diabetes mellitus)とは妊娠中に初めて発見または発症した糖尿病に至っていない糖質代謝異常であり，将来，糖尿病を発症する危険性が大きいため，早期発見と管理が非常に重要である．判定は「妊娠糖尿病の診断基準」(表4.8)に基づく．

表4.8 妊娠糖尿病の診断基準

空腹時血糖値	≧92 mg/dL
1時間値	≧180 mg/dL
2時間値	≧153 mg/dL

75g OGTTにおいて上記の基準の1点以上を満たした場合に診断する．

「糖尿病の分類と診断基準に関する委員会報告(2010)」
http://www.jds.or.jp/jds_or_jp0/uploads/photos/626.pdf

表4.7 妊娠高血圧症候群の生活指導および栄養指導法

① 生活指導
　＊安静
　＊ストレスを避ける［予防には軽度の運動，規則正しい生活がすすめられる］
② 栄養指導（食事指導）
　a) エネルギー摂取（総カロリー）
　　非妊時BMI 24以下の妊婦：30 kcal×理想体重(kg)＋200 kcal
　　非妊時BMI 24以上の妊婦：30 kcal×理想体重(kg)
　　　［予防には妊娠中の適切な体重増加がすすめられる
　　　　BMI＜18では10〜12 kg増
　　　　BMI 18〜24では7〜10 kg増
　　　　BMI＞24では 5〜7 kg増］
　b) 塩分摂取
　　7〜8 g/日程度に制限する（極端な塩分制限はすすめられない）［予防には10 g/日以下がすすめられる］
　c) 水分摂取
　　1日尿量500 mL以下や肺水腫では前日尿量に500 mLを加える程度に制限するが，それ以外は制限しない．
　　口渇を感じない程度の摂取が望ましい．
　d) たんぱく質摂取量
　　理想体重×1.0 g/日［予防には理想体重×1.2〜1.4 g/日が望ましい］
　e) 動物性脂肪と糖質は制限し，高ビタミン食とすることが望ましい．
　　［予防には食事摂取カルシウム(900 mg/日)に加え，1〜2 g/日のカルシウム摂取が有効との報告もある．また海藻中のカリウムや魚油，肝油（不飽和脂肪酸），マグネシウムを多く含む食品に高血圧予防効果があるとの報告もある．］
　注）重症，軽症ともに基本的には同じ指導で差し支えない．混合型ではその基礎疾患の病態に応じた内容に変更することがすすめられる．

日本産科婦人科学会周産期委員会〔平成10年(1998)〕．

一方，妊娠前から糖尿病を発症している場合は，妊娠前に血糖コントロールを良好に保ち，糖尿病の治療と管理を徹底させた計画妊娠が必要である．

（a）アセスメント

栄養状態の評価は体重の増加，経口ブドウ糖負荷試験（75 g OGTT），栄養摂取状況から判断する．したがって，一般の糖尿病の場合と同様である．① 身体状況（身長および体重：妊娠前後から，BMI，適正体重増加を評価する），② 生化学検査〔血液：75 g OGTT，総コレステロール（TCh），高比重リポたんぱく質コレステロール（HDL-Ch），TG，HbA1c，フルクトサミン．尿検査：糖，たんぱく質，ケトン体，尿素窒素，クレアチニンなど〕，③ 臨床診査：既往歴，家族歴，妊娠高血圧症候群の要因や素因，腎症，網膜症など血管障害），④ 栄養摂取状況（たんぱく質，鉄やカルシウム，ビタミン類などの摂取）．

胎児奇形や巨大児，糖尿病性合併症の悪化などを予防するために，必ず1日数回のインスリン投与を医師の指導のもとに行い，妊娠中も厳格な血糖コントロールを行う．網膜症や腎症などの血管障害を併発していると，妊娠早期からほぼ例外なく妊娠高血圧症候群の発症が見られる．その場合，胎児の発育はきわめて悪く，周産期死亡率（満28週以降と生後1週間）もかなり高くなる．

（b）栄養教育のポイント

栄養教育において，妊娠糖尿病と糖尿病妊娠の区別を理解し，十分なカウンセリング技法により栄養管理を効果的に行っていく必要がある．

① 初診時の随時血糖値が100 mg/dL以下の場合は，定期的なスクリーニングにより糖代謝異常の早期発見に努める．
② 妊娠中の糖尿病治療の基本は，エネルギーと各栄養素を過不足なく摂取する食事療法である．したがって，適正な栄養摂取が重要である．
③ 太っていない糖尿病妊婦の食事は，一般の糖尿病と同様に考え，エネルギーは30 kcal/kg×標準体重＋付加量から求める．また糖質55～60％，たんぱく質15～20％，脂質20～25％とする．
④ 適正体重増加量は，一般的な糖尿病妊婦で6～8 kgである．
⑤ 血糖コントロールの改善や維持を，血糖自己測定や頻回のインスリン注射により，根気よく行う．
⑥ 胎児・新生児死亡の予防には，ケトアシドーシスと低血糖を予防しながら，少量ずつ何回にも分けて食べる頻回食により，血糖値の日内変動を小さくし，正常妊婦に近づけることが肝要である．

4.5 個人指導の展開例

貧血，妊娠高血圧症候群，妊娠糖尿病などの合併症を有する妊婦に対して産科施設で実施されている．

【症例】 高血糖がなかなか改善されない妊娠糖尿病患者

Aさん，35歳，女性．第2子妊娠中．身長155 cm，妊娠前の体重80 kg．妊

塩分制限

糖尿病合併妊婦は体内にナトリウムと水分の貯留をきたしやすく，妊娠高血圧症候群や羊水過多症などを起こしやすい．血管系の合併症がある場合は，妊娠早期から厳重な食塩制限が必要とされる．

Plus One Point

血糖値と胎児の奇形

妊娠7週までに決定される胎児の奇形の有無は，高血糖がおもな原因である．異常がなくても，出生後急激に低血糖環境にさらされ，脳障害を起こすこともある．

妊娠糖尿病の血糖コントロール目標値

朝食前血糖	70～100 mg/dL
食後2時間血糖	120 mg/dL未満
HbA1c（NGSP）	6.2％未満
〔HbA1c（JDS）	5.8％未満〕

娠 9 週 1 日に，産科での初期スクリーニング採血にて空腹時血糖値 105 mg/dL と高値だったため，75 g 経口ブドウ糖負荷試験（75 gOGTT）を実施．負荷前値 106 mg/dL，1 時間値 190 mg/dL，2 時間値 150 mg/dL であり，3 点以上の妊娠糖尿病と診断され，内科紹介受診となった．今回，食事療法導入に際し，管理栄養士との面談となった．本人は今回の食事療法に対して，積極的な姿勢を見せている．

目標
1. 母児ともに合併症をきたさず，出産を迎える．
2. 産後，母体の将来の糖尿病予防について伝える．

栄養教育の展開
（a）アセスメント，課題の抽出
・準備性の把握　⇒　関心期
・問題行動の特定　⇒　生活リズムが不規則，帰宅の遅い夫を待っての夕食．夕食，就寝時間が遅くなることによる翌日の朝食欠食．

（b）行動目標の設定
・行動の動機付け 1（重要性を高める）
　朝，昼，夕と 3 食食べることが規則正しい生活リズムをつくること（利益）を高める．
　朝起きられず，朝食をつくるのが面倒，つくっても食べきれる自信がない（負担）を減らす．
・行動変容の動機づけ 2（自己効力感を高める）．
　夫を待たずに夕食時刻は第 1 子に合わせるなど，生活リズムを整えるために家族に協力してもらう（社会的サポート）．
　朝食を摂ることで，バランスが取れた食事管理に成功した事例を紹介する（モデリング）．
　簡単に摂れるものでいいので，とりあえず朝食を食べる（自己の成功体験）．
　夜寝る前に，テーブルの上に朝食で食べるものを書いた紙を用意しておく（刺激統制法）．

（c）目標行動維持のサポート
　血糖自己測定導入（自己監視法）．
　安定した血糖コントロールにより，元気な赤ちゃんが生まれることにつながることを伝える（オペラント強化）．

（d）2 回目以降のカウンセリング
　行動目標の評価と再設定の話し合い

練習問題

次の文を読み，正しいものには○，誤っているものには×をつけなさい．

重要

■**出題傾向と対策**■
妊娠・授乳期に特有の栄養教育の特徴，課題を把握しておく．妊産婦のための食生活指針や改定された授乳・離乳の支援ガイドもよく理解しておく．また個人の栄養教育，集団の栄養教育を展開する際のポイントもよくチェックしておく．

（1）妊娠期に対する栄養教育は，妊娠前からの健康なからだづくりを支援することが必要である．

（2）妊娠・授乳期の栄養教育の場は，保健所と母子センターおよび医療センターである．

（3）妊婦への栄養教育では，集団栄養教育が中心となるが，母親のみならず両親栄養教育も実施されている．

（4）妊娠肥満などのある妊婦の栄養教育は，個別栄養教育が望ましい．

（5）BMI＞25の妊婦の体重増加が7 kg未満であれば，個別の栄養教育を行う必要はない．

重要

（6）「妊産婦のための食生活指針」では，妊産婦に必要とされる栄養管理内容について9項目から構成されている．

（7）妊産婦の食事バランスガイドでは，妊娠末期において，主食・主菜・副菜のみ各1つ（SV）を追加する．

（8）妊婦に対して個別栄養教育を展開する場合には，問題行動を明確にして行動目標を設定することが必要である．

（9）つわりの程度には個人差があるが，大部分は生理的なもので，妊娠4〜5か月になると自然と嘔吐などの症状はなくなる．病的な状態は妊娠悪阻という．

重要

（10）つわりの栄養状態の評価では，まず体重の低下と脱水症を念頭に置く．

（11）日本人の食事摂取基準（2020年版）では，妊娠後期のエネルギー付加量は350 kcalである．

（12）日本人の食事摂取基準（2020年版）のたんぱく質付加量（推奨量）は，妊婦と授乳婦とも20 g/日である．

（13）妊婦・授乳婦の脂質エネルギー比率目標量は，一般成人と同じ20〜30％である．

（14）妊婦・授乳婦のカルシウム付加量は600 mg摂取していれば，付加は必要ない．

重要

（15）鉄の推奨量は，妊娠初期2.5 mg，中期・後期は9.5 mg/日の付加量であり，授乳しない場合は付加しなくてよい．

重要

（16）妊娠の計画または妊娠初期の女性は，神経管閉鎖障害のリスク低減のため，葉酸を多く摂取するように栄養教育をする．

（17）授乳中の母親が摂取したアルコールは，母乳中に移行しない．

重要

（18）日本人の食事摂取基準（2020年版）では，授乳婦のエネルギー付加量は450 kcal/日である．

（19）妊娠高血圧症候群とは，妊娠20週以降，分娩後12週までにおいて，高血圧，浮腫，たんぱく尿の症状が認められた場合をいう．

（20）母乳育児に抵抗を示す妊婦に栄養教育をする場合は，ロールプレイングの学習方法を組み合わせて実施するとよい．

重要

（21）妊娠糖尿病については個別栄養教育を実施して，十分なカウンセリングを行い，行動変容につながる目標を設定するとよい．

5
ライフステージ・ライフスタイル別栄養教育
乳幼児期の栄養教育の展開

5.1 乳幼児期の栄養教育の特徴と留意事項

　乳幼児期は一生のうちで最も成長・発達が著しく，基本的な食生活習慣の基礎を形成する重要な時期である．乳幼児期の栄養の適否は，将来における子どもの身体の成長と精神の発達だけでなく，一生にかかわる感染への抵抗力にも大きな影響を及ぼす．したがって，生活習慣病の一次予防の観点からも，幼児期に脂質異常や糖尿病など，健康上の問題が生じる以前に，健全な生活習慣を身につけさせる栄養教育がきわめて重要である．近年は「子育て支援」対策として，調乳指導や離乳食講習会といった講義および実習などの集団教育が，市区町村の保健センターで行われている．

　乳幼児期の発育・発達は，乳汁と離乳食，アレルギーやう蝕など，またさまざまな疾病の有無や養育者の態度などによる影響を大きく受ける．したがって，乳幼児の身体の発育状況など，以下の「栄養状態の評価」を適切に行って，多様な情報から個人の発育・発達に応じた適切な栄養摂取ができているか，実態を十分に把握し，栄養教育の目的を見きわめていくことが重要である．

① 身体状況：身長と体重の発育状況は平成22年（2010）発表の「乳幼児身体発育曲線」（p.121参照）や小児（幼児）の成長度（肥満・やせ）判定曲線を参考に判定する．
② 食生活状況：乳汁，離乳食の摂取状況や離乳食の内容やリズム，偏食や欠食の有無，食生活環境など．
③ 疾病の有無：食物アレルギー，先天性代謝異常や乳児がん，その他の異常な症状およびう蝕の有無．
④ 養育者の態度：保育の姿勢，食品や栄養素に対する知識や経験，先入観や献立内容および嗜好品など，食事づくり担当者の食生活の実態，乳幼児虐待の有無など．
⑤ 水分代謝量が多く脱水症状を呈しやすいので，十分な水分補給に注意を促す．
⑥ 生活のリズムをチェックする〔三回の食事や食事バランス（主食，主菜，副

乳児（0～5か月）の食事摂取基準（2020年版）
① 推定エネルギー必要量（kcal/日）男児550　女児500
② たんぱく質目安量（g/日）男性・女性 10

水分補給の必要性
乳幼児は表面積が大きく，水蒸気となって皮膚や呼気から失われる不感蒸泄や，汗で失われる水分量が大である．乳児期は150 mL/kg，幼児期は90～120 mL/kgである．

菜のバランス）や間食，起床および就寝時間など）．
⑦ 食べ物への興味や関心度など（食事や間食に対する関心，食卓や食べることへの楽しみなど）をチェックする．

　出生時約 3 kg と約 50 cm であった体重と身長は，幼児期にはそれぞれ約 3 倍と 1.5 倍となる．食事摂取基準では，乳児期は 0～5 か（月）の前半期（母乳栄養児，人工乳栄養児）と 6～11 か（月）の後半期に分けられている．出生時の体格や発育速度に個人差があるため，推定エネルギー必要量とたんぱく質の目安量は示されているが，さらに個々の身体活動や環境に応じた配慮が必要である．

　乳児期の栄養教育における最近の特徴として，女性の社会進出が増加しているにもかかわらず，乳児に与える栄養のうち母乳の割合が生後 4 か月頃まで若干の増加が認められる．これは「子育て支援」や「健やか親子 21」が功を奏した結果ではないかと思われる．また離乳については，早期の離乳食の切り上げなどによる咀しゃく能力の低下が増えてきたことから，平成 7 年（1995）に離乳完了期が最長 18 か月まで延長された．

　離乳の遅れや咀しゃく段階に対する不適切な離乳，遊び食い，むら食い，偏食，食欲不振などは，従来からこの時期特有に見られるものであり，解決していかねばならない問題点である．

5.2　食事のリズム・生活リズムの形成と栄養教育

　社会環境の変化に伴う，ライフスタイルの変化に伴い，おとなだけでなく，子どもも夜型の生活が多くなっている．

　平成 27 年度乳幼児栄養調査結果（厚生労働省）によると，子ども（0～6 歳）の起床時刻については「午前 7 時台」が平日 43.5％，休日 46.3％と割合が最も高く，就寝時刻については「午後 9 時台」が平日 48.7％，休日 48.1％と割合が最も高かった．しかし，10 時以降に就寝する子どもも平日 20.5％，休日 27.3％と多く，保護者の就寝時刻別に，午後 10 時以降に就寝する子どもの割合を見ると，保護者の就寝時刻が「深夜 1 時以降」で，平日 35.0％，休日 45.3％と最も高かった．毎日朝食を「必ず食べる」と回答した子ども（2～6 歳）の割合は 93.3％であり，欠食する割合は 6.4％であったが，就寝時刻が遅くなると「必ず食べる」者は「10 時台」で 86.1％，「11 時台」で 65.5％と，子どもの朝食欠食の割合は高率となることが示された．

　保育園や幼稚園などがあると通園時刻はある程度決まっており，起床時刻が遅くなると朝食までの時間が短くなり，食欲が減退し，欠食につながりかねない．朝食時刻の乱れは，1 日の生活リズム全体にも大きく影響することから，前日の夕食時刻や就寝時刻が遅くならないようにすることが大切である．

　幼児期は，睡眠・食事・遊びなどの活動も広がり，さまざまな事象に対して興味をもち，好奇心も強くなってくる時期である．この時期に体内時計（サー

カディアンリズム)の規則性が整い，それに伴う**食事のリズム**を形成していくことは，この先，健康長寿でいるための体づくりにつながるので重要である．厚生労働省「楽しく食べる子どもに～食からはじまる健やかガイド～」〔平成16年(2004)〕にもあるように，食への関心がもてるように，食べる意欲を大切にして，食の体験を広げることができるよう支援をしていくことが重要である．

5.3 味覚・嗜好の形成と栄養教育

味覚とは食べ物の味を識別する感覚のことをいう．食べ物の成分が味蕾のなかの味細胞に触れると，電気信号に変換され，五味(甘味，塩味，うま味，苦味，酸味)の情報が味覚神経を経て，脳の大脳皮質の味覚野に伝えられ，味が識別される．味覚は発達現象であるため，離乳期に各種の味覚を経験することで受け入れ可能な味覚となる．

乳汁栄養の時期の味覚のなかでもとくに，甘味・塩味に対する味覚は生後間もなくから感じることができるといわれている．その後，食物を口にする離乳期からいろいろな味を覚える．この時期から味覚形成が始まるので，薄味にするほうが好ましい．この時期に濃い味に慣れてしまうと，将来はそのまま濃い味を好む傾向があり，生活習慣病に罹患する可能性が懸念される．次に，本来の味を感じとりにくい味つけの食品は幼児においては，後の食品の好みへの影響が見られることも懸念されている．

また，**嗜好**とは食べ物に対する好き嫌い(好み)のことをいう．嗜好は味覚に加えて，食物の口当たりや歯触りなども影響する．さらに食べ物のにおい，色，音などさまざまな要素が嗜好の形成に関係する．嗜好には味覚の影響が大きいが，味覚野からの味覚情報は扁桃体に送られ，味の好き嫌いの判断(快また不快と判断)や学習が行われる．脳に蓄積された過去の味覚情報と照らし合わせ，おいしかった味覚情報と同じであれば「快」と判断するが，乳幼児期はこの味覚情報が少ないため，「不快(まずい)」と判断する食物が多くなりがちになる．このことから，幼児期では嫌いな食物が多くなる傾向があるが，この時期に多くの食経験をさせると，脳の機能発達と学習効果により次第に食べられるものが多くなり，嗜好の幅が広がっていく．離乳期以降の味覚の経験が積み重なり，嗜好が形成されていく．

これらのことより，乳幼児期に体験する食べ物の種類が多いと幅広い味覚が形成され，嗜好も豊かになる．

5.4 乳汁栄養と栄養教育

乳汁栄養については，次の点に注意し，「**授乳の支援のポイント**」(表5.1)を十分に理解する．

① **母乳栄養**：乳児栄養の基本は母乳であり，新生児期には免疫体を多く含む初乳を与えるようにする．成分は乳児の成長に見合った消化吸収力をもち，

初乳
分娩後4～5日頃までに分泌される母乳をいう．

冷凍母乳
−18℃以下で約3週間は，免疫や成分の変化がなく保存可能である．自然解凍後，3時間以内の使用が望ましい．

フォローアップミルク
離乳用，育児用として6か月のものもある．育児用ミルクより鉄分，カルシウム，ビタミン，たんぱく質などを強化している．

低出生体重児の乳汁栄養
感染症と壊死性腸炎発症予防のために，できるだけ早期に免疫物質の多い初乳を与え，母親の退院後は冷凍母乳を与える．混合栄養の場合は低出生体重児用調製粉乳とする．腎機能が未熟であるため，水分の過剰に注意する．

5章 乳幼児期の栄養教育の展開

表5.1 授乳等の支援のポイント

	母乳の場合	育児用ミルクを用いる場合
妊娠期	・母子にとって母乳は基本であり，母乳で育てたいと思っている人が無理せず自然に実現できるよう，妊娠中から支援を行う． ・妊婦やその家族に対して，具体的な授乳方法や母乳（育児）の利点等について，両親学級や妊婦健康診査等の機会を通じて情報提供を行う． ・母親の疾患や感染症，薬の使用，子どもの状態，母乳の分泌状況等の様々な理由から育児用ミルクを選択する母親に対しては，十分な情報提供の上，その決定を尊重するとともに，母親の心の状態に十分に配慮した支援を行う． ・妊婦及び授乳中の母親の食生活は，母子の健康状態や乳汁分泌に関連があるため，食事のバランスや禁煙等の生活全般に関する配慮事項を示した「妊産婦のための食生活指針」を踏まえた支援を行う．	
授乳の開始から授乳のリズムの確立まで	・特に出産後から退院までの間は母親と子どもが終日，一緒にいられるように支援する． ・子どもが欲しがるとき，母親が飲ませたいときには，いつでも授乳できるように支援する． ・母親と子どもの状態を把握するとともに，母親の気持ちや感情を受けとめ，あせらず授乳のリズムを確立できるよう支援する． ・子どもの発育は出生体重や出生週数，栄養方法，子どもの状態によって変わってくるため，乳幼児身体発育曲線を用い，これまでの発育経過を踏まえるとともに，授乳回数や授乳量，排尿排便の回数や機嫌等の子どもの状態に応じた支援を行う． ・できるだけ静かな環境で，適切な子どもの抱き方で，目と目を合わせて，優しく声をかける等授乳時の関わりについて支援を行う． ・父親や家族等による授乳への支援が，母親に過度の負担を与えることのないよう，父親や家族等への情報提供を行う． ・体重増加不良等への専門的支援，子育て世代包括支援センター等をはじめとする困った時に相談できる場所の紹介や仲間づくり，産後ケア事業等の母子保健事業等を活用し，きめ細かな支援を行うことも考えられる．	
	・出産後はできるだけ早く，母子がふれあって母乳を飲めるように支援する． ・子どもが欲しがるサインや，授乳時の抱き方，乳房の含ませ方等について伝え，適切に授乳できるよう支援する． ・母乳が足りているか等の不安がある場合は，子どもの体重や授乳状況等を把握するとともに，母親の不安を受け止めながら，自信をもって母乳を与えることができるよう支援する．	・授乳を通して，母子・親子のスキンシップが図られるよう，しっかり抱いて，優しく声かけを行う等暖かいふれあいを重視した支援を行う． ・子どもの欲しがるサインや，授乳時の抱き方，哺乳瓶の乳首の含ませ方等について伝え，適切に授乳できるよう支援する． ・育児用ミルクの使用方法や飲み残しの取扱等について，安全に使用できるよう支援する．
授乳の進行	・母親等と子どもの状態を把握しながらあせらず授乳のリズムを確立できるよう支援する． ・授乳のリズムの確立以降も，母親等がこれまで実践してきた授乳・育児が継続できるように支援する．	
	・母乳育児を継続するために，母乳不足感や体重増加不良などへの専門的支援，困った時に相談できる母子保健事業の紹介や仲間づくり等，社会全体で支援できるようにする．	・授乳量は，子どもによって授乳量は異なるので，回数よりも1日に飲む量を中心に考えるようにする．そのため，育児用ミルクの授乳では，1日の目安量に達しなくても子どもが元気で，体重が増えているならば心配はない． ・授乳量や体重増加不良などへの専門的支援，困った時に相談できる母子保健事業の紹介や仲間づくり等，社会全体で支援できるようにする．
離乳への移行	・いつまで乳汁を継続することが適切かに関しては，母親等の考えを尊重して支援を進める． ・母親等が子どもの状態や自らの状態から，授乳を継続するのか，終了するのかを判断できるように情報提供を心がける．	

「授乳・離乳の支援ガイド　Ⅱ-1 授乳の支援」，2019年3月発表．

表 5.2 母乳の特徴

成分の変化		初乳,移行乳,成乳,吸い始め,終了時,未熟児,成熟児,母親の栄養,薬剤
栄養的特徴	たんぱく質	総たんぱく質量 1.35 g/dL(牛乳 2.9 g/dL),カゼイン 35％:乳清 65％(牛乳 79％:21％),非たんぱく質性窒素化合物 25％(牛乳 5％).アミノ酸組成(タウリン,シスチンが多く,メチオニン,フェニルアラニン,チロシンが少ない).
	脂 質	母乳中 3.54 g/dL(牛乳 3.3 g/dL).不飽和脂肪酸(胆汁酸活性リパーゼにより吸収良好)や必須脂肪酸〔リノール酸,リノレン酸,EPA(エイコサペンタエン酸),DHA(ドコサヘキサエン酸)〕が多い.
	糖 質	乳糖 95％(牛乳の約 2 倍),30 種以上のオリゴ糖を含む.
	灰 分	Na,K の含有量が少ない.Ca(母乳 26,牛乳 125 mg/dL)とリン(母乳 14,牛乳 96 mg/dL)が少ないが,比が異なり Ca の吸収がよい.鉄,微量元素の利用率がよい.
	ビタミン	母乳中の利用率はよいとされる.ビタミン D(母乳 0.42,牛乳 2.36 IU/dL),ビタミン K(母乳 1.5,牛乳 5.8 μg/dL)の不足が報告されている.
免疫学的特徴		分泌型 IgA,ラクトフェリン,リゾチーム,ビフィズスファクター,補体,細胞成分などを含む.
内分泌的生物学的活性物質		上皮成長因子(EGF),神経成長因子(NGF),インスリン,IGF-1(インスリン様成長因子 -1)などを含む.

一條元彦 編,『母子にすすめる栄養指導』,メディカ出版(1997),p.150 を一部変更.

表 5.3 母乳育児を成功させるための 10 か条

1. 母乳育児の方針を医療にかかわっているすべての人に知らせること
2. すべての医療従事者に母乳育児をするために必要な知識と技術を教えること
3. すべての妊婦に母乳育児のよい点とその方法をよく知らせること
4. 母親が分娩後 30 分以内に母乳を飲ませるように援助すること
5. 母親に授乳の指導を十分にし,もし赤ちゃんから離れることがあっても母乳の分泌を維持する方法を教えること
6. 医学的な必要がないのに,新生児に母乳以外のもの(水分,糖水,人工乳など)を与えないこと
7. 母子同室にすること.赤ちゃんと母親が 1 日中一緒にいられるようにすること
8. 赤ちゃんがほしがるときに,ほしがるままの授乳をすすめること
9. 母乳を飲んでいる赤ちゃんにゴム乳首やおしゃぶりを与えないこと
10. 母乳育児のための支援グループをつくって援助し,退院するとき母親にこのようなグループを紹介すること

WHO/UNICEF(1989).

腎臓機能の負担も少ない.厚生労働省(当時厚生省)では昭和 50 年(1975)より母乳推進運動を行っている.しかし母乳栄養の場合,分泌量を把握しにくいため,母乳不足に留意しなければならない.また,母親の食事や飲酒,喫煙,環境汚染の影響を受けやすいため,妊娠・授乳期を通じて母親に対する母乳教育が必要である(4 章参照).表 5.2 に母乳の特徴を,また表 5.3 に母乳育児を成功させるための 10 か条示す.

② 混合栄養と人工栄養:混合栄養とは,母乳不足や就業などで授乳が不可能な場合,母乳の不足分を調製粉乳で補う方法である.母親が就業している場合,冷凍母乳を活用する.また,母親の疾病などにより授乳を止められた場合には,人工栄養(一般に育児用調製粉乳)とする.

③ その他の調製粉乳:フォローアップミルク(離乳・幼児期用粉乳),低出生体重児粉乳,ペプチドミルク,カゼイン加水分解乳,大豆乳,低ナトリウム特殊粉乳,先天性代謝異常症対応特殊ミルクなどがある.

育児用調製粉乳

調乳濃度は 12〜13％程度の単一処方である.

「乳児用調製粉乳の安全な調乳,保存及び取扱いに関するガイドライン」(2007 年 6 月,FAO/WHO 共同発表)

対象となる乳児は 12 か月齢以下の乳児であり,乳児用調製粉乳の調乳のポイントは以下のとおり.
○乳児用調製粉乳の調乳に当たっては,使用する湯は 70 ℃以上を保つこと.
○調乳後 2 時間以内に使用しなかったミルクは廃棄すること.

乳児用液体ミルク
4章も参照.

離乳食の必要性
① 栄養の補給, ② 消化機能の発達と増強, ③ 味覚発達助長, ④ 正しい食習慣の基礎の形成, ⑤ 精神面の発達促進, ⑥ 貯蔵鉄の補給, ⑦ 母体の健康と回復.

ベビーフードの種類
市販されているものは, 現在約500種類以上.
① ウエットタイプ：調理完成品として, そのまま食べられる.
② ドライタイプ：水や湯を加えて元の形状にして食べるタイプで, 粉末状, 顆粒状, フレーク状, 固形状のもの.

ベビーフードの品質
－薄味と固さへの配慮－
① ナトリウム含量：① 乳児用200 mg/100 g以下, ② 幼児用300 mg/100 g以下
② 食べるときの物性：① 均一の液状, ② どろどろ状または均一なペースト状, ③ 舌でつぶせる適度な固さ, ④ 歯ぐきでつぶせる適度な固さ, ⑤ 歯ぐきでかめる適度な固さ［日本ベビーフード協議会　自主規格（第Ⅳ版）］

手づかみ食べの重要性
「手づかみ食べ」は, 食べ物を目で確かめて, 手指でつかんで, 口まで運び口に入れるという目と手と口の協調運動であり, 摂食機能の発達のうえで重要な役割を担う.

④ 調製粉乳は, 濃厚乳や量の過不足などの不適切な乳汁栄養にならないように注意する. したがって, 濃度は月齢に関係なく単一処方とし, 量および哺乳びんなどの衛生面に配慮する.

5.5　離乳と栄養教育

離乳の進め方は授乳・離乳の支援ガイド（Ⅱ-2離乳の支援, 表5.4, 図5.1）に基づいて進めていく. 離乳とは, 母乳または育児用ミルクなどの乳汁栄養から幼児食に移行する過程をいう. この間に乳児の摂食機能は, 乳汁を吸うことから食物を噛みつぶして飲み込むことへと発達し, 摂食する食品の量や種類が多くなり, 献立や調理の形態も変化していく. また, 摂食行動はしだいに自立へと向かっていく. したがって, 離乳については, 乳児の食欲, 摂食行動, 成長・発達パターンあるいは地域の食文化, 家庭の食習慣などを考慮した無理のない離乳の進め方をする. 子どもにはそれぞれ個性があるので, 画一的な進め方にならないように離乳食の内容や量を与える. また生活習慣病予防の観点から, この時期に健康的な食習慣の基礎を培うことも重要である.

一方, 多くの親にとっては, 初めて離乳食を準備し, 与え, 子どもの反応を見ながら進めることを体験する. 子どもの個性によって離乳食への反応も異なることから, 離乳を進める過程で育児不安を伴うこともあるが, 適切な支援があれば安心して対応でき, 食事を通しての子どもとのかかわりにも自信がもてるようになる.

離乳の支援にあたっては, 表5.4, 図5.1を参考に子どもの健康を維持し, 成長・発達を促し, 育児に自信をもたせることを基本とする. とくに, 子どもの成長や発達状況, 日々の子どもの様子を見ながら進め, 強制しないように配慮する. また, 生活リズムを身につけ, 食べる楽しさを体験できるよう, 一人ひとりの子どもの食べる力を育むための支援も推進される必要がある.

離乳期における問題点として, 離乳食の進行トラブルや不適応, 栄養状態や咀しゃく機能の低下, 食物アレルギーおよび過度の除去食による障害, 発育の遅れなどがあげられる.

離乳食によく使われる食品と具体的な調理形態の一例を表5.5に示した. 市販のベビーフードは咀しゃく段階のレベルに合ったものを選び, 少しでも手を加えて"家庭の味"とし, 上手に活用する.

5.6　幼児期の成長・発達と栄養教育

幼児期は消化吸収器官や大脳の発達により, 精神・運動機能が著しく発達し, 食生活においても受け身から自発的な摂食行動をとるようになり, 嗜好や食べ方などの基本的な食習慣が形成される重要な時期である.

また, 幼児期は望ましい食習慣の確立や食事上のしつけなど, 食事の場を通して人格形成の基礎づくりを行う時期である. したがって, 子どもたちの食べ

表5.4 離乳の支援の方法

(1) 離乳の開始
　離乳の開始とは、なめらかにすりつぶした状態の食物を初めて与えた時をいう。開始時期の子どもの発達状況の目安としては、首のすわりがしっかりして寝返りができ、5秒以上座れる、スプーンなどを口に入れても舌で押し出すことが少なくなる（哺乳反射の減弱）、食べ物に興味を示すなどがあげられる。その時期は生後5～6か月頃が適当である。ただし、子どもの発育及び発達には個人差があるので、月齢はあくまでも目安であり、子どもの様子をよく観察しながら、親が子どもの「食べたがっているサイン」に気がつくように進められる支援が重要である。
　なお、離乳の開始前の子どもにとって、最適な栄養源は乳汁（母乳又は育児用ミルク）であり、離乳の開始前に果汁やイオン飲料を与えることの栄養学的な意義は認められていない。また、蜂蜜は、乳児ボツリヌス症を引き起こすリスクがあるため、1歳を過ぎるまでは与えない。

(2) 離乳の進行
　離乳の進行は、子どもの発育及び発達の状況に応じて食品の量や種類及び形態を調整しながら、食べる経験を通じて摂食機能を獲得し、成長していく過程である。食事を規則的に摂ることで生活リズムを整え、食べる意欲を育み、食べる楽しさを体験していくことを目標とする。食べる楽しみの経験としては、いろいろな食品の味や舌ざわりを楽しむ、手づかみにより自分で食べることを楽しむといったことだけでなく、家族等が食卓を囲み、共食を通じて食の楽しさやコミュニケーションを図る、思いやりの心を育むといった食育の観点も含めて進めていくことが重要である。
〈離乳初期（生後5か月～6か月頃）〉
　離乳食を飲み込むこと、その舌ざわりや味に慣れることが主目的である。離乳食は1日1回与える。母乳又は育児用ミルクは、授乳のリズムに沿って子どもの欲するままに与える。
　食べ方は、口唇を閉じて、捕食や嚥下ができるようになり、口に入ったものを舌で前から後ろへ送り込むことができる。
〈離乳中期（生後7か月～8か月頃）〉
　生後7～8か月頃からは舌でつぶせる固さのものを与える。離乳食は1日2回にして生活リズムを確立していく。母乳又は育児用ミルクは離乳食の後に与え、このほかに授乳のリズムに沿って母乳は子どもの欲するままに、ミルクは1日に3回程度与える。
　食べ方は、舌、顎の動きは前後から上下運動へ移行し、それに伴って口唇は左右対称に引かれるようになる。食べさせ方は、平らな離乳食用のスプーンを下唇にのせ、上唇が閉じるのを待つ。
〈離乳後期（生後9か月～11か月頃）〉
　歯ぐきでつぶせる固さのものを与える。離乳食は1日3回にし、食欲に応じて、離乳食の量を増やす。離乳食の後に母乳又は育児用ミルクを与える。このほかに、授乳のリズムに沿って母乳は子どもの欲するままに、育児用ミルクは1日2回程度与える。
　食べ方は、舌で食べ物を歯ぐきの上に乗せられるようになるため、歯や歯ぐきで潰すことが出来るようになる。口唇は左右非対称の動きとなり、噛んでいる方向に依っていく動きがみられる。食べさせ方は、丸み（くぼみ）のある離乳食用のスプーンを下唇にのせ、上唇が閉じるのを待つ。
　手づかみ食べは、生後9か月頃から始まり、1歳過ぎの子どもの発育及び発達にとって、積極的にさせたい行動である。食べ物を触ったり、握ったりすることで、その固さや触感を体験し、食べ物への関心につながり、自らの意志で食べようとする行動につながる。子どもが手づかみ食べをすると、周りが汚れて片付けが大変、食事に時間がかかる等の理由から、手づかみ食べをさせたくないと考える親もいる。そのような場合、手づかみ食べが子どもの発育及び発達に必要である理由について情報提供することで、親が納得して子どもに手づかみ食べを働きかけることが大切である。

(3) 離乳の完了
　離乳の完了とは、形のある食物をかみつぶすことができるようになり、エネルギーや栄養素の大部分が母乳又は育児用ミルク以外の食物から摂取できるようになった状態をいう。その時期は生後12か月から18か月頃である。食事は1日3回となり、その他に1日1～2回の補食を必要に応じて与える。母乳又は育児用ミルクは、子どもの離乳の進行及び完了の状況に応じて与える。なお、離乳の完了は、母乳又は育児用ミルクを飲んでいない状態を意味するものではない。
　食べ方は、手づかみ食べで前歯で噛み取る練習をして、一口量を覚え、やがて食具を使うようになって、自分で食べる準備をしていく。

(4) 食品の種類と調理
ア　食品の種類と組合せ
　与える食品は、離乳の進行に応じて、食品の種類及び量を増やしていく。
　離乳の開始は、おかゆ（米）から始める。新しい食品を始める時には離乳食用のスプーンで1さじずつ与え、子どもの様子をみながら量を増やしていく。慣れてきたらじゃがいもや人参等の野菜、果物、さらに慣れたら豆腐や白身魚、固ゆでした卵黄など、種類を増やしていく。
　離乳が進むにつれ、魚は白身魚から赤身魚、青皮魚へ、卵は卵黄から全卵へと進めていく。食べやすく調理した脂肪の少ない肉類、豆類、各種野菜、海藻と種類を増やしていく。脂肪の多い肉類は少し遅らせる。野菜類には緑黄色野菜も用いる。ヨーグルト、塩分や脂肪の少ないチーズも用いてよい。牛乳を飲用として与える場合は、鉄欠乏性貧血の予防の観点から、1歳を過ぎてからが望ましい。
　離乳食に慣れ、1日2回食に進む頃には、穀類（主食）、野菜（副菜）・果物、たんぱく質性食品（主菜）を組み合わせた食事とする。また、家族の食事から調理する前のものを取り分けたり、薄味のものを適宜取り入れたりして、食品の種類や調理方法が多様となるような食事内容とする。
　母乳育児の場合、生後6か月の時点で、ヘモグロビン濃度が低く、鉄欠乏を生じやすいとの報告がある。また、ビタミンD欠乏の指摘もあることから、母乳育児を行っている場合は、適切な時期に離乳を開始し、鉄やビタミンDの供給源となる食品を積極的に摂取するなど、進行を踏まえてそれらの食品を意識的に取り入れることが重要である。
　フォローアップミルクは母乳代替食品ではなく、離乳が順調に進んでいる場合は、摂取する必要はない。離乳が順調に進まず鉄欠乏のリスクが高い場合や、適当な体重増加が見られない場合には、医師に相談した上で、必要に応じてフォローアップミルクを活用すること等を検討する。
イ　調理形態・調理方法
　離乳の進行に応じて、食べやすく調理したものを与える。子どもは細菌への抵抗力が弱いので、調理を行う際には衛生面に十分に配慮する。
　食品は、子どもが口の中で押しつぶせるように十分な固さになるよう加熱調理をする。初めは「つぶしがゆ」とし、慣れてきたら粗ごさい、ついないままへと進め、軟飯へと移行する。野菜類やたんぱく質性食品などは、始めはなめらかに調理し、次第に粗くしていく。離乳中期頃になると、つぶした食べ物をひとまとめにする動きを覚え始めるので、飲み込み易いようにとろみをつける工夫も必要になる。
　調味について、離乳の開始時期は、調味料は必要ない。離乳の進行に応じて、食塩、砂糖など調味料を使用する場合は、それぞれの食品のもつ味を生かしながら、薄味でおいしく調理する。油脂類も少量の使用とする。
　離乳食の作り方の提案に当たっては、その家庭の状況や調理する者の調理技術等に応じて、手軽に美味しく安価にできる具体的な提案が必要である。

「授乳・離乳の支援ガイド Ⅱ-2 離乳の支援」、2019年3月発表.

	離乳初期 生後5〜6か月頃	離乳中期 生後7〜8か月頃	離乳後期 生後9〜11か月頃	離乳完了期 生後12〜18か月頃
	離乳の開始 ──────────────────────→ 離乳の完了			
	以下に示す事項は，あくまでも目安であり，子どもの食育や成長・発達の状況に応じて調整する．			
食べ方の目安	○子どもの様子を見ながら1日1回1さじずつ始める ○母乳や育児用ミルクは飲みたいだけ与える	○1日2回食で食事のリズムをつけていく ○いろいろな味や舌ざわりを楽しめるように食品の種類を増やしていく	○食事リズムを大切に，1日3回食に進めていく ○共食を通じて食の楽しい体験を積み重ねる	○1日3回の食事リズムを大切に，生活リズムを整える ○手づかみ食べにより，自分で食べる楽しみを増やす
調理形態	なめらかにすりつぶした状態	舌でつぶせる固さ	歯ぐきでつぶせる固さ	歯ぐきで噛める固さ
1回当たりの目安量				
Ⅰ 穀類(g)	つぶしがゆから始める	全がゆ 50〜80	全がゆ 90〜軟飯80	軟飯90〜 ご飯80
Ⅱ 野菜・果物(g)	すりつぶした野菜等も試してみる	20〜30	30〜40	40〜50
Ⅲ 魚(g)	慣れてきたら，つぶした豆腐・白身魚・卵黄等を試してみる	10〜15	15	15〜20
又は肉(g)		10〜15	15	15〜20
又は豆腐(g)		30〜40	45	50〜55
又は卵(個)		卵黄1〜全卵1/3	全卵1/2	全卵1/2〜2/3
又は乳製品(g)		50〜70	80	100
歯の萌出の目安		乳歯が生え始める	1歳前後で前歯が8本生えそろう	離乳完了期の後半頃に奥歯（第一乳臼歯）が生え始める
摂食機能の目安	口を閉じて取り込みや飲み込みができるようになる 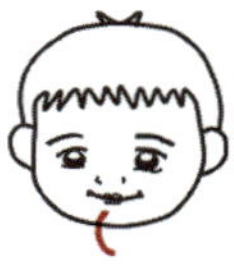	舌と上あごで潰していくことができるようになる 	歯ぐきで潰すことができるようになる 	歯を使うようになる

※衛生面に十分に配慮して食べやすく調理したものを与える．

図5.1　離乳食の進め方の目安
厚生労働省，「授乳・離乳の支援ガイド」，2019年3月発表．

ることへの楽しみや興味を養うことが重要で，食べ物に興味を示し情緒が安定しているときに，成長・発達段階に応じた無理のない栄養教育を行うことが大切である．さらに幼児では心身の発達や食行動に個人差が見られるが，とくにこの傾向が強く見受けられる3歳以降の栄養教育においては，パーソナリティーや行動および性格の日内変動を十分に認識して，栄養教育を行う必要がある．

表 5.5 離乳食によく使われる食品とその調理法例

食品名		準備期 4か月	初期 5か月～6か月	中期 7か月～8か月	後期 9か月～11か月	完了期 12か月～15か月
	調理形態		なめらかにすりつぶした状態	舌でつぶせる固さ	歯ぐきでつぶせる固さ	歯ぐきでかめる固さ
糖質性食品	米	米がゆ(ベビーフード), 米がゆ(すりつぶし)	軟かゆ, おじや	雑炊, ドリア	硬かゆ, 軟飯, ドリア	軟飯, ご飯, トマトライス, 炒飯, おにぎり
	パン		パンがゆ(すりつぶし)	ミルク煮, ミルク浸し	パンプディング, フレンチトースト	トースト, サンドイッチ
	めん類			くたくた煮つぶし	くたくた煮, クリーム煮	軟らか煮, グラタン	焼きうどん
	じゃがいも, さつまいも, 里いも	すりつぶし	汁の実, 含め煮のマッシュ	煮つぶし	軟らか煮	焼きマッシュ, 茶きん	揚げ煮, コロッケ, 天ぷら
	マカロニ, スパゲッティ				クリーム煮, スープ煮, (軟らかくゆでて刻む)	グラタン, サラダ, ソテー
油脂性食品	バター, 植物油			バターがゆ, マッシュポテト, シチュー, ソテー, クリーム煮		ムニエル, サラダ, 揚げ煮	天ぷら, フライ
	ピーナッツバター, ごま				ピーナッツ和え, ごま和え		
	マヨネーズ				サラダ, ソース		
たんぱく質性食品	卵黄		ゆで卵のペースト	プディング, 茶わん蒸し, かき玉汁			
	全卵				卵とじ, 炒り卵	ポーチドエッグ, オムレツ, 厚焼き, 目玉焼き, ゆで卵サラダ	
	豆腐	汁の実(すりつぶし)	汁の実, 煮豆腐(すりつぶし)	炒り豆腐, 煮豆腐	空也蒸し	バター焼き, 麻婆豆腐, 中華風炒めもの	揚げ出し豆腐
	牛乳・乳製品		パンがゆ, ヨーグルト和え, クリーム煮, チーズ煮			チーズ焼き, スティックチーズ, ミルクゼリー	
	納豆				納豆汁, 納豆がゆ, おろし煮, 五目煮, 納豆ご飯		
	白身魚(かれい, ひらめ)		すり流し, いもマッシュ	くずし煮, クリーム煮, トマト煮	ほぐし煮,	蒸し魚, ムニエル, 焼き魚, サラダ, 天ぷら煮込み	
	赤身魚(あじ, 鮭)			ほぐし煮, トマト煮	あんかけ,	ムニエル, 焼き魚, 揚げ魚, フライの煮込み	
	青魚(さば, さんま)					煮魚, ムニエル, 焼き魚, 揚げ魚	
	レバー(鶏レバー)			ベビーフード	すりつぶし, そぼろ煮 トマト煮, みそ煮, シチュー	ソテー, コロッケ	焼き鶏風
	鶏肉			ベビーフード	煮込みうどん, そぼろ, オムレツ, サラダ	唐揚げほぐし	
	豚肉, 牛肉			ベビーフード	そぼろ煮, シチュー, ハンバーグ, 肉団子, シューマイ, 水ぎょうざ		
	ハム, ウインナーソーセージ				ソテー, シチュー, サラダ, 炒飯		
ビタミン・無機質を含む食品	かぼちゃ, にんじん, だいこん, かぶ	スープ	含め煮, 汁の実(すりつぶし)	含め煮, スープ煮(煮つぶし)	グラッセ, サラダ	天ぷら
	ブロッコリー, カリフラワー		ゆで野菜, ソテー(すりつぶし)	クリーム煮, サラダつぶし	ソテー, グラタン, サラダ	
	きゅうり			おろし和え	サラダ, 甘酢和え(みじん切り)	サラダ(粗刻み)	スティック
	玉ねぎ, キャベツ	スープ	汁の実, 煮物(すりつぶし)	シチュー, ソテー(みじん切り)	シチュー, ソテー, グラタン, トマトライス(粗刻み)ロールキャベツ	
	ほうれん草, 小松菜		汁の実(すりつぶし), 煮浸し(刻む)	お浸し, なべもの	和えもの(みじん切り)	お浸し, 和えもの, ソテー, なべもの(粗刻み)	
	果物		すりおろし, すりつぶし	粗おろし, コンポート(粗つぶし)		粗刻み, 薄切り, フルーツポンチ, サラダ	

山口規容子, 水野清子, 『育児にかかわる人のための小児栄養学(改訂第4版)』, 診断と治療社(2002)を一部改変.

健やか親子21（第2次）

「健やか親子21」は，2001年（平成13）から開始した，母子の健康水準を向上させるためのさまざまな取組みを，みんなで推進する国民運動計画である．平成27年度からは，現状の課題を踏まえ，新たな計画（～令和6年度）が始まっている．

従来の「健やか親子21」で掲げてきた課題を見直し，現在の母子保健を取り巻く状況を踏まえて三つの基盤課題と，また，とくに重点的に取り組む必要のあるものを二つの重点課題としている．

【基盤課題A】切れ目ない妊産婦・乳幼児への保健対策
【基盤課題B】学童期・思春期から成人期に向けた保健対策
【基盤課題C】子どもの健やかな成長を見守り育む地域づくり
【重点課題❶】育てにくさを感じる親に寄り添う支援
【重点課題❷】妊娠期からの児童虐待防止対策

一方で，健やか親子21に引き続き，健やか親子21（第2次）を受けて，保育園においても食育に対するさまざまな工夫が試みられている．

母親の就業や核家族化による孤食，生活の夜型化による夜食や朝食欠食の増加に変化は見られず，間食の質もとくに改善されていない．また，過食や運動不足などによる肥満や骨折の増加，食物アレルギーや過度の除去食による栄養障害および発育遅延なども増加している．女性の就業率は増加しており，外食や加工食品の摂取が増え，高エネルギー・高脂質食や運動不足などはさらに肥満児を増加させると考えられる．したがって，子どもと養育者に対する適切な栄養教育が望まれる．

食べることは生きるための基本であり，子どもの健やかな心と身体の発達に欠かせないものである．

子どもの健やかな心と身体を育むためには，「何を」「どれだけ」食べるかということともに，「いつ」「どこで」「どのように」食べるかということが重要になる．人とのかかわりも含め，これらのほどよいバランスが，心地よい食卓をつくり出し，心の安定をもたらし，健康な食習慣の基礎になっていく．またそうした安定した状態で，食べるという自分の欲求に基づいて行動し，その結果から得られる体験を繰り返し学ぶことにより，子どもの主体性が育まれる．発育・発達の段階に応じた豊かな食の体験を積み重ねていくことによって，生涯にわたって健康でいきいきとした生活を送る基本である食を営む力が育まれるわけである．

食べることは，家庭，保育所，幼稚園，学校，地域などさまざまな環境とかかわるなかで，子どもが毎日行う営みである．すべての子どもが豊かな食の体験を積み重ねていけるように，個々の場での取組みを充実させていくとともに，継続した活動をより広げていくために，関連する機関との連携，それを支援する環境づくりを推進していく必要がある．

【楽しく食べる子どもに―食からはじまる健やかガイド―】

近年の子どもの食をめぐる諸問題に対応するため，食を通じて，親子や家族とのかかわり，仲間や地域とのかかわりを深め，子どもの健やかな心と身体の発達を促すことをねらいとし，食を通じた子どもの健全育成のあり方について検討が重ねられ，平成16年（2004）2月に報告書として「楽しく食べる子どもに―食からはじまる健やかガイド―」（厚生労働省雇用均等・児童家庭局）が取りまとめられた（表5.6）．このガイドでは，子どもが広がりをもった食にかかわりながら成長し，楽しく食べる子どもになっていくことを目指している．楽しく食べることは，生活の質（QOL）の向上につながり，身体的，精神的，社会的健康につながる．また子どもにおいて，食事の楽しさは食欲や健康状態，食事内容，一緒に食べる人，食事の手伝いなどと関連し，良好な食生活を送っているかを示す指標の1つである．

具体的には，次の5つの子どもの姿を目標とする．

表5.6 楽しく食べる子どもに―食からはじまる健やかガイド―

授乳期・離乳期―安心と安らぎの中で食べる意欲の基礎づくり―
　○安心と安らぎの中で母乳（ミルク）を飲む心地よさを味わう
　○いろいろな食べ物を見て，触って，味わって，自分で進んで食べようとする

幼児期―食べる意欲を大切に，食の体験を広げよう―
　○おなかがすくリズムがもてる
　○食べたいもの，好きなものが増える
　○家族や仲間と一緒に食べる楽しさを味わう
　○栽培，収穫，調理を通して，食べ物に触れはじめる
　○食べ物や身体のことを話題にする

学童期―食の体験を深め，食の世界を広げよう―
　○1日3回の食事や間食のリズムがもてる
　○食事のバランスや適量がわかる
　○家族や仲間と一緒に食事づくりや準備を楽しむ
　○自然と食べ物とのかかわり，地域と食べ物とのかかわりに関心をもつ
　○自分の食生活を振り返り，評価し，改善できる

思春期―自分らしい食生活を実現し，健やかな食文化の担い手になろう―
　○食べたい食事のイメージを描き，それを実現できる
　○一緒に食べる人を気遣い，楽しく食べることができる
　○食料の生産・流通から食卓までのプロセスがわかる
　○自分の身体の成長や体調の変化を知り，自分の身体を大切にできる
　○食にかかわる活動を計画したり，積極的に参加したりすることができる

厚生労働省（2004）．

① 食事のリズムがもてる
② 食事を味わって食べる
③ 一緒に食べたい人がいる
④ 食生活や健康に主体的にかかわる
⑤ 食事づくりや準備にかかわる

　これらの子どもの姿は，それぞれ独立したものではなく，関連し合うものであり，それらが統合されて一人の子どもとして成長することを目標とするものである．

　発育・発達過程における特徴についてはさまざまな側面から多くの要素があげられるが，「食を営む力」を育てるためには「心と身体の健康」「人とのかかわり」「食のスキル」「食の文化と環境」に注目している．すなわち，「心と身体の健康」を保ち，「人とのかかわり」を通して社会的健康を培いながら，「食の文化と環境」とのかかわりのなかで，いきいきとした生活を送るために必要な「食スキル」を身につけていく子どもの姿につながる．子どもの「食を営む力」を育むために，発育・発達過程にかかわるおもな特徴（図5.2）に応じて，具体的にどのような"食べる力"を育んでいけばよいのかを図5.3にまとめている．

5.7 保育と栄養教育

「食べることの楽しみ」,「楽しい食環境」,「栽培食物の利用」などによる保育と食育により,栄養や健康に対する興味や関心をもつ心豊かな子どもを育む栄養教育が望まれているが,「子育て支援」を受けて,その実践は年々増加している. しかし,近年12月以降の冬季に乳幼児突然死症候群(sudden infant death syndrome : SIDS)の発生や,乳幼児虐待の増加傾向が見られ,予防のための普及・啓発が重点的に行われている. 子どもに対する教育だけでなく,親の心を癒す栄養教育も重要である. 保育における栄養教育では次のことに留意したい.

① 食事のしつけ,手洗い,歯磨きなど食生活における基本的な習慣から始め,運動,休養,睡眠などについても,生活習慣病の一次予防となる望ましい生活習慣を身につけさせる(「食事の最初と終わりの挨拶の有無」と「食生活や生活全体に対する姿勢の良好の程度」に正の相関が認められている).

② 核家族化により育児に不安を覚え,情緒不安定な母親が増加しているので,母乳への固執や栄養教育の行き過ぎがきっかけとならないように注意しなければならない.

乳幼児の栄養教育は従来からの医療・行政機関における乳幼児健診(3か月健診,1歳6か月健診,3歳児健診)の集団および個別指導がある.

(1) 保育所(保育園)および幼稚園等における栄養教育

保育所における食育は,新保育所保育指針〔平成30年(2009)4月施行〕を基本とし,「健康な生活の基本としての『食を営む力』の育成に向け,その基礎を培う」ことを目標として実施する. 食育の実施にあたっては家庭や地域社会と連携をはかり,保護者の協力のもとに保育士,調理員,栄養士,看護師などの全職員が個々の専門性を生かしながら,ともに進めることが重要である.

保育所における食育は,楽しく食べる子どもに成長していくことを期待しつつ,次のような子ども像の実現を目標としている.

① お腹がすくリズムをもてる子ども
② 食べたいもの,好きなものが増える子ども
③ 一緒に食べたい人がいる子ども
④ 食事づくり,準備にかかわる子ども
⑤ 食べものを話題にする子ども

「保育所における食育に関する指針」では食べることは生きることの源であり,発達段階に応じて豊かな食体験を積み重ねていくことにより,生涯にわたって健康で質の高い生活を送る基本となる食を営む力を培うことが重要であると示されている(図5.4).

また,保育所における食育に関する指針の普及を図り,活用を促進するために,保育所における食事の提供ガイドライン〔平成24(2012)年3月厚生労働省〕が出された. 食事提供の具体的な支援のあり方を示し,食事をより豊かなものにし,子どもたちの健やかな成長と保育の質の向上をはかることを目的とした

乳幼児突然死症候群
発生の危険性を相対的に高めている因子として,うつ伏せ寝,人工栄養哺乳,保護者などの習慣的喫煙がある. 一方,虐待や窒息事故との鑑別や的確な対応も求められている.

新保育所保育指針
〔平成30年(2018)4月施行〕
2017年に改定,2018年4月から施行され,これまで福祉施設と位置づけられていた保育所が,重要な幼児教育の場でもあることが明確に示された. また,第3章「健康及び安全」で食育の推進などに関する記載が見直されたほか,「災害への備え」という項目が新設された.

幼稚園教育要領の改正
〔平成30年(2018)4月施行〕
幼稚園教育は,健康,人間関係,環境,言葉,表現の5領域に分かれている. 前回の改正で,健康領域に食育が加わった. 健康な心と体を育てるためには食育を通じた望ましい食習慣の形成が大切であることを踏まえ,幼児の食生活の実情に配慮し,和やかな雰囲気のなかで教師や他の幼児と食べる喜びや楽しさを味わったり,さまざまな食べ物への興味や関心をもったりするなどし,進んで食べようとする気持ちが育つようにすることなどが,あげられている.

保育所における食育に関する指針
乳幼児期からの食育の必要性が高まっていることを受け,平成16年(2004)3月に,(財)こども未来財団平成15年度児童環境づくり等総合調査研究事業の一環として,「保育所保育指針」に準拠しつつ,保育所での具体的な食育の内容を検討し,まとめられた. 第2次食育推進基本計画〔平成23年(2011)〕においても,この食育指針を普及し,保育所における食育の推進を図る.

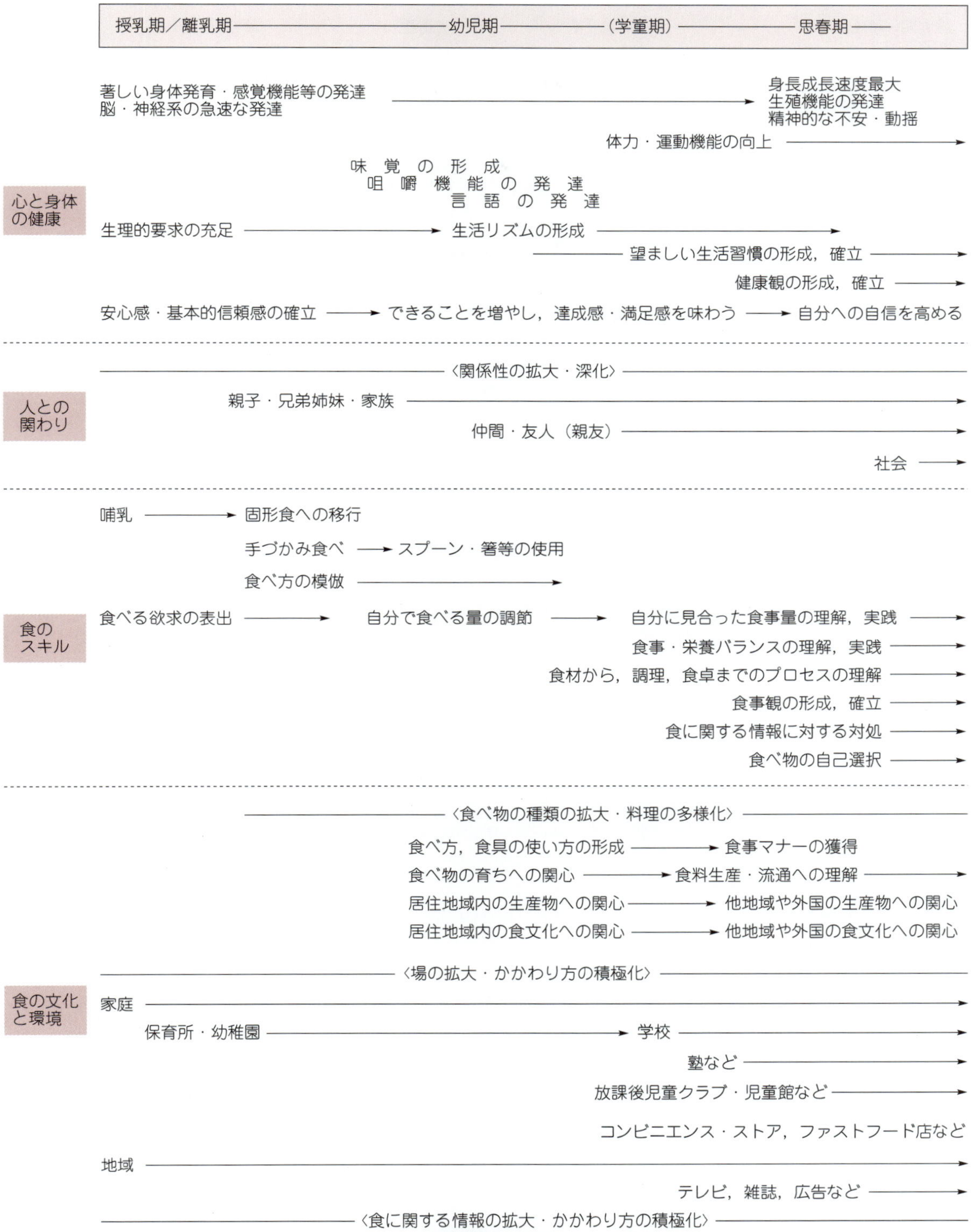

5.7 保育と栄養教育

授乳期／離乳期――――――――――――――――幼児期――――――（学童期）――――――思春期――

心と身体の健康

著しい身体発育・感覚機能等の発達　　　　　　　　　　　　　身長成長速度最大
脳・神経系の急速な発達　　　　　　　　　　　　　　　　　　生殖機能の発達
　　　　　　　　　　　　　　　　　　　　　　　　　　　　　精神的な不安・動揺
　　　　　　　　　　　　　　　　体力・運動機能の向上――――――→
　　　　　　　　　　　味　覚　の　形　成
　　　　　　　　　　咀　嚼　機　能　の　発　達
　　　　　　　　　　　言　語　の　発　達
生理的要求の充足―――――――――生活リズムの形成――――――――――――――→
　　　　　　　　　　　　　　　　　望ましい生活習慣の形成，確立――――→
　　　　　　　　　　　　　　　　　　　　健康観の形成，確立――――→
安心感・基本的信頼感の確立　→　できることを増やし，達成感・満足感を味わう　→　自分への自信を高める

人との関わり

――――――――――〈関係性の拡大・深化〉――――――――――
　　　　親子・兄弟姉妹・家族―――――――――――――――――――→
　　　　　　　　　　仲間・友人（親友）―――――――――――――→
　　　　　　　　　　　　　　　　　　　　　　　　社会――→

食のスキル

哺乳―――――→固形食への移行
　　　　　手づかみ食べ―――→スプーン・箸等の使用
　　　　　食べ方の模倣――――
食べる欲求の表出――――→　自分で食べる量の調節―――→　自分に見合った食事量の理解，実践――→
　　　　　　　　　　　　　　　　　　　　　食事・栄養バランスの理解，実践――→
　　　　　　　　　　　　　　　食材から，調理，食卓までのプロセスの理解――→
　　　　　　　　　　　　　　　　　　　　　　　　食事観の形成，確立――→
　　　　　　　　　　　　　　　　　　　　　食に関する情報に対する対処――→
　　　　　　　　　　　　　　　　　　　　　　　食べ物の自己選択――→

食の文化と環境

―――――――〈食べ物の種類の拡大・料理の多様化〉―――――――
　　　　　　食べ方，食具の使い方の形成―――――→食事マナーの獲得
　　　　　　食べ物の育ちへの関心―――――→食料生産・流通への理解
　　　　　　居住地域内の生産物への関心―――→他地域や外国の生産物への関心
　　　　　　居住地域内の食文化への関心―――→他地域や外国の食文化への関心
――――――〈場の拡大・かかわり方の積極化〉――――――
家庭―――――――――――――――――――――――――→
　　保育所・幼稚園―――――――――→学校―――――――→
　　　　　　　　　　　　　　　塾など――――→
　　　　　　　　　　　　放課後児童クラブ・児童館など――→
　　　　　　　　　　コンビニエンス・ストア，ファストフード店など
地域―――――――――――――――――――――――――→
　　　　　　　　　　　　テレビ，雑誌，広告など――――
―――――〈食に関する情報の拡大・かかわり方の積極化〉―――――

図 5.2 発育・発達過程にかかわるおもな特徴
厚生労働省，「楽しく食べる子どもに―食からはじまる健やかガイド―」(2004).

5章■乳幼児期の栄養教育の展開

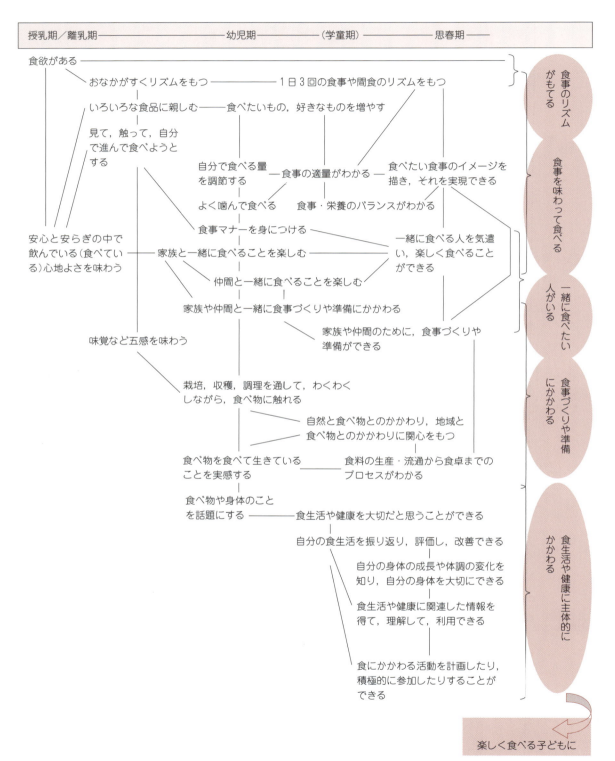

図5.3 発育・発達過程に応じて育てたい"食べる力"について
厚生労働省,「楽しく食べる子どもに─食からはじまる健やかガイド─」(2004).

● 「保育所における食育に関する指針」における食育の目標と取組み

　保育所における食育は，子どもの発育・発達に欠くことのできない重要なものであるとの認識のもと，食生活，食習慣の基礎を培うことを目的に，食育を推進している．具体的には，以下のように，保育所生活の様々な場面で，子どもの発育過程に応じ，「食を営む力」を育む活動を行っている．

「保育所における食育に関する指針」の目標

〈目標〉
現在を最もよく生き，かつ，生涯にわたって健康で質の高い生活を送る基本としての「食を営む力」の育成に向け，その基礎を培うこと．

期待する子ども像

- 食と健康
- 料理と食
- 食と人間関係
- いのちの育ちと食
- 食と文化

- お腹がすくリズムのもてる子どもに
- 食べものを話題にする子どもに
- 食べたいもの，好きなものが増える子どもに
- 食事づくり，準備にかかわる子どもに
- 一緒に食べたい人がいる子どもに

食育の取組み：クッキング保育

食育の取組み：栽培・収穫体験

図 5.4　「保育所における食育に関する指針」における食育の目標と取組み
「平成 18 年度　食育白書」(2006).

指標となっている．

（2）児童福祉施設における栄養教育

　児童福祉施設では，幼児，児童，学童を対象とする栄養教育だけでなく，保護者や保育者への支援と栄養教育が重要である．

保育所における
食事提供ガイドライン
www.mhlw.go.jp/bunya/
kodomo/pdf/shokujiguide.
pdf

（a）収容施設：乳児院，知的障害児施設，盲・ろうあ児施設，重症心身障害児施設など

従来，養護施設では規則正しい食事を提供するだけであった．しかし近年，身体的・心理的・性的虐待児が増加しており，保護の怠慢拒否（ネグレクト）を受けている児童もいる．とくに食事を与えないネグレクトを受けてきた児童は，栄養的・食行動的問題による成長・発育に問題があり，深刻な心理的問題が存在する．栄養教育では，施設専門職員やカウンセラーなどと協力しながら，顕在化する問題のみならず，個々のすべてを把握し，注意深く観察しながら対応していく姿勢が要求される．

（b）通園施設：知的障害児通園施設など

ノーマリゼーションの基本理念から，障害者にも在宅で健常者と同様の生活を送らせ，食生活における自立や，自らの栄養管理が可能となる栄養教育を行う必要がある（10.2節も参照）．

5.8　乳幼児期の臨床栄養教育
（1）先天性代謝異常症

遺伝子の障害により，先天的にある種の酵素が欠損しているか，または正常な機能をもたないために起こる．

正常な代謝ができないため，代謝されるべき物質が蓄積したり，必須の物質が欠乏したりすることで，精神・運動発達障害，肝障害，発達障害，視力障害などさまざまな症状を呈する．新生児期の早期に発見し，治療を開始・継続す

認定こども園
幼稚園と保育園の両方の良さを併せもち，教育・保育を一体的に行う施設．0歳から就学前の子どもまで，保護者の就業の有無に関わらず利用でき，預かり時間が長い．幼保連携型，幼稚園型，保育所型，地方裁量型の4つのタイプがある．改訂幼保連携型認定こども園教育・保育要領（平成29年3月内閣府・文部科学省・厚生労働省告示）では，第3章 健康及び安全 第2 食育の推進に従い，食育を行う．

ネグレクト
児童の正常な心身の発達を妨げる顕著な減食や，長時間の放置など，保護者としての監護を著しく怠ること．いわゆる無視行為である．

治療用特殊乳
育児用のミルクであるが，先天性代謝異常症の乳児に与えるもので，制限すべき成分を除去または減少させた人工的な育児乳である．フェニルケトン尿症の治療乳としては，ロフェミルクやフェニートールが有名である．

子育て支援と栄養教育

食育基本法では，とくに子どもの健全な体や心を育てるための栄養教育が重要視されている．子育て支援のための具体的な社会的計画として，5年ごとに「エンゼルプラン」，「新エンゼルプラン」という少子化対策が打ち出されてきた．平成17年（2005）4月には実効性ある内容を目指して作成された「子ども・子育て応援プラン」が策定された．平成13年（2001）に策定された「健やか親子21」，引き続き平成27年（2015）から開始した「健やか親子21（第2次）」とともに，行政を上げて女性が安心して子どもを生み育てることに重点が注がれるようになった．さらに昨今の児童虐待事例の増加などを考慮して，子育て支援の一環として母子保健法施行規則が改正されている．

実際に行われている「子育て支援」には，①行政機関：託児つき講座，保育園の一時預かり，低年齢児（0～2歳）の保育所受け入れの拡大，保健や育児相談など，少子化対策の一環として草の根的グループへの行政による支援，②地域行政：市区町村児童福祉課の保健（増進）センター支援，③自発的組織的活動：母親による地域子育て支援センターやサークル，育児ネットワークなどがある．地域の自主活動や幼稚園などの指導について，保護者や地域の母親から生活習慣病の予防としての食事に関する相談が増加している．親の考え方や生活が多様化している現状からも，個々の話を聞いて対応することが肝要である．

ることで障害を予防することができる(表5.7).

(a) フェニルケトン尿症(phenylketonuria, PKU)

フェニルアラニン(Phe)をチロシンに代謝する Phe 水酸化酵素の欠損により,Phe およびフェニルケトン体(フェニルピルビン酸など)が体内に蓄積され,尿異臭,知能・精神障害,痙攣,メラニン色素欠乏を生じる.

【栄養教育のポイント】

Phe は必須アミノ酸のため,発育に必要な最低量を確保する必要がある.新生児期の早期に正しい食事療法を開始すれば,正常に発達し,症状は軽減される.平成 26 年(2014)に厚生労働省がフェニルケトン尿症の治療指針(第 2 次改定)を出し,栄養・食事療法について勧告している.新生児マス・スクリーニングで高フェニルアラニン血症が見出された新生児では,正常のたんぱく質摂取量(2〜3 g/kg/日)において血中 Phe 値が 10 mg/dL を超えているときは,生後 20 日までに低 Phe 食の特殊ミルクによる食事療法を開始する.また,10 mg/dL のときは数日後経過観察して 7 mg/dL 以上の値が続く場合は特殊ミルクを使用し,血中 Phe 値を維持範囲内になるように食事療法を行う.

各年齢における Phe 摂取量の目安量を右に示す.治療開始 1 か月以後は乳児期では週 1 回,幼児期では月 1〜2 回 Phe 値を測定する.小学校入学までは原則として 4 週ごとに血中 Phe 値を測定し,3 か月ごとに身体測定と血液生化学検査を行う.食事療法は成人になるまで継続し一生続けることが望ましい.

(b) メープルシロップ尿症(maple syrup urine disease, MSUD)

分岐鎖ケト酸脱水素酵素複合体の欠損により分岐鎖アミノ酸(バリン,ロイシン,イソロイシン)から生じたケト酸が代謝されず,代謝性ケトアシドーシスとなる.哺乳困難,吸収障害,嘔吐,痙攣,昏睡のほか,尿や汗に楓糖様の異臭がある.

【栄養教育のポイント】

空腹時に血中ロイシン値が 2〜5 mg/dL に維持されるように分岐鎖アミノ酸量を決め,治療乳を基本として分岐鎖アミノ酸の最少必要量が不足しないように,市販粉乳や牛乳などを混合して与える.

(c) ホモシスチン尿症(homocystinuria)

シスタチオニン合成酵素の欠損により,メチオニンやホモシスチンが増加して,シスタチオニンやシスチンが欠乏する.知能障害,痙攣,骨格異常,水晶体の脱臼,動・静脈の血栓症を呈する.

【栄養教育のポイント】

低メチオニン-高シスチン食により,血中メチオニン値が 10 mg/dL 以下,尿中ホモシスチンが陰性となるように保つ.治療粉乳やメチオニンを含まず,シスチンを強化したアミノ酸混合物を用いる.なお,ビタミン B_6 の反応型の場合は,ビタミン B_6 の大量投与が有効であるともいわれている.

表 5.7 新生児マス・スクリーニングによる出現頻度

先天性代謝異常症	出現頻度(万人)	年平均(人)
ガラクトース血症	1/4	29
フェニルケトン尿症	1/7.5	16
メープルシロップ尿症	−	1〜3
ホモシスチン尿症	−	2〜4

フェニルケトン尿症の治療指針(摂取量の目安)

年齢	フェニルアラニン摂取量 (mg/kg/日)
0〜3 か月	70〜50
3〜6 か月	60〜40
6〜12 か月	50〜30
1〜2 歳	40〜20
2〜3 歳	35〜20
3 歳以後	35〜15

血中フェニルアラニン値の維持範囲(2019)

全年齢(妊婦含む)	Phe 値 (mg/dL)
	2〜6

「新生児マススクリーニング診療ガイドライン」(2019).

マターナル PKU(母性フェニルケトン尿症)

高 Phe 血症による胎児障害を予防するため,妊娠前から厳重な低 Phe 食を行う.妊娠期間を通じて,血中 Phe 値を 3〜6 mg/dL に維持することが重要である.

メープルシロップ尿症の治療指針

年齢	分岐鎖アミノ酸摂取量 (mg/kg/日)		
	ロイシン	イソロイシン	バリン
0～3か月	160～80	70～40	90～40
3～6か月	100～70	70～50	70～50
6～12か月	70～50	50～30	50～30

ホモシスチン尿症の治療指針

年齢	メチオニン (mg/kg/日)
0～6か月	40
6～12か月	20
1歳以上	10～15

ガラクトース血症の勧告治療指針

多田啓也ほか，日本小児科学会雑誌，81，840(1977)参照．

アミノ酸代謝異常症のための特殊ミルク（雪印）

○フェニルケトン尿症
・新ペプチドロフェ
・新フェニルアラニン除去ミルク
○ホモシスチン尿症
・新低メチオニンミルク
○メープルシロップ尿症
・新ロイシン・イソロイシン・バリン除去ミルク

幼児の成長度（肥満・やせ）判定曲線

成長期は，身長が同じでも年齢が違うと標準体重が異なるため，幼児用に肥満度と肥満度の増減が視覚的に判定できるよう，厚生労働省（旧厚生省）が平成9年(1997)11月に策定した．

（d）ガラクトース血症（galactosemia）

ガラクトースをグルコース代謝系に変換する酵素が欠損している．哺乳不良，肝腫大，黄疸，出血傾向，神経障害，白内障，敗血症などの症状がある．

【栄養教育のポイント】

ガラクトースが乳糖に含まれるので，母乳や調製粉乳を利用し，離乳期以降も乳糖を含む食品は避ける．

（e）糖原病（glycogen storage disease, GSD）

糖原病は，新生児マス・スクリーニングの対象となっていないが，4～5万人に1人発症しており，食事療法によって症状が改善されるため，早期発見・早期治療開始が重要である．肝臓でのグリコーゲン分解に関与する酵素（グルコース-6-ホスファターゼ）が欠損しているために，グリコーゲンからグルコースを放出することができず，低血糖と成長障害が起こり，肝臓に余分なグリコーゲンがたまり，肝障害を引き起こす．

【栄養教育のポイント】

糖原病の治療の基本は，グルコースとその重合体であるデキストリンやデンプンを使用し，ガラクトースおよび乳糖，果糖，ショ糖を制限する．糖原病の患者では，乳糖やショ糖を1回に1g/kg以上摂取すると，血中の乳酸が上昇し，血液が酸性に傾く（アシドーシス）ため，成長障害が生じる．食事療法としては，乳幼児期では糖原病治療ミルク（GSDフォーミュラ）を摂取する．制限する糖質と使用する糖質をうまく利用して必要なエネルギー量を摂取するようにする．

（2）消化不良症

全身の物質代謝障害や栄養素の摂取不足により，体重の増加停止あるいは減少をきたす状態をいう．頻繁に起こる下痢が主症状である．急性と慢性に大別され，発熱，腹痛，吐乳，不安などの症状を伴う．急性下痢の大半はウイルスや細菌による感染性の下痢症であり，慢性下痢の大部分は消化酵素の活性低下などによる難治性の下痢症である．

【栄養教育のポイント】

脱水状態にならないよう注意する．短期間の絶食または減食の後，症状に応じて十分な水分補給を行う．改善が認められたところで，母乳，治療乳，脱脂乳などを少量ずつ与え，徐々に増量し，濃度も増していく．

（3）乳幼児の肥満

乳幼児期の肥満は原発性肥満のことが多く，早期に食事療法や運動療法を行うことで，肥満が改善しやすいことが明らかになっている．

乳児期の肥満は幼児期以降の肥満につながることが少ないため，重度な場合を除いて原則対処しない．一方，幼児期の肥満は学童期の肥満と高い相関が認められ生活習慣病の発生頻度が増加するため，肥満対策はきわめて重要である．一般にはBMIは幼児期に減少し，5歳過ぎに再度上昇する．これをアディポシティー・リバウンドというが，この再上昇の時期が早いほど肥満を生じやす

いといわれ，1歳6か月から3歳にかけて起こる場合は注意が必要である．
　乳幼児健康診査や保育所での健診などで早期に発見し，改善に取り組むことが重要である．

【栄養教育のポイント】
① 定期的な身体計測：乳幼児身体発育曲線（パーセンタイル曲線），幼児用肥満度判定曲線や身長体重曲線（性別身長別標準体重）などを用いて，早期に肥満を発見し改善に努める．幼児の身体発達は，離乳時期，食事摂取量，活動量，生活リズム，精神的ストレスや養育状況による影響を受ける．また，成長障害を起こす疾患にも注意を払いながら総合的に評価する．
② 発育期のため，日本人の食事摂取基準をもとに，身体活動レベルに合わせたバランスのよい食事とする．食事内容の偏りの是正や生活習慣の見直しに重点をおく．おやつは補食であり楽しみでもあるため禁止せず，量や内容を調節する．また，減量を目指すのではなく，肥満の進行を抑えることを主眼とし，身体活動強度を高めるようライフスタイルの改善を行う．
③ 幼児期の肥満は養育者の育児態度や姿勢に大きな影響を受ける．幼児期が「生活習慣の基本形成期」であることを，養育者に認識させる教育が必要である．わが子の発育状況に自信がもてない養育者も多いため，保育所や地域と連携をとりながら栄養教育を実施する．

（4）アレルギー疾患

　アレルギーは，身体を外敵から守る働きをしている免疫反応が本来は反応しなくてもよいものに対して過剰に反応している状態である．アレルギー発症の原因物質（アレルゲンまたは抗原）が生体内に入ると，抗原提示細胞に取り込まれ，そのアレルゲンを特異的に排除するための抗体がB細胞によって生成される．とくにアレルギー症状を誘発するIgE抗体が産生された場合，IgE抗体はマスト細胞に接着する．再びアレルゲンが体内に侵入して，マスト細胞上のIgE抗体に結合するとヒスタミンやロイコトリエンなどの炎症性の物質が放出され，アレルギー症状を誘発する．
　食物アレルギーは「食物によって引き起こされる抗原特異的な免疫学的機序を介して，生体にとって不利益な症状が惹起される現象」をいう．乳幼児の食物アレルギーの有症率は4～10％で，原因食品は鶏卵，牛乳，小麦が多く，魚卵，木の実類，落花生，果物などが成長に伴って新規原因食物となっている．原因食品がごくわずかに摂取された場合でも症状を発症するため，混入などにも注意を要する．アレルギー物質を含む食品表示などをもとに，原因食品を除去することが治療・管理の基本となっている．乳児・幼児早期の即時型食物アレルギーのおもな原因の鶏卵・乳製品・小麦は，5～6歳までに60～70％で耐性を獲得するといわれていることから，定期的な診断を受けるようにする．また，妊娠中・授乳中にアレルギー疾患発症予防のために食事制限を行うことは推奨されていない．同様に予防のために離乳食の開始を遅らせる必要もない．

乳幼児身体発育パーセンタイル曲線

昭和25年（1950）から10年ごとに，厚生労働省が実施している乳幼児の保健指導の改善に資することを目的とした調査データにより求められたパーセンタイル曲線．一般調査（生後14日以上2歳未満および2歳以上の乳幼児一斉集団検診）と病院調査（1か月の乳児検診）を対象としている．

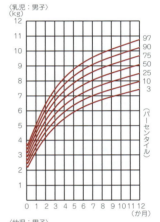

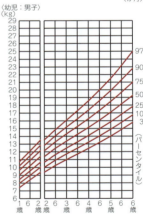

こども家庭庁，「令和5年乳幼児身体発育調査 調査結果の概要」（2024）.

口腔アレルギー症候群

IgE抗体を介した即時型アレルギー症状を呈する病型．口唇・口腔粘膜に症状が見られる．遺伝的に近い同科同属の植物で交差反応しやすく，花粉症と合併することが多い．

アレルギー物質を含む食品表示

特定原材料として表示義務：卵, 乳, 小麦, 落花生, えび, そば, かに, くるみ.

表示推奨：アーモンド, いくら, キウイフルーツ, 大豆, バナナ, やまいも, カシューナッツ, もも, ごま, さば, さけ, いか, 鶏肉, りんご, マカダミアナッツ, あわび, オレンジ, 牛肉, ゼラチン, 豚肉.

食物依存性運動誘発アナフィラキシー

原因食品を摂取した後に, 運動を行ったときにアレルギー反応によって血圧低下や多臓器障害を急激に起こす症例. 原因食品摂取後4時間は運動を控えるようにする.

保育所におけるアレルギー対応ガイドライン

アレルギーポータル

https://allergyportal.jp/

診断治療については, 厚生労働科学研究班による「食物アレルギーの診療の手引き 2023」および日本小児アレルギー学会食物アレルギー委員会による「食物アレルギー診療ガイドライン 2021」が作成されている. 栄養指導・対応については, 厚生労働科学研究班による「食物アレルギーの栄養食事指導の手引き 2022」, 「保育所におけるアレルギー対応ガイドライン」(厚生労働省, 2019 年改定版)が作成されている.

【アセスメント】
① 専門医による原因食品の確定診断. ② 食事摂取状況の確認(母乳栄養児の場合は母親の食事)による不必要な除去の確認や不足している栄養素等の確認. ③ 乳幼児期の食物アレルギーは耐性を獲得することも多いため, 定期的に診断を受ける.

【栄養教育のポイント】
「食物アレルギーの栄養食事指導の手引き 2022」では, 『栄養士は, 患者が「健康的な」「安心できる」「楽しい」食生活を営むための支援をする. その支援は, 医師の診断, 指示に基づくものである』としている. 栄養教育のポイントとして, ① 不必要な除去の確認(医師の診断する原因食品について, 安全性の確保のためにどのような食品に含まれ何を除去するか, 食べられる範囲の具体的な指導について根拠に基づいた正しい情報を提供する), ② 安全性の確保, ③ 食生活の評価・指導, ④ 「食べられる範囲」の具体的な指導, ⑤ 保護者(患者)の不安への理解・支援があげられる.

除去食物別の栄養指導では, 除去する食物に含まれている栄養素が不足しないように, それを補う代替食品などをアドバイスし, 主食, 主菜, 副菜を組み合わせてバランスのとれた献立になるよう指導する(表5.8, 5.9).

保育所施設での対応は安全性の観点から, 完全除去食対応, 家庭で摂取したことのない食品は提供しないことが基本原則となっている. 生活管理指導表の提出を求め, 関係者と十分な連携が必要である.

食物アレルギーの情報に関しては, 日本アレルギー学会／厚生労働省アレルギーポータルなどで最新の正しい情報を入手する.

（5）う 蝕

歯と口腔の健康を保つことは, 食物の咀しゃくだけでなく, 食事や会話を楽しむなど, QOL の維持・向上に大きな役割を果たす. 歯科疾患は早期発見・早期治療も大切だが, 予防がさらに最優先される.

乳歯は下の前歯 2 本が生後 6〜9 か月頃生え始める. 次に上の前歯 2 本, 最後に 2 歳半〜3 歳頃第二乳臼歯が生え, 20 本の乳歯が生えそろう. 幼児期のう蝕は永久歯のう蝕と強い関連が認められ, 歯が生え始める離乳期から幼児期にかけては口腔ケアや食習慣など歯科保健習慣を正しく身につけさせるために重要な時期であり, 生涯を通じた歯科保健への効果も高い.

表 5.8 食物アレルギーの原因食品の特徴と除去の考え方

① 鶏卵アレルギー	・鶏卵アレルギーは卵白のアレルゲン(オボムコイド, オボアルブミンなど)が主原因である. 加熱卵黄(少量の卵白が付着するものの)は摂取可能な児が多い. ・ただし, 鶏卵による食物蛋白誘発胃腸炎患者は, 卵白より卵黄で症状が誘発されることが報告されている. 卵黄を摂取した数時間後に繰り返し嘔吐を認めるような場合には, この病型である可能性を考慮する. ・卵白の主要な原因たんぱく質であるオボアルブミンは, 容易に加熱変性するため, 加熱温度や, 加熱時間, 調理方法によって, 食べられる場合がある. 逆に, 加熱鶏卵が摂取可能でも, 加熱が十分でない鶏卵や生鶏卵などでは症状が出る可能性があり, 加工食品や卵料理の幅を広げる手順を具体的に指導する. ・鶏肉や魚卵は, 鶏卵とアレルゲンが異なるため, 基本的に除去する必要はない. ・加工食品の原材料である卵殻カルシウム(焼成・未焼成製品)は, ほとんど鶏卵たんぱく質を含まないため摂取することができる. ・うずらの卵は, 食品表示法において特定原材料「卵」の範囲に含まれる. ・まれであるが, 鳥由来のアレルゲンに経気道感作された後, 交差反応による鶏卵アレルギー(bird-egg症候群)が報告されている.
② 牛乳アレルギー	・牛乳のアレルゲンにはカゼイン, β-ラクトグロブリンなどがある. カゼインは主要なアレルゲンで, 加熱によるアレルゲン性の変化を受けにくい. β-ラクトグロブリンは加熱によって反応性が低下する. ・牛肉は, 牛乳とアレルゲンが異なるため, 基本的に除去する必要はない. ・牛乳以外のやぎ乳や羊乳などは, アレルギー表示の範囲外であるが, 牛乳と強い交差抗原性があり, 使用できない. ・アレルギー用ミルク(特別用途食品・ミルクアレルゲン除去食品)は, 牛乳たんぱく質を酵素分解して, 分子量を小さくした「加水分解乳」と, アミノ酸を混合してミルクの組成に近づけた「アミノ酸乳」, 大豆たんぱくを用いた調製粉末大豆乳がある. 加水分解乳は, 最大分子量の小さいものほどアレルゲンの酵素分解が進んでおり, 症状が出にくい. アミノ酸乳は, 脂質が少なく, 通常の調乳条件では高浸透圧のため下痢を来しやすい. アレルギー用ミルクの選択は医師の指示に従う. ・新生児・乳児食物蛋白誘発胃腸症(新生児・乳児消化管アレルギー)患者や重症な牛乳アレルギー患者は, 加水分解乳で症状が出る可能性がある. ・ペプチドミルクは, たんぱく質の酵素分解が不十分でアレルゲンが残存しており, 牛乳アレルギー児には使用できない. ・加工食品の原材料には, 「乳」の文字をもつ紛らわしい表記が多く, 十分な理解が必要である. ・乳糖には, ごく微量(数μg/g)のたんぱく質が含まれる場合があるが, 加工食品中の原材料レベルでの除去が必要な場合はまれである. 摂取可否については医師に確認する.
③ 小麦アレルギー	・小麦の主要なアレルゲンに, グリアジンやグルテニンなどがある. ・大麦やライ麦などの麦類と小麦は, 交差抗原性が知られている. しかしすべての麦類の除去が必要となることは少ない. ・醤油の原材料に利用される小麦は, 醸造過程でアレルゲンが消失する. したがって原材料に小麦の表示があっても, 基本的に醤油を除去する必要はない. ・麦茶は大麦が原材料で, たんぱく質含有量はごく微量であるため, 除去が必要なことはまれである. ・米や他の雑穀類(ひえ, あわ, きび, たかきびなど)は, 摂取することができる. ・食物依存性運動誘発アナフィラキシーの原因食物として最も頻度が高い. ・α-アミラーゼインヒビターは, 小麦粉の吸入により職業性喘息を起こす baker's asthma の原因となる. これらは加工によるアレルゲン性の変化が少ない. ・グルテンフリー表示は欧米の基準であり, 我が国のアレルギー表示の基準とは異なる. このため重症な小麦アレルギー患者は, グルテンフリー表示の製品で症状が誘発される可能性がある. 一方で農林水産省が認証する米粉を対象とした「ノングルテン」表示は, 1 ppm 未満基準であり, 通常摂取が可能である.
④ 木の実アレルギー	・木の実(ナッツ)類(クルミ, カシューナッツ, アーモンド, マカダミアナッツ, ピスタチオ, ヘーゼルナッツ, ココナッツなど)は, ひとくくりにして除去をする必要はない. 個別に症状の有無を確認する. ・ただし, カシューナッツとピスタチオ, クルミとペカンナッツの間には強い交差抗原性がある. どちらかにアレルギーがあれば, 両者を除去する必要がある. ・クルミ, カシューナッツはアナフィラキシーなど重篤な症状のリスクが高く注意が必要である. ・アーモンド, カシューナッツ, クルミは, アレルギー表示の推奨品目である. 他のナッツ類はアレルギー表示の対象外である. 推奨品目は複合原材料等, 微量に含まれる旨の表示がされない場合があることに留意する.

「厚生労働科学研究班による 食物アレルギーの栄養食事指導の手引き 2022」, p.18, 21, 25, 28 の文章を抜粋し表にまとめた.

【栄養教育のポイント】

① 食後に歯磨きの習慣をつける. 子ども自身が歯磨き中は目を離さず, 歯ブ

表5.9 原因食物別・完全除去の場合の食事

鶏卵アレルギー	牛乳アレルギー
① 食べられないもの	① 食べられないもの
鶏卵と鶏卵を含む加工食品，その他の鳥の卵（うずらの卵など） ★基本的に除去する必要のないもの：鶏肉，魚卵	牛乳と牛乳を含む加工食品 ★基本的に除去する必要のないもの：牛肉
鶏卵を含む加工食品の例： マヨネーズ，練り製品（かまぼこ，はんぺんなど），肉類加工品（ハム，ウインナーなど），調理パン，菓子パン，鶏卵を使用している天ぷらやフライ，鶏卵をつなぎに利用しているハンバーグや肉団子，洋菓子類（クッキー，ケーキ，アイスクリームなど） など	牛乳を含む加工食品の例： ヨーグルト，チーズ，バター，生クリーム，全粉乳，脱脂粉乳，一般の調製粉乳，れん乳，乳酸菌飲料，はっ酵乳，アイスクリーム，パン，カレーやシチューのルウ，肉類加工品（ハム，ウインナーなど），洋菓子類（チョコレートなど），調味料の一部
② 鶏卵が利用できない場合の調理の工夫	② 牛乳が利用できない場合の調理の工夫
●肉料理のつなぎ 　片栗粉などのでんぷん，すりおろしたいもやれんこんをつなぎとして使う． ●揚げものの衣 　水と小麦粉や片栗粉などのでんぷんをといて衣として使う． ●洋菓子の材料 ・プリンなどはゼラチンや寒天で固める． ・ケーキなどは重曹やベーキングパウダーで膨らませる． ●料理の彩り 　カボチャやトウモロコシ，パプリカ，ターメリックなどの黄色の食材を使う．	●ホワイトソースなどのクリーム系の料理 ・じゃがいもをすりおろしたり，コーンクリーム缶を利用する． ・植物油や乳不使用マーガリン，小麦粉や米粉，豆乳でルウを作る． ・市販の乳不使用のルウを利用する． ●洋菓子の材料 ・豆乳やココナッツミルク，アレルギー用ミルクを利用する． ・豆乳から作られたホイップクリームを利用する．
③ 鶏卵の主な栄養素と代替栄養	③ 牛乳の主な栄養素と代替栄養
鶏卵M玉1個（約50g）あたり たんぱく質　約6.0g　→　肉（豚・牛肉の赤身）25～35g 　　　　　　　　　　　　肉（ささみ）25g 　　　　　　　　　　　　魚　25～35g 　　　　　　　　　　　　豆腐（木綿）85g	普通牛乳100mLあたり カルシウム　110mg　→　調整豆乳　360mL 　　　　　　　　　　　　干しひじき　10g（小鉢1杯） 　　　　　　　　　　　　アレルギー用ミルク　200mL
☆主食（ごはん，パン，麺など），主菜（肉，魚，大豆製品など），副菜（野菜，芋類，果物など）のバランスに配慮する．	☆主食（ごはん，パン，麺など），主菜（肉，魚，大豆製品など），副菜（野菜，芋類，果物など）のバランスに配慮する．
④ 鶏卵のアレルギー表示	④ 牛乳のアレルギー表示
1) 容器包装された加工食品 鶏卵は容器包装された加工食品に微量でも含まれている場合，必ず表示する義務がある．したがって，原材料表示欄に鶏卵に関する表記がなければ摂取できる． ○卵の代替表記：たまご，鶏卵，あひる卵，うずら卵，タマゴ，玉子，エッグ ○「卵殻カルシウム」は除去する必要はない． 2) 容器包装されていない料理や加工食品（飲食店，惣菜など） 容器包装されていない料理や加工食品には，どのような原材料であっても表示の義務はない．特に微量で発症したり，重篤な症状を起こしたりする可能性がある場合は販売者に直接確認して利用する．	1) 容器包装された加工食品 牛乳は容器包装された加工食品に微量でも含まれている場合，必ず表示する義務がある．したがって，原材料表示欄に牛乳に関する表記がなければ摂取できる． ○乳の代替表記：ミルク，バター，バターオイル，チーズ，アイスクリーム ○「乳酸菌」「乳酸カルシウム」「乳酸ナトリウム」「乳化剤（一部乳由来あり）」「カカオバター」「ココナッツミルク」などは，牛乳とは関係なく，摂取することができる． 2) 容器包装されていない料理や加工食品（飲食店，惣菜など） 容器包装されていない料理や加工食品には，どのような原材料であっても表示の義務はない．特に微量で発症したり，重篤な症状を起こしたりする可能性がある場合は販売者に直接確認して利用する．

小麦アレルギー
① 食べられないもの
小麦と小麦を含む加工食品 ★基本的に除去する必要のないもの：醤油，穀物酢
小麦粉：薄力粉，中力粉，強力粉，デュラムセモリナ小麦 小麦を含む加工食品の例： パン，うどん，マカロニ，スパゲティ，中華麺，麩，餃子や春巻の皮，お好み焼き，たこ焼き，天ぷら，とんかつなどの揚げもの，フライ，シチューやカレーのルウ，洋菓子類（ケーキなど），和菓子（饅頭など） ＊大麦の摂取可否は主治医の指示に従う．
② 小麦が利用できない場合の調理の工夫
●ルウ 　米粉や片栗粉などのでんぷん，すりおろしたいもなどで代用する． ●揚げものの衣 　コーンフレーク，米粉パンのパン粉や砕いた春雨で代用する． ●パンやケーキの生地 　米粉や雑穀粉，大豆粉，いも，おからなどを生地として代用する． 　市販の米パンを利用することもできる． ●麺 　市販の米麺や雑穀麺を利用する．
③ 小麦の主な栄養素と代替栄養
食パン6枚切1枚あたり （薄力粉・強力粉45g相当） エネルギー　150kcal　→　ごはん　100g 　　　　　　　　　　　　米麺（乾麺）40～50g 　　　　　　　　　　　　米粉パン　60g 　　　　　　　　　　　　米粉　40g程度
☆主食（ごはん，米麺，米パンなど），主菜（肉，魚，大豆製品など），副菜（野菜，芋類，果物など）のバランスに配慮する．
④ 小麦のアレルギー表示
1) 容器包装された加工食品 小麦は容器包装された加工食品に微量でも含まれている場合，必ず表示する義務がある．したがって，原材料表示欄に小麦に関する表記がなければ摂取できる． ○小麦の代替表記：こむぎ，コムギ ○「麦芽糖」「麦芽（一部小麦由来あり）」は除去する必要はない． 2) 容器包装されていない料理や加工食品（飲食店，惣菜など） 容器包装されていない料理や加工食品には，どのような原材料であっても表示の義務はない．特に微量で発症したり，重篤な症状を起こしたりする可能性がある場合は販売者に直接確認して利用する．

「厚生労働科学研究班による　食物アレルギーの栄養食事指導の手引き2022」．手引き中のp.19，23，26の各表を抜粋しまとめた．

ラシをもったまま移動させない．保護者による仕上げ磨きをする．
② 規則正しい食事をすることで，糖が口腔内に存在する時間を短くする．就寝時は唾液分泌が減少するため，糖や酸性の飲食物の摂取に注意する．
③ ジュースやスポーツ飲料などの糖や酸が含まれる飲料の常用は，う蝕の罹患率を高める．哺乳びんでイオン飲料などを摂取すると，う蝕ができやすい．
④ 口を閉じ，ゆっくり噛むことであごの発達がよくなり，永久歯の歯並びにもよい影響を与える．

練 習 問 題

次の文を読み，正しいものには○，誤っているものには×をつけなさい．

(1) 離乳の支援にあたっては，子どもの健康を維持し，発育・発達を促すことのみを基本とする．
(2) 離乳開始後1か月間は離乳食を1日3回与える．
(3) 「授乳・離乳の支援ガイド」の「授乳の支援ガイド」は，母乳，育児用ミルクの乳汁の種類にかかわらず，母子の健康の維持とともに健やかな母子・親子関係の形成を促し，育児に自信をもたせることを基本としている． 重要
(4) 離乳の開始は生後3，4か月頃をいい，子どもの様子を見ながら，1日1回1さじずつ，母乳やミルクは5回ほど与える．
(5) 「楽しく食べる子どもに─食からはじまる健やかガイド─」では，子どもが適切な食事摂取ができることをめざしている．
(6) 幼児期は咀しゃく能力や消化機能が未熟であるので，食品の選択，調理形態，食事量などに配慮が必要である． 重要
(7) フォローアップミルクは，乳児後半期の鉄欠乏性貧血予防をおもな目的とする． 重要
(8) 保育所における食育は保育所保育指針を基本とする．
(9) 幼児期においてローレル指数が160以上であれば，肥満と診断する． 重要
(10) 特定原材料名表示のなかでアレルゲン表示が義務づけられている食品は，小麦，そば，卵，落花生，乳，えび，かに，くるみの8品目である．
(11) アレルギーの原因となる食品は，生涯にわたり除去しなければならない．
(12) 児童福祉給食は，身体的・精神的に障害をもつ児童を対象としているため，カウンセリング的態度で個別教育を行うことが基本である．
(13) 離乳後期に乳汁の代替として牛乳を用いてもよい．
(14) 離乳期前半には，砂糖より栄養がある蜂蜜を与えるほうがよい．
(15) 「授乳・離乳の支援ガイド」では，軟飯程度の固形物が噛めなくても，1歳頃までの離乳完了を目標にする．
(16) 離乳の開始では，下痢の心配の少ないおかゆから始める．
(17) 「授乳・離乳の支援ガイド」での離乳食の進め方の目安では，食事の目安，成長の目安の2項目が示されている．

■出題傾向と対策■
乳幼児期の栄養管理の意義や発達段階に応じた栄養教育のあり方，方法などの特徴をよく理解しておくこと．とくに「授乳・離乳の支援ガイド」や食物アレルギー，先天性代謝異常，乳・幼児期の肥満については出題頻度が高い．また，食育，楽しく食べる子どもに──食からはじまる健やかガイド，子育て支援や保育についても理解しておくこと．

重要🖝　(18) 離乳の完了は母乳または育児ミルクを飲んでいない状態を意味する．
　　　　(19) 離乳食の進め方の目安で，食べ方の目安において，生後7, 8か月頃には，いろいろな味や舌ざわりを楽しめるように食品の種類を増やしていくことが記載されている．
　　　　(20) 離乳の完了期には，1日3回の食事のリズムを大切に，生活リズムを整えることが重要である．
重要🖝　(21) 乳幼児は腸管が未成熟であるので，食物アレルギーを引き起こしやすい．
　　　　(22) フェニルケトン尿症は，フェニルアラニン(Phe)水酸化酵素が欠損しているので，Pheを完全に除去しなければならない．
重要🖝　(23) 保健所では，乳児健診，3歳児健診などの母子保健事業を行う．
重要🖝　(24) すべての子どもが発育・発達段階に関係なく豊かな食の体験を積み重ねていくことが重要である．

6

ライフステージ・ライフスタイル別栄養教育
学童期・思春期の栄養教育の展開

6.1 学童期の栄養教育の特徴と課題
(1) 学童期の特徴
　学童期は，小学校に在籍する6年間(4月時点で6〜11歳)をいう．身体面では，前半は幼児期に引き続き穏やかな発育が見られるが，後半は身長，体重ともに急激に発育する．発育の開始時期では男女間で差が見られ，女子のほうが2歳程度早い．また，後半には性的特徴が発現する第二次性徴期に入るが，その開始時期は個人差が大きい．精神面では，前半は幼児期と同様に自己中心的な思考による行動をとりやすく，後半になると記憶力や思考力などの知的能力や社会性が発達し，抽象的あるいは論理的な思考が可能になる．食生活面では親への依存度が高いが，成長とともに行動範囲が広がり自ら食物を選択する機会が増える．

(2) 学童期における課題
　近年における少子化，核家族化，ライフスタイルの多様化に伴い，学童期の食行動では，朝食欠食や家族とのコミュニケーションなしに一人で食事を摂る孤食，間食や夜食の摂取などが見られる．

(a) 朝食欠食
　朝食欠食は，家族の夜型の生活リズムの影響を受けるとともに，塾通いやスポーツ活動への参加，夜間のインターネットやゲームの利用などによって子どもたち自身の生活リズムが夜型になることが原因としてあげられる．その結果，翌朝に朝食を食べる時間がなくなった，食欲不振という状況を招く(図6.1)．

(b) 孤食
　孤食は，核家族の増加や保護者の共働き，シフトワークなどのライフスタイルの多様化に伴い家族一人一人の生活リズムの違いから生じることが多く，家族で一緒に食卓を囲む共食の機会が減少しがちである．家族との共食は，食にかかわる知識や食習慣が親から子へと受け継がれる貴重な時間といえる．しかし，共食の機会が減少し，一人で食事をする場合が多くなると，知識の伝授や望ましい食習慣の確立が困難となり，心の健康状態にも影響する可能性がある．

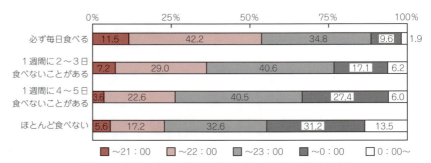

図6.1 朝食の摂取状況と就寝時刻の関係(小学5年生)
文部科学省,「家庭で・地域で・学校でみんなで早寝早起き朝ごはん―子どもの生活リズム向上ハンドブック―」(平成19年度).

(c) 間食,夜食

コンビニエンスストアやファストフード店が多い現代の社会環境のなかでは,誰でも好きなときに自由に食品を入手することが可能である.購入した食品は,間食や夜食として摂取される場合が多く,過剰なエネルギー摂取や好きなものしか食べない偏食の助長,食事の規則性や栄養バランスの乱れなどにつながりやすい.これらの食行動は肥満や脂質異常症,さらには成人後の生活習慣病を招く可能性があり,注意が必要である.表6.1に,学童期の肥満傾向児および痩身傾向児の出現率を示す.肥満傾向児は前年度と比較すると,女子の6歳を除いた各年齢で男女ともに増加している.また,痩身傾向児は一部の年

表6.1 年齢別(6〜11歳)肥満傾向児および痩身傾向児の出現率

区分	肥満傾向児の出現率(%)					
	男子			女子		
	令和元年度	平成30年度	前年度との比較	令和元年度	平成30年度	前年度との比較
6歳	4.68	4.51	0.17	4.33	4.47	△0.14
7歳	6.41	6.23	0.18	5.61	5.53	0.08
8歳	8.16	7.76	0.40	6.88	6.41	0.47
9歳	10.57	9.53	1.04	7.85	7.69	0.16
10歳	10.63	10.11	0.52	8.46	7.82	0.64
11歳	11.11	10.01	1.10	8.84	8.79	0.05

区分	痩身傾向児の出現率(%)					
	男子			女子		
	令和元年度	平成30年度	前年度との比較	令和元年度	平成30年度	前年度との比較
6歳	0.42	0.31	0.11	0.56	0.63	△0.07
7歳	0.37	0.39	△0.02	0.45	0.53	△0.08
8歳	0.73	0.95	△0.22	1.09	1.19	△0.10
9歳	1.55	1.71	△0.16	1.65	1.69	△0.04
10歳	2.61	2.87	△0.26	2.71	2.65	0.06
11歳	3.25	3.16	0.09	2.67	2.93	△0.26

厚生労働省,「令和元年度 学校保健統計調査」.

齢を除き，男女ともに減少している．

6.2 学童期の栄養教育

学童期の栄養教育は，家庭や学校，地域社会における食育の一環として実践される．食育基本法では，あらゆる世代における食育の基本理念などが示されているが，とくに子どもたちへの食育が重要視されている．それは，この時期の食育が心身の成長および人格の形成に大きく影響し，生涯にわたって健やかに生きるための基礎を培うからである．また，次の世代の親への教育であるともいえる．

（1） 家庭における食育

学童期の食生活は，保護者への依存度が高い．そのため，子どもたちが健全な食生活の基本を身につけるには保護者による食育が求められる．保護者は，子どもたちに対して食に関する基本所作を教えるほか，正しい知識に基づいて自ら食物を適切に選択しながら食生活をコントロールしていく能力（食の自己管理能力）を身につけさせることが重要である．食育白書は，家庭における食育推進に関する概要を示している．また，文部科学省のホームページには家庭における食育を支援する教材が紹介されており，いずれも学童期の子どもたちをもつ家庭において参考にできる（表6.2）．

（2） 学校における食育の推進

（a） 学校における食育

家庭での食育と同様に，学校における食育も，子どもたちに食に関連するさまざまな知識や食の自己管理能力を身につけさせるうえで重要な役割をもつ．学校における食育は，カリキュラム・マネジメントを基本としながら組織的，計画的に推進するよう学習指導要領〔平成29年（2017）告示〕に明記されている．各学校は，食育を学校教育の一環として位置づけ，学校長のリーダーシップのもと，各学校の特色を生かした全体計画を作成する．そして，教職員は校務分掌に基づいた役割を適切に分担し，相互に連携しながら食に関する指導に取り組む．

表6.2 家庭における食育推進に関する概要

子どもの基本的な生活習慣の形成
●「早寝早起き朝ごはん」国民運動の推進
●妊産婦や子育て世代等に対する食育の推進
農林水産省．「令和元年度食育白書」第2部 食育推進施策の具体的取組み

家庭における食育を支援する教材
●家庭で・地域で・学校でみんなで早寝早起き朝ごはん―子どもの生活リズム向上ハンドブック― 　文部科学省HP．https://www.mext.go.jp/a_menu/shougai/katei/08060902.htm
●家庭教育手帳 　文部科学省HP．https://www.mext.go.jp/a_menu/shougai/katei/main8_a1.htm

---

栄養教育と食育
「栄養教育」は，人々が自分の健康などにつながる食物選択や食行動を自発的に取り入れるように導く教育的戦略と学習経験を組み合わせたものであり，管理栄養士などの有資格者が中心となって実施する．「食育」は平成17年（2005）に食育基本法に制定されて以降に頻出している用語であり，国民があらゆる機会や場所を利用して行うもので，資格の有無は問わない．学童期における栄養教育は食育の一環として実施されることが多いため，この章では「食育」という用語を中心に使用する．

食育基本法
平成17年（2005）に施行された法令（平成17年法律第63号）（巻末資料参照）．

食育白書
食育基本法第15条に規定する「食育の推進に関して講じた施策に関する報告書」を指し，政府は毎年国会に提出しなければならない．

カリキュラム・マネジメント
学校におけるカリキュラム・マネジメントは，①児童や学校，地域の実態を適切に把握し，教育の目的や目標の実現に必要な教育の内容などを教科等横断的な視点で組み立てる（Plan），②教育課程の実施状況を評価してその改善を図る（Do, See），③教育課程の実施に必要な人的または物的な体制を確保するとともにその改善を図る（Check），の各段階をもとに取り組む．

学習指導要領

全国のどの地域においても一定の水準の教育を受けられるように，文部科学省が学校教育法などに基づき定めた教育課程を編成する際の基準をいう．最新の学習指導要領は，平成30年度の幼稚園を皮切りに小学校，中学校，高等学校と順次実施されている．

また，学習指導要領には，食に関する指導を通じて育成したい**資質**や**能力**として「知識・技能の習得」「思考力・判断力・表現力等の育成」「学びに向かう力・人間性等の涵養」という3つの柱があげられている．教職員は，これらを結果目標としたうえで学習目標を設定すると同時に，子どもたち自身が「何ができるようになるか」という行動目標を明確にすることが重要である．

さらに，学習指導要領を踏まえ改訂された**食に関する指導の手引**（第二次改訂版）では，育成したい資質や能力の内容がより具体的に述べられ，合わせて6つの**食育の視点**も示されている（表6.3）．教科学習を担当する教員は，子どもたちの発達段階や各教科の特質などを踏まえつつ，食育の視点を盛り込んだ授業の実施が求められている．

(b) 栄養教諭

学校における食育を推進する際には，**栄養教諭**が果たす役割は大きい．栄養教諭は，学校教育法第37条において「児童の栄養の指導及び管理をつかさどる」

表6.3　学校における食育推進に関する概要

小学校学習指導要領（平成29年告示）　第1章　総則 2　生きる力を育む各学校の特色ある教育活動の展開（第1章第1の2） (3) 健やかな体〔第3章第1節2の(3)〕 　健康に関する指導については，児童が身近な生活における健康に関する知識を身に付けることや，必要な情報を自ら収集し，適切な意思決定や行動選択を行い，積極的に健康な生活を実践することのできる資質・能力を育成することが大切である．特に，学校における食育の推進においては，栄養摂取の偏りや朝食欠食といった食習慣の乱れ等に起因する肥満や生活習慣病，食物アレルギー等の健康課題が見られるほか，食品の安全性の確保等の食に関わる課題が顕在化している．こうした課題に適切に対応するため，児童が食に関する正しい知識と望ましい食習慣を身に付けることにより，生涯にわたって健やかな心身と豊かな人間性を育んでいくための基礎が培われるよう，栄養のバランスや規則正しい食生活，食品の安全性などの指導が一層重視されなければならない．また，これら心身の健康に関する内容に加えて，自然の恩恵・勤労などへの感謝や食文化などについても教科等の内容と関連させた指導を行うことが効果的である． 　食に関する指導に当たっては，体育科における望ましい生活習慣の育成や，家庭科における食生活に関する指導，特別活動における給食の時間を中心とした指導などを相互に関連させながら，学校教育活動全体として効果的に取り組むことが重要であり，栄養教諭等の専門性を生かすなど教師間の連携に努めるとともに，地域の産物を学校給食に使用するなどの創意工夫を行いつつ，学校給食の教育的効果を引き出すよう取り組むことが重要である．
食に関する指導の手引—第二次改訂版—　第1章　学校における食育の推進の必要性 ●食に関する指導の目標 【知識・技能】食事の重要性や栄養バランス，食文化等についての理解を図り，健康で健全な食生活に関する知識や技能を身に付けるようにする 【思考力・判断力・表現力等】食生活や食の選択について正しい知識・情報に基づき，自ら管理したり判断したりできる能力を養う 【学びに向かう力・人間性等】主体的に自他の健康な食生活を実現しようとし，食や食文化，食料の生産等に関わる人々に対して感謝する心を育み，食事のマナーや食事を通じた人間関係形成能力を養う ●食育の視点 【食事の重要性】食事の重要性，食事の喜び，楽しさを理解する 【心身の健康】心身の成長や健康の保持増進の上で望ましい栄養や食事のとり方を理解し，自ら管理していく能力を身に付ける 【食品を選択する能力】正しい知識・情報に基づいて，食品の品質及び安全性等について自ら判断できる能力を身に付ける 【感謝の心】食べ物を大事にし，食料の生産等に関わる人々へ感謝する心をもつ 【社会性】食事のマナーや食事を通じた人間関係形成能力を身に付ける 【食文化】各地域の産物，食文化や食に関わる歴史等を理解し，尊重する心をもつ

「小学校学習指導要領（平成29年告示）」，文部科学省．

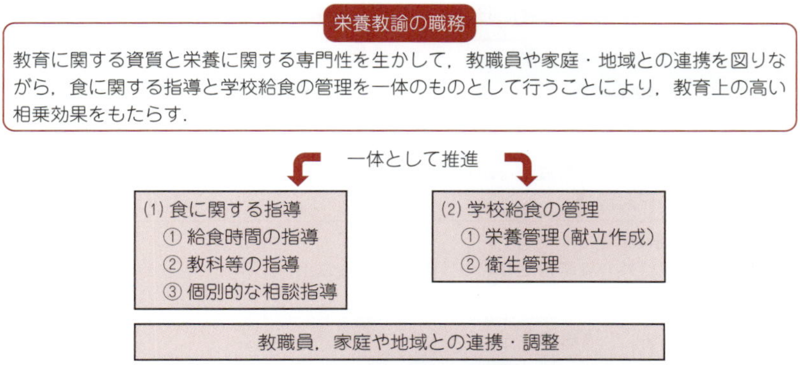

図 6.2　栄養教諭の職務

文部科学省，「栄養教諭を中核としたこれからの学校の食育」，平成 29 年（2017），p.4，一部，著者改変．

職種と位置づけられている．一方で，学校給食法，第 1 条　目的には学校給食の教育的意義が明記されており，栄養教諭は学校給食を生きた教材として活用しながら食育を推進すると示されている（同法第 10 条）．

具体的には，学校給食の管理（衛生管理の徹底や地産地消の導入など）のほか，学校給食と学校行事や授業などとの間に関連性をもたせた食に関する指導を展開する．同時に，学校内の教育活動全体で取り組む食に関する指導のコーディネーター役としての役割も担う（図 6.2）．

（c）Child to Child プログラム

小学校における食育では，上級生が学習活動を通じて学んだ知識を年少の子どもたちに伝授するという，子どもたちが中心となって進めるプログラムが活用できる．このプログラムは Child to Child と呼ばれ，もとは発展途上国で発祥した活動であった．しかし，現在では健康，教育，福祉などの幅広い分野の充実に役立つ教育の方法として世界的に普及しており，世界銀行やユニセフ，ユネスコなどの国際機関から高く評価されている．

（3）学校・家庭・地域が連携した食育の推進

（a）地域全体における食育

学校での食育を推進するときは，校内体制の整備とともに家庭や地域と連携，協働することが望ましい．地域にはその地域特有の食材や料理（郷土食や行事食）があり，学校は給食にそれらを用いて地産地消に取り組む場合や，食材の生産や流通，あるいは料理の伝承などにかかわる人々に協力を仰ぐ場合がある．これらは，6 つの食育の視点の 1 つである食文化を学ぶ食に関する指導を展開する際に効果的である．さらに，学校の授業や給食の内容などに関するさまざまな情報を内外に発信すれば，地域全体の食育の充実につながる．表 6.4 に，学校・家庭・地域が連携した食育の例を示す．この取組みの結果目標は，学校給食での地産地消の推進と地域全体での食品ロスの削減に着目して設定されて

食に関する指導の手引

文部科学省が作成した手引書で，食に関する指導の基本的な考え方や指導方法，評価などが示されている．平成 19 年（2007）に初版が刊行され，22 年（2010）の第一次改訂を経て，29 年（2017）の新学習指導要領等の改訂を踏まえ，第二次改訂が行われた．

栄養教諭

栄養教諭制度は，平成 17 年（2005）から施行された．栄養教諭の配置は地方公共団体や設置者の判断によるとされており，平成 30 年（2018）時点で全国に約 6000 名の栄養教諭が学校や給食センターで活躍している．

学校給食法

第 1 条　目的
第 2 条　目標
第 10 条　「第 3 章　学校給食を活用した食に関する指導」
巻末資料参照．

表 6.4 学校・家庭・地域が連携した食育の例：学校給食における地産地消の推進と食品ロス削減の取組み

事業目標	
地産地消の推進	食品ロスの削減
・学校給食における地元農産物を活用する体制	・規格外*の農産物を学校給食の食材として調達する新たな仕組みの構築 ・調理残渣を削減しながら効率的に大量調理を行うための調理方法やメニューの研究開発
【結果目標】 ・農産物使用率の目標値：20％以上 ・使用する新たな食材数の目標値：5品目	【結果目標】 ・規格外の農産物使用量の目標値：50 kg 以上
実践内容	
<地域と学校> ・農産物生産者の組織化 ・点在する生産者からの集荷システムの構築 ・使用農産物および供給可能量の調整 ・学校給食への農産物の活用	<地域と学校> ・学校給食に規格外の農産物を調達する仕組みの構築 ・規格外の農産物を用いた献立や調理方法の開発 ・調理残渣を削減させる調理方法の開発 ・子どもたちによる食品ロス削減献立の考案 ・子どもたちが考案した献立の学校給食への導入
<地域と学校> ・地産地消や食品ロスに関連する食に関する指導の実施 ・子どもたちから生産者への感謝の気持ちを伝える会の実施	
<家庭等への発信> ・食育だよりや学校のホームページを用いた情報発信 ・自治体の広報誌を用いた情報発信 ・地元新聞への事業内容の掲載 ・教員や学校給食関係者対象の研修会での報告	
結果評価	
・学校給食で使用した地元農産物の使用量(重量ベース)65％＞目標値 ・使用した新たな食材数：5品目 ＝ 目標値	・規格外の農産物の使用量：237 kg＞目標値

＊規格外：品質面において家庭で使用してもまったく問題ないが，大きさや形に不都合があって直売場への出荷に不向きなもの．

おり，子どもたちによる食品ロス献立の考案や学校給食への導入も行ったことが食育としての意義を高めている．

（b）子ども食堂

近年になって，地域における食育の拠点として子ども食堂が注目されている．家庭における食育が難しい子どもたちに対して，共食の場面や食に関連する体験の機会を提供できることから，食育を実践できる場として期待されている．しかし，スタッフや運営費の確保，地域住民の理解などが課題は多い．

6.3 学童期の集団栄養教育（小学校における栄養教育）

小学校において集団を対象にした食に関する指導を実施する場合，対象は全校生，学年単位，あるいは学級単位など，さまざまな人数の集団が想定される．いずれの場合も，すべての子どもたちが理解できる内容の充実に努め，3つの資質・能力の育成を通して食の自己管理能力を身につけさせる．

子ども食堂
子どもたちに対して無料あるいは安価な食事を提供する活動である．平成28年(2016)には約300か所だったが，令和元年(2019)には全国で3000か所以上になったと報告されている．

3つの資質・能力の育成
https://www.mext.go.jp/component/a_menu/education/detail/__icsFiles/afieldfile/2019/04/19/1293002_4_1.pdf

6.3 学童期の集団栄養教育（小学校における栄養教育）

（1）教科等の活用

　食に関する指導を実施するときは，おもに道徳を含めた各教科や特別活動，総合的な学習の時間などを活用する．実施の際には，教科の特質によって食とのかかわりの程度が異なることに配慮する必要がある．また，小学校では学年によって理解度や習熟度が異なることから，発達段階に合わせて各目標を設定することが重要である．

　表6.5は，小学校で育成したい食にかかわる資質・能力を6つの視点に分類し，それぞれの学習目標と行動目標を示している．

　たとえば「食事の重要性」では，興味や関心をもってもらう対象が低学年の「食べ物」から中学年や高学年の「日常の食事」へと広がっている．また，「楽しい食事環境が心身の健康につながることを理解する」，あるいは「食事の規則性の大切さを認識する」など，段階に合わせて学習目標が設定されている．さらに「心身の健康」を見ると，低学年から中学年において「好き嫌いをしない」などの食生活の基本となる点を押さえ，高学年では栄養バランスのとれた食事の重要性

表6.5　学年段階別の育成したい食にかかわる資質・能力（例）

	低学年	中学年	高学年
食事の重要性	○食べ物に興味・関心をもち，楽しく食事ができる	○日常の食事に興味・関心をもち，楽しく食事をすることが心身の健康に大切なことがわかる	○日常の食事に興味・関心をもち，朝食を含め3食規則正しく食事を摂ることの大切さがわかる
心身の健康	○好き嫌いせずに食べることの大切さを考えることができる ○正しい手洗いや，良い姿勢でよく噛んで食べることができる	○健康に過ごすことを意識して，さまざまな食べ物を好き嫌いせずに3食規則正しく食べようとすることができる	○栄養のバランスのとれた食事の大切さが理解できる ○食品をバランスよく組み合わせて簡単な献立を立てることができる
食品を選択する能力	○衛生面に気を付けて食事の準備や後片付けができる ○いろいろな食べ物や料理の名前がわかる	○食品の安全・衛生の大切さがわかる ○衛生的に食事の準備や後片付けができる	○食品の安全に関心をもち，衛生面に気をつけて簡単な調理をすることができる ○身体に必要な栄養素の種類と働きがわかる
感謝の心	○動物や植物を食べて生きていることがわかる ○食事のあいさつの大切さがわかる	○食事が多くの人々の苦労や努力に支えられていることや自然の恩恵の上に成り立っていることが理解できる ○資源の有効利用について考える	○食事にかかわる多くの人々や自然の恵みに感謝し，残さず食べようとすることができる ○残さず食べたり，無駄なく調理したりしようとすることができる
社会性	○正しいはしの使い方や食器の並べ方がわかる ○協力して食事の準備や後片付けができる	○協力したりマナーを考えたりすることが，相手を思いやり楽しい食事につながることを理解し，実践することができる	○マナーを考え，会話を楽しみながら気持ちよく会食をすることができる
食文化	○自分の住んでいる身近な土地でとれた食べ物や，季節や行事にちなんだ料理があることがわかる	○日常の食事が地域の農林水産物と関連していることが理解できる ○地域の伝統や気候風土と深く結びつき，先人によって培われてきた多様な食文化があることがわかる	○食料の生産，流通，消費について理解できる ○日本の伝統的な食文化や，食に関わる歴史等に興味・関心をもつ

文部科学省，「食に関する指導の手引―第二次改訂版―」，p.21 を著者改変．

の理解と献立作成へと発展させている．同時に，「正しい手洗いやよく嚙む」，あるいは「3食規則正しく食べる」などの行動目標が設定されている．これらの目標の達成に向けた食に関する指導を実施し，子どもたちの行動変容の有無を中心に評価を行う．

（2）学校給食の活用

学校給食は生きた教材であり，集団を対象にした食に関する指導を実施するうえで中心的な役割を担う．給食の会食時間には，献立内容の確認や食事という実体験を通して食に関する知識や食に対する興味や関心を深めることができる．また，会食前後の準備や後片付けという一連の共同作業は，仲間と協力する姿勢や周りを思いやる心を育む利点があることから，給食による学習効果は大きい．日々の給食指導はおもに学級担任が担うが，運営や指導方法は担任と栄養教諭が共有し，学校全体で統一した取組みを行うことが重要である．

6.4 学童期の栄養教育（個別指導）

学童期の食にかかわる個別的な相談指導（個別指導）では，授業や特別活動などの集団における指導では解決できない個々に抱える健康や栄養の問題を解決し，適正な食生活の形成と改善を進めていく．

表6.6に食にかかわる個別指導の例を示す．栄養教諭は，養護教諭や学級担任と密接に連絡をとり，共通理解を図りながら対象児童に積極的にかかわり，問題解決に向けて適切に対応する．

（1）個別指導の手順

まず，対象となる児童の身体状況，栄養状態や食生活，食に関する知識や理解度のほか，家庭や地域のような環境を把握することが重要である．次に，問題点を洗い出して分析しながら総合的に見て指導の目標を決定する．続いて，指導計画に沿って本人に適した指導や助言を行い，フィードバックを繰り返しながら指導を継続させる．一方で，食習慣以外の生活習慣や心の健康とも関連する可能性が考えられるため，栄養教諭は教職員だけでなく主治医や学校医とも連携した対応を行う．

個別指導を実施する際には個人情報の保護に注意する．しかし，たとえば食物アレルギーのように，対象児童が属するクラスの他の児童に疾患への理解を促す機会を設け，給食時に協力を求めるなどの配慮も忘れてはならない．

食物アレルギー
「食物を摂取した後に免疫学的機序を介して引き起こされる，抗原特異的で生体に不利益な症状を呈するアレルギー疾患」と定義されている．小児期から成人期までさまざまなタイプが存在し，発症パターンや主要原因抗原などが年齢によって変化する（表6.7）．食物アレルギーの有病率は乳児期に最も高く，しだいに耐性を獲得して減少していくが，小学校入学後も症状を呈する児童がいる場合がある（5.8節参照）．

表6.6 学童期に想定される課題とその対応

課題	対応
偏食傾向	偏食が及ぼす健康への影響について指導・助言する
肥満傾向	適度の運動とバランスのとれた栄養摂取の必要性について理解を図り，肥満解消に向けた指導を行う
瘦身願望	ダイエットの健康への影響を理解させ，無理なダイエットをしないよう指導を行う
食物アレルギー	原因物質を除いた学校給食の提供や不足する栄養素を補給する食品などについて助言を行う
運動部活動など	必要なエネルギーや栄養素の摂取等について指導を行う

表6.7 食物アレルギーの臨床型分類

臨床型		発症年齢	頻度の高い食物	耐性獲得	アナフィラキシーショックの危険性	食物アレルギーの機序
新生児・乳児消化管アレルギー		新生児期乳児期	牛乳（乳児用調整粉乳）	多い	あり	おもに非IgE依存性
食物アレルギーの関与する乳児アトピー性皮膚炎		乳児期	鶏卵，牛乳，小麦，大豆など	多い	あり	おもにIgE依存性
即時型症状（蕁麻疹，アナフィラキシーなど）		乳児期～幼児期	鶏卵，牛乳，小麦，そば，魚類，ピーナッツなど	鶏卵，牛乳，小麦，大豆等は多く，それら以外は少ない	高い	おもにIgE依存性
		学童期～成人期	甲殻類，魚類，小麦，果物類，そば，ピーナッツなど			
特殊型	食物依存性運動誘発アナフィラキシー（FDEIA）	学童期～成人期	小麦，えび，果物など	少ない	高い	おもにIgE依存性
	口腔アレルギー症候群（OAS）	幼児期～成人期	果物，野菜など	少ない	低い	おもにIgE依存性

国立病院機構 相模原病院 臨床研究センター，『食物アレルギー診療の手引き2017』，食物アレルギー研究会（2018）を参考．

（2）食物アレルギーへの対応

図6.3に，食物アレルギーを有する児童を対象にした個別指導の例を示す．学校給食における食物アレルギーへの対応では，**食物アレルギー対応委員会**で学校や調理上の状況などに合わせた最良の方法を検討し，食事をつくって提供する側（栄養教諭，調理員）と受け取る側（学級担任，本人）の連携を怠らないことが重要である．また，特定の食材を除去しなければならない場合は，栄養の偏りが生じる可能性がある．そのため，栄養教諭らは保護者に対して家庭での食事に関する助言を行い，必要に応じて主治医や学校医に指導を仰ぐ．

6.5 思春期（青年期）の栄養教育の特徴と課題
（1）思春期（青年期）の特徴

思春期・青年期は子どもから大人への移行する時期であり，青年期は15～25歳くらいまでのことを指すが，はっきりとした年齢の定義はない．思春期は青年期の一部か，あるいは学童期の次に続く段階で青年期に至るまでの時期とされるものが多い．生物学的・生理学的には，「思春期」とは「**第二次性徴**の発現の始まりから成長の終わりまで」とされている．

思春期は，身体的な成熟と心理・社会的な成熟の間に大きな隔たりがあることが特徴である．心理学的には自己と向き合い**アイデンティティ**を確立していく時期であり，身体的にも心理的にも変化が著しい時期であることから不安や苛立ちが大きく，大人や社会に対して反抗的な態度を取るようになる（**第二反抗期**）．親からの心理的な分離が進んでいく一方で，同世代の友人との親密な交流が見られ，社会とのかかわりも広がっていく．生活の活動範囲の拡大とと

食物アレルギー対応委員会
校長を総括責任者とし，校内の児童生徒の食物アレルギーに関する情報を集約し，さまざまな対応を協議して決定する．また，校内危機管理体制を構築し，各関係機関との連携や具体的な対応訓練，校内外の研修などを企画，実施する．

思春期の定義
世界保健機関（WHO）によると，思春期または青年期（adolescence）は10～18歳とされている．現代社会においては，生物学的成熟と心理社会的成熟の年齢的ミスマッチが拡大し（Patton & Viner, 2007）．心理社会的に成熟を遂げる年齢が高くなってきている．

第二次性徴
自律神経や内分泌機能の急速な発達に伴う性ホルモンの増加によって，生殖器機能が成熟し，生殖能力をもつ．このような発達には多少の個人差がある．女子のほうが男子よりも早く始まる．

6章 学童期・思春期の栄養教育の展開

流れ	具体的な項目と関係者	行政 教育委員会	家庭, 地域 保護者	家庭, 地域 主治医あるいは学校医	学校 学校長	学校 学級担任,教諭代表	学校 養護教諭	学校あるいは共同調理場 栄養教諭	学校あるいは共同調理場 調理員代表	共同調理場 調理場長
対応申請の確認	食物アレルギー対応委員会の設置	△**		△	○	○	○	○	△	△
	アレルギー疾患があり，配慮・管理の必要な児童の把握					○	○	○		
	対象児童の保護者への学校生活管理指導表*の配布					○	○	○		
	保護者・主治医による管理指導表の記載，保護者からの提出		○	○						
	管理指導表に基づく校内での取組みの検討，具体的な準備					○	○	○		

*(財)日本学校保健会，**必要に応じて参加

流れ	具体的な項目と関係者	教育委員会	保護者	主治医あるいは学校医	学校長	学級担任,教諭代表	養護教諭	栄養教諭	調理員代表	調理場長
保護者との面談と，その後の調整	保護者との面談		○		△	○	○	○		
	面談結果などをもとにした個別の取組みプラン案の作成						○	○		
対応実施の決定まで	食物アレルギー対応委員会における取組みプラン案の協議	△		△	○	○	○	○	△	△
	取組みプラン実施の決定（共同調理場の受配校の場合は，学校長から調理場長に連絡と依頼）				○					○
	教育委員会への報告，教育委員会による内容の確認や支援	○			○					
	全教職員への周知，情報共有				○	○	○	○		
	保護者への取組みプランの通知，具体的な内容の調整		○		○	○	○	○		
対応と改善	アレルギー食の対応例：① 基本献立を調理場でアレンジした対応，② 基本献立から原因食材を除去した対応，③ 原因食材を含む基本献立の一部を弁当に置き換える対応，④ 基本献立に代わり代替食を自宅から持参してもらう対応，など				○	○	○	○		
	定期的な評価と見直し				○	○	○	○	○	○
	個別指導，定期的な面談		○			○	○	○		

図6.3　学校給食における食物アレルギーへの対応（例）

参考：日本学校保健会，「学校のアレルギー疾患に対する取り組みガイドライン」．
　　　文部科学省，「学校給食における食物アレルギー対応指針」．

もに，部活動や受験などの理由から食習慣を含む生活習慣が不規則になりやすい時期でもある．

（2）思春期（青年期）の課題
（a）やせ（ダイエットを含む）・摂食障害

思春期になると，とくに女子のやせ願望，**不健康やせ**，**摂食障害**の早期発見が重要な課題となる．やせの判断は，性別，年齢別，身長別の標準体重と比較して，肥満度が−20%以下をやせ傾向とみなす（表6.8）．肥満度が−15%以下で，成長曲線の体重が1チャンネル（標準偏差）以上，下方へシフトした場合は「不健康やせ」と呼ばれている（小児心身医学会ガイドライン）．

厚生労働省の「健やか健康21」では，思春期の保健対策の強化と健康教育の推進を目的として平成14年（2002）から25年（2013）まで調査が行われた．その結果，女子中学生でとくに不健康やせが増加していた．最終評価では，不健康やせの低年齢化の可能性が示唆されている（図6.4）．また，文部科学省の学校保健統計では，女子よりも男子のやせ傾向が増加している（図6.5）．思春期の

アイデンティティの確立
アメリカの発達心理学者エリクソンは，自我発達の年齢区分で青年期を13〜19歳としている．エリクソンは青年期の発達課題としてアイデンティティ（自我同一性）を提唱した．

思春期やせ症の算出
「健やか親子21」における思春期の保健対策の強化と健康教育の推進の最終評価にあたって，思春期やせの判定には，中学1年から高校3年の体格変化に注目し，体重が減少していることを絶対条件としたうえで，以下の判定条件を満たす対象者を思春期やせと判定した．① 中学1年から高校3年において体重が15%以上減少したもの，② 中学1年から高校3年の体重減少は15%未満であるが，高校3年時の肥満度が15%以下のもの（中学1年の体重に比べ，高校3年の体重が減少していることを絶対条件とする）．

表6.8 肥満度に基づく判定

測定値を体重成長曲線として検討し評価することによって，正常な体重の発育を確認すると同時に，身長と体重の測定値に基づき肥満度を計算し，肥満とやせを判定する．

$$肥満度 = \frac{実測体重 − 身長別標準体重}{身長別標準体重} \times 100 (\%)$$

判定	やせ傾向 −20%以下		普通	肥満傾向 20%以上		
	高度やせ	やせ		軽度肥満	中等度肥満	高度肥満
肥満度	−30%以下	−30%超〜−20%以下	−20%超〜+20%未満	20%以上30%未満	30%以上50%未満	50%以上

公益財団法人 日本学校保健会，「児童生徒等の健康診断マニュアル 平成27年度改訂」, p.22, 23 より抜粋．https://www.gakkohoken.jp/book/ebook/ebook_H270030/index_h5.html

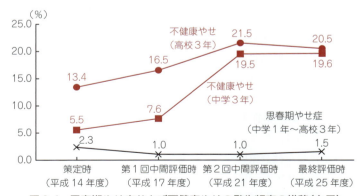

図6.4 思春期やせ症および不健康やせの発生頻度の推移（女子）
厚生労働省，「すこやか親子21」報告書，p.58より抜粋．
資料：平成25年度厚生労働科学研究「「健やか親子21」最終評価・課題分析及び次期国民健康運動の推進に関する研究（研究代表者 山縣然太朗）．

図6.5 やせ傾向の出現率の推移（男子）
文部科学省,「学校保健統計調査」(2019年), 年齢別痩身傾向児の出現率の推移（昭和52年度～令和元年度）を著者改変.

やせの背景には，マスメディアで取り上げられる「やせ志向」の影響があり，とくに女子では「やせ願望」が強くなる傾向が見られるが，そのほかに貧困や虐待の可能性もあるので慎重に対応する必要がある．

一方，摂食障害は著しい食欲不振や極端な過食など，食行動に重篤な障害が生じている状態である．大別すると，神経性食欲不振症（AN：Anorexia nervosa）と神経性過食症（BN：Bulimia nervosa）に分けられ，神経性食欲不振症が思春期に生じた場合は，思春期やせ症ともいう．思春期・青年期は，摂食障害が初発することが最も多い時期であるが，学童期から発症する場合も少なくない．この疾患は心身の成長・発達が妨げられることや，長期間にわたってその人の健康状態，個人，家庭，社会生活に影響される可能性がある．生命の危険や，骨粗鬆症などの後遺症の可能性もある重篤な疾患であるので，症状が軽いうちに発見して対応し，治療することが重要である．

学校での健康診断は摂食障害の早期発見につながることから，この障害に関する学校と医療のよりよい連携のための対応指針が作成されている．発症の原因は心理的要因やさまざまな要因が複雑に関与しているため，治療では栄養療法と心理的治療が行われる．思春期のストレスへのコーピングスキルの教育，相談の場の提供など，周囲の大人が適切なコーピングのモデルとなって支援することが有効である．

（b）生活リズム，朝食欠食

思春期・青年期は，生涯で最も夜型が加速しやすいライフステージである．加えて，夜型化した社会環境やスマートフォンなどITの普及により就寝時刻が遅くなり，生活リズムが乱れやすくなる．総務省の調査では，他の年代と比べて10歳代はスマートフォンの使用時間が最も長いという結果であった（図6.6）．また，スマートフォンで行うゲームや動画の視聴などの過剰使用は睡眠に影響を及ぼし，睡眠障害を引き起こす可能性が指摘されている．さらに，睡

摂食障害に関する学校と医療のよりよい連携のための対応指針

平成26年度～28年度において厚生労働科学研究費補助金「摂食障害の診療体制整備に関する研究」班の研究成果として，平成29年(2017)に小学校，中学校，高等学校，大学のそれぞれの現場での指針が示された．
中学校版　http://www.edportal.jp/pdf/junior_high_school.pdf

神経性食欲不振症（AN）と神経性過食症（BN）

ANには不食を徹底する「制限型」，あるいはむちゃ食いを伴ってもそれに対する排出行為で代償しながら低体重を維持している「むちゃ食い／排出型」がある．一方，BNにはむちゃ食いを繰り返しながらも体重増加を防ぐために種々の不適切な代償行為を伴うが，ANと違ってやせに至らないことが特徴である（厚生労働省，みんなのメンタルヘルス）．

コーピング
2章を参照．

6.5 思春期(青年期)の栄養教育の特徴と課題

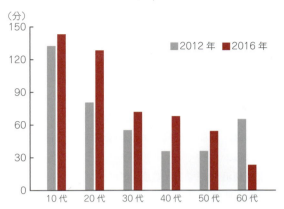

図 6.6　スマートフォンのインターネット利用時間(平日1日あたり)
総務省, 平成29年版情報通信白書, p.5を著者改変.
資料：総務省情報通信政策研究所,「情報通信メディアの利用時間と情報行動に関する調査」.

眠不足が, 朝の寝起きの悪さ, 朝食欠食, 食事リズムの乱れへとつながっていく可能性も大きい. <u>朝食欠食率</u>は, 小・中学生, 高校生, 成人に向けて順に高くなる. 成人のなかでもとくに20歳代の朝食欠食率が高い. このような思春期・青年期の生活習慣は, 健康や学業へ影響を及ぼし, 成人後の生活習慣病リスクにもつながりやすい(図6.7).

文部科学省は, 中高生を対象に睡眠習慣を中心とした, 生活習慣の改善に取り組むための指導教材や中学生向けの食生活教材を作成し, 啓蒙を図っている. 栄養教育のなかでも規則正しい食生活のみならず, 睡眠や運動を含めた<u>規則正しい生活リズム</u>に関する教育も同時に行っていくことが必須であるといえる.

スマートフォンの使用と睡眠
12〜17歳の青年の就寝前の電子メディアの使用が, 就寝時刻の遅延, 睡眠時間の短縮, 睡眠障害, 抑うつ症状と関連していると報告されている.
S. Lemola, et al., *J. Youth Adolesc.*, **44**, 405(2015).

20歳代の朝食欠食率
平成29年国民健康・栄養調査では, 男性30.6%, 女性23.6%であり, 男女ともに全年代のなかで欠食率が最も高い.

中学生向けの教材
文部科学省は, 平成21年(2009)に中学生用の食生活教材を発行している. また, 平成26年(2014)に中高生向け普及啓発資料および指導者用資料を作成した.
https://www.mext.go.jp/a_menu/shotou/eiyou/1288146.htm
https://www.mext.go.jp/a_menu/shougai/katei/1359388.htm

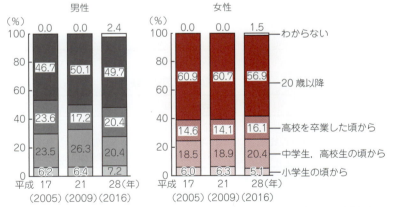

資料：厚生労働省「国民健康・栄養調査」(平成17年, 平成21年)および農林水産省「食育に関する意識調査」(平成28年11月実施).
注：朝食を食べる頻度について,「ほとんど毎日食べる」以外の回答をした人が対象

図 6.7　朝食欠食が始まった時期(成人)
農林水産省,「平成28年度 食育白書」, 平成29年5月30日公表.

（c）貧血

思春期の女性では，ダイエット志向などにより欠食や不規則な食事による鉄欠乏性貧血が増加している．貧血（anemia）とは，血中の赤血球数あるいは血色素 Hb（ヘモグロビン）の濃度が正常範囲を下回り，酸素運搬能の低下した状態をいう．臨床症状としては皮膚や粘膜が蒼白となり，全身倦怠感，易疲労感，免疫・感染抵抗力の低下，冷え性，爪甲の変化などが見られる．循環器や中枢神経系では動悸，息切れ，頻脈，頭痛，めまいを認め，食欲不振や嚥下障害などの消化器症状も現れる．

貧血の判定は，末梢血液検査で Hb 濃度，Ht（ヘマトクリット）値により診断される（表6.9）．低色素性貧血では赤血球数が正常のことも多く，貧血を見逃すおそれがあるため，最近は自動血球計測器を用いて平均赤血球指数を求め，その赤血球の形態から診断される（表6.10）．また，鉄欠乏性貧血（iron deficiency anemia）を区別する指標として，①血清鉄濃度（40～180 μg/dL），②血清フェリチン濃度（女性で平均値 12～150 μg/L），③血漿鉄飽和率（平均 20～55%）の低値，および④総鉄結合能（TIBC：total iron binding capacity，260～470 μg/dL 以下）の上昇などが用いられる．

貧血を成因別により分類すると表6.11のようになる．おもな成因は，造血素材の欠乏，赤血球の破壊亢進，失血および赤血球の産生能異常である．

血中ヘモグロビン濃度とヘモグロビン中鉄の濃度
赤血球たんぱく質の 95% を占める Hb の血中濃度は平均 10～15 g/dL で，含まれる鉄は Hb 1 g 中に 3.4 mg である．

表6.9 貧血の判定基準

	血色素量(g/dL)	ヘマトクリット値(%)
幼児	11.0	33.0
小児	12.0	36.0
成人男子	13.0	39.0
成人女子	12.0	36.0
妊婦	11.0	33.0

ヘマトクリット値は全血に占める赤血球容積比．表の数値より低い場合に貧血と診断される．WHO（1968）．

赤血球の血中濃度
平均500万個/μL．成人の場合，約25兆個/約5Lの赤血球が含まれる．

巨赤芽球性貧血の原因
ビタミン B_{12} または葉酸の摂取不足や吸収障害，胃壁細胞の高度萎縮や，胃がん全摘などによるビタミン B_{12} 内因子の分泌不全．

鉄欠乏性貧血
血清フェリチンが低下していれば，小球性低色素性貧血と診断される〔血清鉄の低下と欠乏補正の総鉄結合能の増加を認め，トランスフェリン飽和率は低下（限界値 16% 以下）するようになる〕．フェリチンは貯蔵鉄を反映し，潜在性鉄欠乏の判定に優れる．鉄欠乏性貧血者には血清亜鉛値が有意に低いことが報告されている．亜鉛含量の多いものも忘れずに摂取することが大切である．

表6.10 赤血球指数による赤血球の形態

分類	平均赤血球指数	
	MCV	MCHC
小球性低色素性	低下	低下
正球性正色素性	正常	正常
大球性正色素性	上昇	正常

MCV：mean corpuscular volume
平均赤血球容積，Ht/RBC × 10 fL
（基準値：81～100 fL，fL = 10^{-15} L）

MCHC：mean corpuscular hemoglobin concentration
平均赤血球Hb濃度，（Hb/Ht）× 100%
（基準値：31～35%）

RBC：red blood cell（erythrocyte）赤血球数（×10^6/μL）

表6.11 貧血の成因別分類

成因		貧血の種類	（赤血球の形態）
造血素材の欠乏（赤血球成熟障害）	栄養性貧血	鉄：鉄欠乏性貧血（Hb含量の減少による合成異常）	（小球性）
		ビタミンB_{12}や葉酸：巨赤芽球性貧血	（大球性）
	吸収阻害性貧血	ビタミンB_{12}：悪性貧血	（大球性）
赤血球の破壊亢進		溶血性貧血など（先天性代謝障害，機械的・物理化学的障害）	（正球性）
失血		急性失血性貧血	
		慢性出血性貧血（消化管悪性腫瘍など）	（正球性）
赤血球の産生能異常		放射線・抗がん剤の投与，がん・慢性炎症などの消耗性疾患による貧血，再生不良性貧血（造血幹細胞の異常）	（正球性）

② 栄養教育の必要性とポイント

鉄欠乏性貧血は，現代の食生活問題の一つである「飽食が生んだ食事の貧弱化」が招いた疾患であるといえる．① 欠食，偏食やインスタント食品の多量摂取，② 外食や中食など，食の外部化による家庭における栄養管理の欠落，③ やせ志向や肥満是正による極端な減量，④ 高齢者世帯における栄養のアンバランスなどに起因するため，問題点を十分に認識し，適切な予防や治療のための栄養教育を行う必要がある．

【栄養教育のポイント】
① 食事療法だけでは貧血の速やかな回復は無理であるため，原則として鉄剤の経口投与が行われる（貯蔵鉄の蓄積が見られるようになるまで 100 ～ 200 mg/ 日）．しかし，鉄欠乏状態の改善や貧血の再発防止には食事療法が重要であることを理解させ，薬剤に依存しないようにする．
② 貧血は疾患の一症状として現れる場合が多く，原疾患の有無（胃潰瘍や悪性腫瘍などによる慢性出血性貧血など）を確認する必要がある．
③ 慢性出血（胃腸疾患，痔疾患，過多月経など）を伴う者，成長期の子どもたち，スポーツ選手など，個々に応じた配慮が必要である．貧血はやせタイプだけでなく肥満タイプにも見られ，本人の認識がないことが多いので注意する．
④ 症状に応じた適切な運動により血液の循環をよくし，造血機能の促進を図る．
⑤ 巨赤芽球性貧血の場合は，ビタミン B_{12} や葉酸が不足しない食事教育を行う．ビタミン B_{12} は胃液内因子によって吸収が左右されるので，胃腸を丈夫にすることも大切である．胃切除後の患者や萎縮性胃炎のある高齢者，アルコール常飲者，制酸剤常用の場合などは注意する．
⑥ 極端な菜食主義者に対しては，ビタミン B_{12} 摂取のため，動物性食品の必要性を教育する．

【栄養教育の実際】
食事療法の基本は，鉄などの造血成分を多く含む食品（表 6.12）を十分摂取し，これまでの食生活習慣を是正し，栄養バランスのとれた食事を三度規則的にとるようにすることである．
① 造血効率を上げるため，適正エネルギー，高たんぱく質，高ビタミン，高ミネラル食とする．たんぱく質は 1.0 ～ 1.2 g/kg/ 日（低栄養の場合は 1.2 ～ 1.5 g/kg/ 日），その 50% は動物性たんぱく質とし，骨髄での造血機能を高める．また，鉄，ビタミン B_6，葉酸，銅などを多く含む食品を摂取する．
② 吸収率の高いヘム鉄を多く含む食品を積極的にとる．ヘム鉄はおもに動物性食品の Hb とミオグロビンに由来し，鉄ポルフィリン体のかたちで肉や魚に多く含まれるが，食品総鉄含量のわずか 10% 程度である．非ヘム鉄はおもに鉄塩や酸化鉄のかたちで存在し，吸収率は低いが植物性食品や卵，乳製品などに多く含まれ，総鉄含量の 85% 以上を占める．これらの食品を

子どもの貧血
① 乳児期後期の貧血の原因は，胎児期の肝貯蔵鉄の不足（胎児期の貯蔵鉄が十分でも，6 か月頃から欠乏してくる）．母乳や離乳食からの鉄不足の場合が多い．
② 幼児期早期の貧血は，成長に伴う鉄不足が原因である．偏食（う蝕も含める）が多く，食事からの鉄摂取が不足する．学童期も偏食が多く，まれに十二指腸潰瘍が原因のこともある．

鉄の損失量
月経による鉄損失は平均 0.7 mg/ 日で，鉄吸収の限度に近い 10 ～ 20 mg の摂取が必要となるので，若い女性のダイエット中に貧血が起こる確率は高い．けがなどによる 10 mL の出血では，生理的排泄量の 5 倍の鉄を失う．

中食
本来外で食べていた仕出しやもち帰り弁当を家庭内で食することをいう．

胃液内因子
胃壁細胞から分泌される糖たんぱく質である．ビタミン B_{12} はこの内因子と結合して，回腸でレセプター（回腸壁細胞に分布）を介し吸収される．

鉄の摂取量と吸収量
エネルギー 1000 kcal あたり 5 ～ 6 mg の鉄が摂取できるといわれ，平均 12 ～ 15 mg/ 日を摂取している．吸収率は平均 5 ～ 10% で，普通の食事により約 1 mg が血中に取り込まれる．

表 6.12　造血に関与する栄養素

機能	栄養素	多く含む食品
血色素の材料	鉄	牛・豚・鶏レバー，カキ，貝類，青魚，豆類(大豆)，海藻，ごま，緑黄色野菜，切り干しだいこん
血色素の材料 鉄の吸収促進	たんぱく質	肉，魚介類，卵，牛乳，乳製品，大豆製品
鉄の吸収促進	ビタミンC	新鮮な野菜や果物(とくに柑橘類など)
ヘム合成補酵素	ビタミンB_6	レバー，カキ，貝類，青魚，鶏肉，
DNA合成関与	ビタミンB_{12}	海藻，牛乳，卵(B_{12}は野菜や果物にはほとんど含まれない)
	葉酸	ナッツ類や果物，緑黄色野菜に多い(ほとんどの食品に存在する)
血色素の合成 鉄の吸収促進	銅	貝類，納豆，ごまなど (普通の食事をしていれば欠乏することはほとんどない)

葉酸：需要量に比べると体内貯蔵量が少ないと推定され，食事から摂取できないと，比較的早期に欠乏症となる．

表 6.13　食品の鉄含有量と鉄吸収率　　　　　　　　　　日本食品標準成分表2020年版（八訂）

食品名	動物性食品						植物性食品						
	レバー	魚肉	獣肉	鶏卵(全)	鶏卵(卵黄)	牛乳	大豆(乾)	小麦(精製粉)	レタス	とうもろこし	黒豆	ほうれん草	米(乾)
鉄含有量 (mg/100 g)	4.0〜13.0	1.0	0.8〜2.5	1.5〜2.2	4.8	0.02〜0.1	6.5〜7.6	3.2	0.5〜3.1	0.3〜1.8	1.9	6.8	0.9〜2.0	0.8〜2.1
吸収率(%)	14.5	8.0	22.8	3.0		2.8	6.9	5.1		4.0	3.2〜4.2	2.0〜2.6	1.3	0.9

Plus One Point

過剰鉄の吸収と体内の鉄貯蔵量

鉄は，フェリチンとして肝臓，脾臓，骨髄などに蓄えられており，血液中ではトランスフェリンと結合したかたちで存在している．鉄が過剰になると，フリーラジカル生成を促進し，細胞膜の脂質やたんぱく質，核酸などの細胞構成成分が過酸化される．この細胞のダメージを防ぐため，小腸粘膜細胞内に入った鉄の一部は門脈に移行し，残りは粘膜細胞が脱落するまでフェリチンのまま留められ，貯蔵鉄が必要以上に存在しないようになっている．このように，鉄の吸収は体内貯蔵量により調節・制御されている．

上手に組み合わせ，鉄の摂取量を高めるよう教育する(表6.13)．

③鉄の吸収率を高める工夫をする．非ヘム鉄は2価の鉄イオンになって吸収されるので，ビタミンC含量の多い新鮮な野菜や果物を摂取する．また，胃酸の分泌を促進させる方法として，梅干しや酢，また香味野菜や香辛料を用いた料理の工夫や，ゆっくりよく噛んで食べることを教育する．

④鉄の吸収を阻害する成分の過剰摂取を避ける．卵黄にはホスビチンが含まれるが，鶏卵は栄養価の高い食品であるので，貧血が重症でなければ頻回の使用や総量が過剰でない限り問題ない．食事療法のみの場合は，食事中および食後1時間はタンニンの多いお茶やコーヒーを控えるが，鉄剤を投与中の場合は，とくに気にしなくてよい．インスタント食品や加工食品に含まれるリン酸も鉄の吸収を阻害するので，多用は避ける．

6.6　思春期(青年期)の栄養教育

平成16年(2004)の厚生労働省の報告書「楽しく食べる子どもに〜食からはじまる健やかガイド」では，思春期は自分の食生活を振り返り，評価し，改善できる力や，自分の身体の成長や体調の変化を知り自分の身体を大切にできる力

を育む時期とし，以下の5つの育てたい"食べる力"をあげている（表5.6，図5.2も参照）．

思春期―自分らしい食生活を実現し，健やかな食文化の担い手になろう―
○ 食べたい食事のイメージを描き，それを実現できる．
○ 一緒に食べる人を気遣い，楽しく食べることができる．
○ 食料の生産・流通から食卓までのプロセスがわかる．
○ 自分の身体の成長や体調の変化を知り，自分の身体を大切にできる．
○ 食にかかわる活動を計画したり，積極的に参加したりすることができる．

平成13年（2001）に開始した国民運動計画「健やか親子21」では，取り組むべき主要な課題の1つとして「思春期の保健対策の強化と健康教育の推進」をあげ，平成27年度からの第2次においても「学童期・思春期から成人期に向けた保健対策」が設けられた．児童・生徒が，自ら心身の健康に関心をもち，健康の維持・向上に取り組めるよう，さまざまな分野が協力し，健康教育の推進と次世代の健康を支える社会の実現を目指している．

（1）ピアエデュケーション

ピアエデュケーション（Peer education）は，同世代の仲間（ピア）同士が互いの対話を通して情報やメッセージを伝達し合う学習方法であり，思春期の健康・栄養教育に効果的である．仲間と共感・共有しながら，堅苦しくない雰囲気のなかで実施することが望ましい．また，ピアエデュケーターは学習者と同じ目の高さで支援することが重要であり，学習者はピアエデュケーターをモデリングの対象として学ぶことができる．

（2）学校における食育

中学校での食育は，社会，理科，保健体育，技術・家庭科などの教科，道徳科，総合的な学習の時間などにおいても，それぞれの特質に応じて適切に行われることとされている．また，中学校の**給食実施率**は年々増加していることから毎日の給食時間を実践の場として活用し，指導の内容を確認したり深めたりすることが可能である（図6.8）．

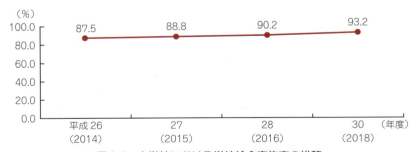

図6.8 中学校における学校給食実施率の推移
資料：文部科学省「学校給食実施状況等調査」．
農林水産省，「令和元年度 食育白書」，令和2年6月16日公表．

（3）ICTを活用した教育

高度情報通信社会に主体的に対応できる人材を育成していくために，学校教育においても情報通信技術（ICT：Information and Communication Technology）を有効活用し，情報活用能力を高める教育の充実が進められている．学習指導要領の改訂により，小学校段階でプログラミング学習が導入され，中学校，高等学校などにおける情報教育についても一層の充実が図られている．また，ICT環境の整備では，学習者用コンピュータや大型提示装置（電子黒板）の教室配置などが進められている．このように，IT機器を使い慣れた思春期・青年期では，栄養教育においても倫理的配慮を十分行いながら，SNS（Social Networking Service）やアプリケーションソフトウェア（Application software）を適切に活用することで教育的効果を高めることが期待される．

（4）スポーツをする生徒へのかかわり

アスリートに対する栄養・食事管理を行う「スポーツ栄養」への関心が高まるなかで，スポーツをする思春期・青年期の生徒に対する適切な食事指導が必要とされている．学校では，食に関する指導のなかでスポーツをすることによって発育・発達に支障をきたす状況，あるいはその可能性がある場合に個別的な相談が行われている．

また，競技力向上のためや熱中症予防について，部活動などの集団での教育やサポートが行われている．個別的な相談をするうえでの注意点は，身体の発育や能力などの発達を優先することであり，競技力向上がおもな目的ではないことを認識したうえでかかわることが重要である．

6.7　思春期の集団栄養教育（中学校における栄養・健康教育）

食に関する指導の手引きの展開例では，食と健康や成長との関係について，栄養教諭が専門性を生かして行う具体的な指導方法が紹介されている．表6.14に，中学生の生活リズム（正しい食生活）の保健体育科の学習指導案を示した．

6.8　思春期の栄養教育（栄養教育マネジメントを取り入れたプログラム）

管理栄養士，栄養教諭が中心となって行う高校野球部員への栄養教育プログラムを紹介する．このプログラムは，管理栄養士，栄養教諭が，硬式野球部に所属する男子高校生を対象として，管理栄養士課程で学ぶ女子大学生をピアエデュケーターに活用した栄養教育を約4か月間行った事例である．アセスメントの結果をもとに，野球部指導教員，養護教諭と連携を取りながら計画を立案する．場合によっては，学校医や学校外の支援者などの関係者とも連携する必要がある．一斉学習と組み合わせて朝食レシピの紹介など具体的な改善策の教材を提供し，運動と食事・間食のタイミングをセルフモニタリングにより見直すことで，試合期の各自の目標設定につながるように考えられている（表6.15）．

Plus One Point

FAT

Female・Athlete・Triad（FAT）は，①運動量に対するエネルギー不足から，②女性が無月経などに陥ることで，③骨粗鬆症につながる，というこれらの3つの状態が密接に関連するメカニズムだと定義されている．スポーツ庁の委託を受けた順天堂大学女性スポーツ研究センターの調査では，運動部所属の有無にかかわらず，女子中学生の80％以上にFATのリスクがあった．

6.8 思春期の栄養教育（栄養教育マネジメントを取り入れたプログラム）

表6.14 学習指導案

＜実践事例＞
中学校保健体育科学習指導案

① 単元名「健康な生活と疾病の予防」
② 単元の目標
　○ 生活行動や生活習慣と健康について，基礎的な事項及びそれらと生活との関わりを理解することができるようにする．（知識）
　○ 生活行動や生活習慣と健康について，課題の解決を目指して，科学的に考え，判断できるようにしたり，表現したりすることができるようにする．（思考力，判断力，表現力等）
　○ 生活行動や生活習慣と健康について関心をもち，学習活動に意欲的に取り組むことができるようにする．（学びに向かう力，人間性等）
③ 食育の視点
　○ 様々な食品の栄養的な特徴や栄養バランスのとれた食事の必要性など，心身の成長や健康の保持増進の上で望ましい栄養や食事のとり方を理解し，自ら管理していく能力を身に付ける．＜心身の健康＞
④ 指導計画（全5時間）
　○ 健康の成り立ち　　　　　　　　　　　　　　　　　　　　　　　　　　　　　　　　（1時間）
　○ 運動と健康　　　　　　　　　　　　　　　　　　　　　　　　　　　　　　　　　　（1時間）
　○ 食生活と健康　　　　　　　　　　　　　　　　　　　　　　　　　　　　　　　　　（1時間）
　○ 休養・睡眠と健康　　　　　　　　　　　　　　　　　　　　　　　　　　　　　　　（1時間）
　○ 生活習慣病とその予防　　　　　　　　　　　　　　　　　　　　　　　　　　　　　（1時間）
⑤ 展開例（第3／5時）
　○ 本時の目標
　生活行動・生活習慣と健康について，不適切な生活習慣による身体への影響を振り返り，自分の食習慣と照らし合わせ，年齢に応じた栄養素のバランスや食事の量など，正しい食生活について考えることができる．

主な学習活動	指導上の留意点＊栄養教諭
○自分の1日の食生活を振り返る．	○ある1日の自分の生活について，食生活を中心に振り返り，どんな問題があるか考えるようにする．
健康な生活を送るために，どのような食生活を行えばよいか考えよう．	
○バランスのとれた食事とはどんなものか考える． ・食品別エネルギー量 ・作業・運動別の消費エネルギー量 ・栄養素の不足やとりすぎによる障害例	○資料を基に，自力で考えた後，年齢や運動量に応じて栄養素のバランスや食事の量などに配慮することが必要なことを話し合ったり考え合わせたりする． ＊資料から分かった問題点について，専門的な立場から具体的な助言をする．
○規則正しい食生活について考え，まとめたことを発表する． ・朝食の欠食が与える影響 ・夜遅くの食事 ・過度のダイエット ・部活動に必要な栄養 ・間食の必要性　等	○運動などによって消費されたエネルギーを食事によって補給することは必要なことを助言する． ＊朝食欠食や過度のダイエットの問題点について専門的な立場から助言する． ＊年齢や運動量に応じた栄養のバランスや食事の量について，学校給食の献立を例にアドバイスする．
○食事と健康について話し合う．	○健康の保持増進や疾病の予防をするためには，調和のとれた食事が必要であることを話題の中心として，話し合わせる． ○仲間の意見から改めて気付いたことをこれからの生活に生かすよう指導する．

文部科学省，「食に関する指導の手引き（第二次改訂版）」（2019），p.128，129.

表6.15 高校野球部員への栄養教育のPDCAマネジメントの例

プログラムの流れ		内容	学習形態	所要時間	実施後
試合期終了 10月	計画	【アセスメント】 質問紙調査 自主的に行っているトレーニング内容，朝食摂取状況，生活習慣（睡眠・排便・間食習慣），食事に関する意識（重要性・セルフエフィカシー） 食事調査 タブレットを用いた食物摂取頻度調査* 身体計測 身長・体重・体組成の測定*	個別	各15分程度	
		【アセスメントの説明】 ・食事調査の方法 ・身体計測方法，記録の仕方の説明	一斉学習	20分	
		調査結果から問題点を抽出 教員・学生・高校野球部監督のフォーカスグループインタビュー			
練習期 11月〜	実施 （月1回）	1回目 身体計測および食事調査結果返却* ・結果の見方の説明と振り返り ・体重や体脂肪率の変動と食事のかかわりをチェックする	一斉学習	30分	モニタリング（活動開始前に体重を測定し記録する）
		2回目 「朝食からホームラン からだづくりのための朝食」* ・朝食摂取の必要性と栄養バランスについて ・簡単につくる朝食の実演 ・朝食の組合せを考える	一斉学習 グループワーク	50分	モニタリング 食事記録
		3回目 「筋肉増量 コンビニ活用術」* ・勝つための「食べる」タイミング ・適切な補食の選び方 ・上手なコンビニの利用方法を考える	一斉学習 グループワーク	50分	モニタリング 食事記録
試合期準備 3月		試合期にコンディションを良好に維持するための食事について* ・運動と水分補給のタイミングの関係	一斉学習	20分	
	評価	【アセスメント】 質問紙調査 食事調査 身体計測	個別	各15分程度	身体計測および食事調査結果返却
試合期	改善	学会等への報告・発表 身体計測および食事調査結果から各自の目標設定			

ピアエデュケーターがかかわるところを*で示す．

練 習 問 題

次の文を読み，正しいものには○，誤っているものには×をつけなさい．

(1) 学童期の食は家庭への依存度が高いため，子どもたち自身が食物を適切に選択する能力の育成は思春期以降でよい．
(2) 朝食欠食の原因の1つに，夜型の生活リズムがあげられる．
(3) 孤食という環境が，食事の規則性や栄養バランスに影響する心配はない．
(4) 間食や夜食の摂り過ぎは，肥満や成人後の生活習慣病につながる可能性がある．
(5) 食育の基本理念やその目的などは，学校教育法に示されている．
(6) 栄養教諭は，学校給食の管理のほか，食に関する指導を展開する．
(7) 栄養教諭は，全国の全小学校に配置されている．
(8) 子ども食堂は，学校内に設置されたランチルームの別名である．
(9) 食物アレルギーの有病率は乳児期に最も高く，学童期には次第に耐性を獲得して減少していく．
(10) 個別相談指導は個人情報の保護を徹底する必要がある．したがって，対象児童が属するクラスの本人以外の児童に一切知らせてはならない．
(11) 思春期の開始は，近年では女子のみ，とくに早まる傾向がある．
(12) 思春期は生活習慣が不規則になりやすい時期なので，自分の食生活を振り返り，評価・改善できる力を育成する．
(13) 標準体重に対する実測体重の割合が80%未満の場合は，やせ傾向と診断する．
(14) 思春期やせ症では栄養状態の改善ではなく，認知行動療法的アプローチが一般に用いられる．
(15) 食欲不振や拒食が長期間にわたると無月経が見られる．
(16) 中学校における学校給食実施率は，小学校の実施率とほぼ同じである．
(17) 学習指導要領では，保健体育，技術・家庭科において食に関する指導を進めることとされている．
(18) 朝食欠食は成人してから習慣化するので，学童期・思春期の指導は必要ない．
(19) 「楽しく食べる子どもに―食からはじまる健やかガイド―」では，思春期で自分らしい食生活を実現することをめざしている．
(20) 思春期において，情報メディアを活用する際は倫理的配慮を行う．
(21) 思春期の集団栄養教育では，ピア同士が正しい知識・スキル・行動を共有し合うことで効果が期待できる．
(22) スポーツを行う高校生では，競技力向上のためには食事よりもサプリメントに頼るほうが望ましい．

7 ライフステージ・ライフスタイル別栄養教育
成人期の栄養教育の展開

7.1 成人期の栄養教育の特徴と留意事項

現在，わが国では世界に類をみないスピードで少子高齢化社会が進んでおり，**健康寿命**が重要な課題となっている．近年の疾病構造を見ると，悪性新生物（がん），心疾患，脳血管疾患，糖尿病といった**生活習慣病**の増加が，国民の大きな健康問題となってきているのが現状であり（表7.1），これらの発症は生活習慣のあり方と密接な関係をもつことから，健康的な生活習慣を確立することによって疾病の発症そのものを予防する**一次予防**の推進が重要となっている．

健康寿命の定義
平均寿命から寝たきりや認知症など介護状態の期間を差し引いた期間．WHOが提唱した指標である．

表7.1 死因順位（年齢階級別）

年齢	第1位	第2位	第3位	第4位	第5位
（総数）	悪性新生物	心疾患	老衰	脳血管疾患	肺炎
0歳	先天奇形等	呼吸障害等	不慮の事故	乳幼児突然死症候群	妊娠期間等に関連する障害
1～4	先天奇形等	不慮の事故	悪性新生物	心疾患	肺炎
5～9	悪性新生物	不慮の事故	先天奇形等	その他の新生物	心疾患，インフルエンザ
10～14	悪性新生物	自殺	不慮の事故	心疾患	先天奇形等
15～19	自殺	不慮の事故	悪性新生物	心疾患	脳血管疾患，先天奇形等
20～24	自殺	不慮の事故	悪性新生物	心疾患	脳血管疾患
25～29	自殺	不慮の事故	悪性新生物	心疾患	脳血管疾患
30～34	自殺	悪性新生物	不慮の事故	心疾患	脳血管疾患
35～39	自殺	悪性新生物	心疾患	不慮の事故	脳血管疾患
40～44	悪性新生物	自殺	心疾患	脳血管疾患	不慮の事故
45～49	悪性新生物	自殺	心疾患	脳血管疾患	肝疾患
50～54	悪性新生物	心疾患	自殺	脳血管疾患	肝疾患
55～59	悪性新生物	心疾患	脳血管疾患	自殺	肝疾患
60～64	悪性新生物	心疾患	脳血管疾患	肝疾患	不慮の事故
65～69	悪性新生物	心疾患	脳血管疾患	不慮の事故	肺炎
70～74	悪性新生物	心疾患	脳血管疾患	肺炎	不慮の事故
75～79	悪性新生物	心疾患	脳血管疾患	肺炎	不慮の事故
80～84	悪性新生物	心疾患	脳血管疾患	肺炎	老衰
85～89	悪性新生物	心疾患	肺炎	脳血管疾患	老衰
90～94	心疾患	老衰	悪性新生物	肺炎	脳血管疾患
95～99	老衰	心疾患	肺炎	悪性新生物	脳血管疾患
100以上	老衰	心疾患	肺炎	脳血管疾患	悪性新生物

厚生労働省，「人口動態統計」（2018）．

（1）成人期のライフスタイルと食生活

食生活については，身体的健康という観点から，栄養状態を適正に保つために必要な栄養素などを摂取することが求められると同時に，社会的・文化的営みでもあり，人々の生活の質（QOL）との関係が深い．また，個人のライフスタイルが多様化している現代社会にあって，食生活をめぐる問題も複雑になっている．これらの諸問題を解決するためには，国民一人一人が，主体的に毎日の食生活の見直しに取り組むことが必要であり，管理栄養士・栄養士の果たす役割もますます重要になっている．

成人期とは，小児期（乳児期，幼児期，学童期を含む）のめざましい発育の時期に引き続く，20〜64歳までを指す．この時期，人は思春期を経て心身の成長発達を遂げ，一生のなかで最も充実した時期を過ごす．この期間は長期にわたり，生活の変化も大きいので，分けて考える必要がある．若年成人期（青年期20〜29歳）は，身体の発育が終わり，精神的にも充実し，新たな家庭や社会生活を始めるという生活習慣の形成期でもある．30歳を過ぎると諸臓器の機能は減退し始める．加齢とともに，基礎代謝や各種適応能力の減退に加え，耐糖能の低下，血中総コレステロールや中性脂肪濃度の上昇など，代謝能力の低下が顕著となる．また，生活習慣病などの治療に多くの時間と努力が必要となり，日常の身体活動と健康の保持・増進，および疾病予防のために，適正な各栄養素量を確保することが重要となってくる．しかし，食生活の習慣は長い年月をかけて形成されるものであり，長年の食生活の歪みが生活習慣病の発生を招くことを知らねばならない．この改善には幼少期からの望ましい食習慣の形成が重要である．

近年，肥満やメタボリックシンドロームが増加しているなかで，20歳代女性の低体重者の増加も問題となっている（図7.1，7.2）．とくに内臓脂肪型肥

健康日本21（第2次）
すべての国民がともに支え合い，健康で幸せに暮らす社会をめざし，健康寿命の延伸と健康格差の縮小を最終目標に掲げている．

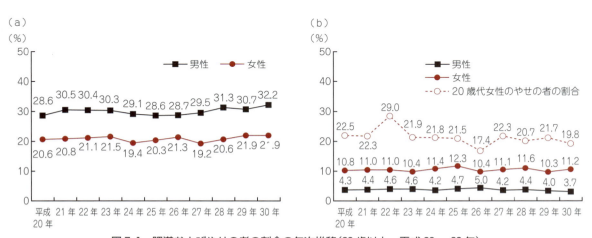

図7.1　肥満およびやせの者の割合の年次推移（20歳以上，平成20〜30年）
（a）肥満者の割合．（b）やせの者の割合．
厚生労働省，平成30年国民健康・栄養調査結果の概要．

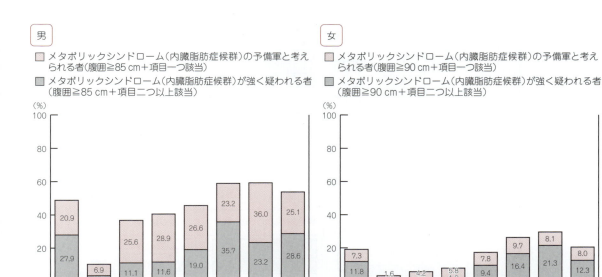

図 7.2 メタボリックシンドローム(内臓脂肪症候群)の状況(20歳以上)
平成 29 年国民健康・栄養調査より.

満は,インスリン抵抗性の上昇(糖尿病)や,血中コレステロール濃度や中性脂肪濃度の上昇(脂質異常),また血圧の上昇(高血圧)を招き,動脈硬化,血栓症,心筋梗塞,脳卒中を引き起こす.このように生活習慣病は,それぞれが密接に関連し合ってさまざまな疾病の原因となっているので,メタボリックシンドローム対策や生活習慣病の予防・治療のための栄養教育には重要な意義がある.

(2) 特定健康診査・特定保健指導制度の見直し

「医療制度改革大綱」〔平成 17 年(2005)12 月 1 日〕により,平成 20 年度から医療保険者がすべての健診受診者に対して必要に応じた保健指導を行うことが義務づけられたが,平成 25 年度に第二期に向けてさまざまな検討がなされた.

循環器疾患の予防のため,高血圧,脂質異常症,喫煙および糖尿病の 4 つのリスク因子の改善が重要であり,特定健康診査・特定保健指導(特定健診・保健指導)ではおもにハイリスクアプローチとして,これらのリスク因子の改善を目標としている.しかし,市町村国保や国保組合,全国健康保険協会の受診率は約 30% と低く,国全体での受診率でも 40% 弱程度であり国民の一部にしか介入できていないことになる.そこで,改訂版様式(図 7.3)を活用し,受診率向上に向けた取組みをしていくことが重要である.次に,肥満群よりも非肥満群から多くの脳卒中発症者がいることから(図 7.4),特定健診・保健指導や受診勧奨の対象に非肥満者は含まれていなかったが,第二期では現場感覚やエビデンスに基づき非肥満者への対応が打ち出された.例として脂質異常の健診判定と対応を示したが(表 7.2),血圧や血糖でも基本は同じである.

第二期の変更点・追加内容	
項目	重要度
PDCA サイクル活用の推進	○
受診勧奨体制の強化・改善	◎
非肥満者への対応	◎
フィードバック文例集の活用	◎
喫煙と飲酒の対策	○
慢性腎臓病と高尿酸血症の対策	○
B 支援の必須の解除	△
初回面接者と半年後に評価を行う者との同一者の緩和	△
看護師が保健指導を行える期間の延長	△
◎:最も重要　○:重要	
△:留意	

7章 成人期の栄養教育の展開

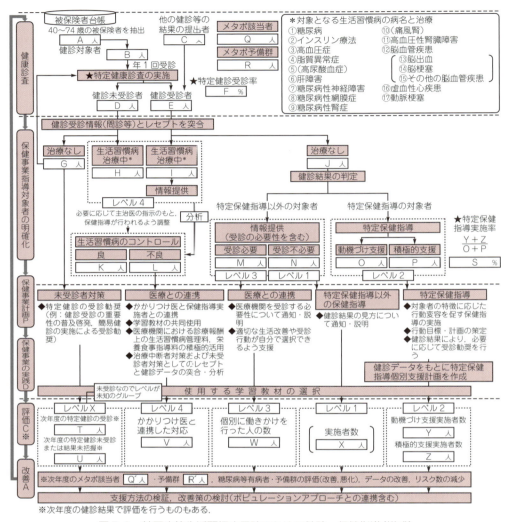

図7.3 糖尿病等生活習慣病予防のための健診・保健指導(様式)

厚生労働省健康局，標準的な健診・保健指導プログラム(平成30年度版)より一部改変．

特定保健指導－例－

<初回支援の実施方法>
事業主や対象者の状況により以下の方法を組み合わせて実施
1 事業所内実施型
2 会場来所型

【積極的支援(6か月間)】
・グループ支援＋継続支援
・個別支援＋継続支援

【動機づけ支援(6か月間)】
・グループ支援＋支援手紙1回
・個別支援＋支援手紙1回
☆スポーツクラブ利用券などを配布し，運動習慣の定着を促進

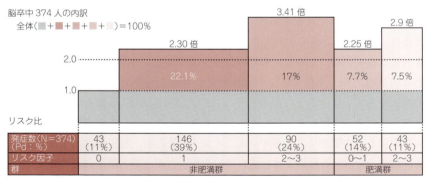

図7.4 肥満および非肥満の脳卒中への人口寄与割合

大橋靖雄ほか，肥満を含む循環器リスクファクターの重積と脳卒中発症リスクの検討，日本動脈硬化縦断研究，(JALS)0次統合研究より一部改変．

表 7.2　脂質異常の健診判定と対応

		対応	
		肥満者の場合	非肥満者の場合
異常 ↑ ↓ 正常	受診勧奨判定値を超えるレベル	LDL ≧ 180 mg/dL または TG ≧ 1,000 mg/dL	① すぐに医療機関の受診を	
		140 mg/dL ≦ LDL < 180 mg/dL または 300 mg/dL ≦ TG < 1,000 mg/dL	② 生活習慣を改善する努力をしたうえで，数値が改善しないなら医療機関の受診を	
	保健指導判定値を超えるレベル	120 mg/dL ≦ LDL < 140 mg/dL または 150 mg/dL ≦ TG < 300 mg/dL または HDL < 40 mg/dL	③ 特定保健指導の積極的な活用と生活習慣の改善を	④ 生活習慣の改善を
	基準範囲内	LDL < 120 mg/dL かつ TG < 150 mg/dL かつ HDL ≧ 40 mg/dL	⑤ 今後も継続して健診受診を	

厚生労働省健康局，標準的な健診・保健指導プログラム【改訂版】(2013)，p.88 より一部改変．

> **特定保健指導実施者**
> 管理栄養士・医師・保健師が，行動科学理論に基づき，それぞれのレベルに応じた特定保健指導を実施する．
>
> **ポピュレーションアプローチ Web を活用した支援を充実**
> 特定保健指導の対象とならなかった人に対して，対象者一人一人の生活習慣や健診結果に基づき，放置した場合のリスクや改善すべき生活習慣など個別性の高い情報支援を Web を活用して実施．

7.2　ワーク・ライフ・バランスと栄養教育

　政府の取組みとして，平成 19 年(2007)12 月 18 日，関係閣僚，経済界・労働界・地方公共団体の代表などからなる「官民トップ会議」(図 7.5)において，「仕事と生活の調和(ワーク・ライフ・バランス)憲章」・「仕事と生活の調和推進のための行動指針」を策定した．

（1）仕事と生活の調和の重要性

　仕事は暮らしを支え，生きがいや喜びをもたらす．同時に，家事・育児，近隣との付き合いなどの生活も暮らしには欠かすことのできないものであり，その充実があってこそ人生の生きがいや喜びは倍増する．

　しかし，現実の社会には，次のように仕事と生活の間で問題を抱える人が多く見られる．

・安定した仕事に就けず，経済的に自立することができない
・仕事に追われ，心身の疲労から健康を害しかねない
・仕事と子育てや老親の介護との両立に悩む

　加えて，労働者の健康を確保し，安心して働くことのできる職場環境を実現するために，長時間労働の抑制，年次有給休暇の取得促進，メンタルヘルス対策などに取り組むことが重要である．

　仕事と生活を調和(ワーク・ライフ・バランス)させるには，働き方の柔軟性が求められている．さまざまな勤務形態により充実した生活が期待され，それに伴い食に関するライフスタイルもますます多様化してくるであろう．さらに，食物選択および食物嗜好に影響を与える要因も多様であり，食物選択への過程については，食物の要因(物理・化学的特性，栄養の内容，生理的効果)，人の要因(感覚的帰属の知覚，心理的要因)，経済的・社会的要因(値段，入手可能性，

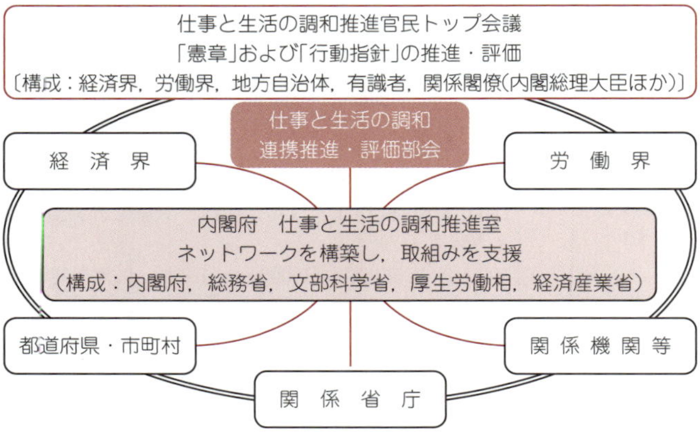

社会全体での取組みを推進するためには，経済界，労働界，国・地方公共団体が力を合わせて推進することが必要であるため，官民トップ会議や連携推進・評価部会を中心に，社会全体での取組みの和を広げていく．

図 7.5　仕事と生活の調和推進官民トップ会議の構成

ブランドなど)が影響しする．また食物嗜好への影響過程としては，個人的要因(期待のレベル，優先事項，他者の影響など)，社会経済的要因(家族の収入，食物のコスト，安全性など)，教育的要因，文化的・宗教的・地域的要因，内的要因(食物の風味，においなど)，外的要因(環境的 − 状況的，広告と商品化計画，時間と季節)，生物的・生理的・心理的要因(年齢 − 性，生理的変化，心理的影響など)があげられ，そのプロセスは複雑なものとなっている．

　好みや食習慣は，さまざまな要因によって異なってくる．個人がどのような考えで食事をしているのか，個人の生活習慣のなかで食行動にどのような位置づけを与えているかが重要である．食行動の改善を試みる場合にさまざまな要因を考慮して，個人あるいは集団の特性に適した栄養教育プログラムを作成していく必要がある．

　また，ディーセント・ワークにより働きがいと経済的自立を実現し，時間のゆとりができることにより，健康で豊かな生活が可能になるよう取り組んでいかなければならない．

> **ディーセント・ワーク**
> ILO(国際労働機関)においては，「『ディーセント・ワーク(働きがいのある人間らしい仕事)』の実現」を，ILO 憲章により与えられた使命達成のための主目標の今日的な表現であると位置づけている．

7.3　勤務形態と栄養教育

「仕事と生活の調和が実現した社会の姿」とは，次の具体的な三つの社会，
① 就労による経済的な自立が可能な社会
② 健康で豊かな生活のための時間が確保できる社会
③ 多様な働き方・生き方が選択できる社会
が実現することである．多様な働き方に対応した栄養教育には，多様なアプローチが必要である．

（1）実践ができない人への栄養教育

　人々にとって，食生活の改善や運動の実践など健康づくりの内容を忠実に行うことは難しい．しかも，健康行動やその効果についてわかっていないのではなく，うすうすはわかっているのにできないのである．まずは，できることからやってもらうという具体的な方策を練る必要がある．

表7.3 スモールチェンジ行動調査の集計結果

	男性			女性		
<平日>	項目	ランク	平均値	項目	ランク	平均値
身体活動	階段を1つでものぼる	1	7.39	階段を1つでものぼる	1	7.51
	玄関にウォーキングシューズを置いておく	2	6.78	背筋をただして歩く	2	6.79
	背筋をただして歩く	3	6.03	買い物は徒歩や自転車で行く	3	6.75
	気分転換のために歩く	4	5.80	できるだけ徒歩や自転車で移動する	4	6.58
	できるだけ徒歩や自転車で移動する	5	5.72	玄関にウォーキングシューズを置いておく	5	6.50
食事	水を多めに飲む	1	7.62	コーヒー,紅茶は無糖にする.水を多めに飲む	1	8.55
	毎食,野菜を一品取り入れる	2	7.36	毎食,野菜を一品取り入れる	2	8.35
	コーヒー,紅茶は無糖にする	3	7.31	ごはんは大盛りにしない	3	8.27
	間食を減らす	4	6.60	脂肪分の多い肉を脂肪分の少ない肉に代える	4	7.93
	バイキングやビュッフェスタイルの食事を控える	5	6.59	栄養バランスを考える	5	7.88
ストレスマネジメント	1日5分,ゆっくりとした時間をつくる	1	7.53	1日5分,ゆっくりとした時間をつくる	1	8.49
	窓の外を眺める	2	6.91	洗濯ものをためこまない	2	8.02
	好きな場所を決める	3	6.72	窓の外を眺める	3	7.85
	仲の良い友人と話す	4	6.69	好きな場所を決める	4	7.46
	10分余裕をもって行動する	5	6.48	よく笑う	5	7.40
<休日>	項目	ランク	平均値	項目	ランク	平均値
身体活動	背筋をただして歩く	1	6.30	買い物は自転車か徒歩で行く	1	6.33
	家の周りを散歩する	2	5.99	ウインドウショッピングをする	2	6.32
	好きなスポーツを行う	3	5.87	背筋をただして歩く	3	6.23
	ウォーキングを行う	4	5.71	身体を動かして家事をする	4	5.65
	買い物は自転車か徒歩で行く	5	5.29	家の周りを散歩する	5	5.29
食事	昼間からお酒は飲まない	1	7.97	昼間からお酒は飲まない	1	9.13
	毎食,野菜を一品取り入れる	2	7.73	毎食,野菜を一品取り入れる	2	8.63
	家族や友人と食事をする	3	7.47	なるべく自分で食事をつくる	3	8.54
	糖分の入った飲料を無糖やコーヒーに代える	4	7.40	料理には植物性の油を使う	4	8.52
	外食は1回までとする	5	7.09	糖分の入った飲料を無糖やコーヒーに代える	5	8.50
ストレスマネジメント	好きなテレビ,DVDを見る	1	7.33	買い物をする	1	7.03
	一人の時間をもつ	2	6.95	好きなテレビ,DVDを見る	2	6.90
	お風呂にゆっくりつかる	3	6.77	音楽を聴く	3	6.90
	音楽を聴く	4	6.53	お風呂にゆっくりつかる	4	6.34
	緑の多い場所へ出かける	5	6.27	一人の時間をもつ	5	6.33

N = 198(男性86,女性112),年齢:23~75歳,年齢48.3±8.2歳　　　早稲田大学応用健康科学研究室での調査結果より抜粋.

【まずはスモールチェンジからスタートしよう！】

　日常生活のなかで実践可能な健康行動の内容を平日と休日に分け，それぞれ20項目を選び質問票を作成する．調査対象者は，これらの項目に対して，0点（まったくできない）から10点（必ずできる）の範囲で評価する．身体活動，食事，およびストレスマネジメントそれぞれについて，男女別に選んだベスト5を表7.3に示した．これらの調査とは別に，たとえば，「仕事が忙しくて時間がと

れず，しかも太り気味の中年男性に推奨できるスモールチェンジ・ベスト10」や，「子育てに忙しく，しかも仕事をしている30歳代女性に推奨できるスモールチェンジ・ベスト10」など，対象者を勤務形態などある属性でセグメント化したうえで，実践可能な推奨が行えるような方法を提案する．

（2）食のイメージを自由に表現する手法による思考と対話の支援

栄養調査は栄養教育の一環ではあっても，手順としての両者は独立したものとみなされる場合が多い．しかし，相手を理解するはずの調査（情報収集）とそれに続く教育とが互いに別のものであると，そこでの教育は指導者からの一方的なものになりやすい．そこで，相手を理解しながら直接的に栄養教育へと反映させる一つの方法として，個人の食に関する意識・イメージを可視化・表現するイメージ・マッピング手法がある（図7.6）．

食生活をマップにより視覚化すると，視覚的な認識・思考が発動され，食に関する対話が誘導され，対象者が栄養に関連してもつ，他の種類の概念・思考（栄養素・食パターンなど）も活性化される．図7.7に示した妊婦の作成したマップを視覚的に認識する過程で，栄養に関連してもっている他の種類の知識が，視覚からの情報と連結される形で動員されていることが推測される．

図7.6 絵ラベルによる二次元イメージ展開法で描かれたイメージ・マップ（例）

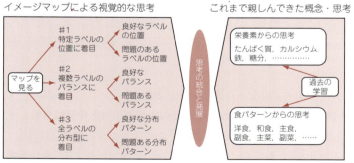

図7.7 イメージ・マップによる新たな思考と，既存の思考との統合
守山正樹，松原伸一：食のイメージ・マッピングによる栄養教育場面での思考と対話の支援より抜粋．

個人が新たな知識の体系に触れるときに，それまでもっていた知識の体系が再編成されることが認知科学の分野で指摘されている．栄養素の考え方や，主食・主菜の組合せなど食パターンに関する考え方が，人間の栄養と健康を理解するうえで必須の強力な概念であることはいうまでもないが，これらの概念を独立させて身につけても，それだけでは実際に栄養教育を行うのは難しい．多様な働き方をもつ人々を対象に効果的な教育を行うには，栄養素や食パターンなど複数の概念を柔軟に組み合わせる必要がある．

（3）就職以降に若年男性労働者の体重増加・肥満につながる要因とその背景

国民健康・栄養調査の結果からも解釈されるように，男性は20～29歳で最もやせの割合が高いが，20歳代後半から30歳代前半にBMI（body mass index）の上昇率が増加し，男性労働者の肥満は20～30歳代という比較的若年層で急増すると報告されている．30歳未満までは有意差のない若年労働者の体重が，5年後には勤務形態などによって有意差が認められたという報告がある．また，35歳時の定期健康診断で血清総コレステロール値，尿酸値の高値群には，若年時からの肥満度が有意に高いという報告や若年労働者の満腹摂取，早食いはBMI，ALT（アラニンアミノトランスフェラーゼ）と関連しているという報告もある．

若年男性肥満労働者は，日頃から意識することなく体重増加につながる思考と行動を繰り返し，積み重なる体重増加から肥満に至るという過程が推測される．そこで，肥満となった若年労働者の，就職以降に体重増加につながる要因とその背景を表7.4に示す．

（a）定期的な運動習慣の有無とその運動強度

仕事や家庭の都合で計画的に運動に費やす時間を捻出できないことや，運動に費やすよりも，同僚たちとの飲食やレクリエーションに費やされ，定期的な運動習慣がないことが多い．

肥満でない者は，スポーツジムに通えるように仕事の時間を調整したり，少し長いと感じる距離でも歩くようにしたり，また，仲間の存在にかかわらず個人でも運動ができたりする（図7.8）．

（b）バランスのとれた食事時間と食事内容

日頃から家族がつくる食事の献立に積極的にかかわることをしておらず，出された食事を黙ってそのまま食べる．また，同僚との外食時においてもメニューの選択に消極的であり，昼食は誘われた飲食店での日替わりメニューに任せている．そして，夕食が仕事や付き合いで遅い時間になっても，自身の都合よりも周りの状況に合わせることを優先し，メニューを見ながら食事を選ぶときには，直感的かつ瞬間的に内容が決められ，栄養バランスよりも嗜好が優位である．つまり，日頃の食事については，時間や量，栄養バランスについて深く考えることをしない傾向にある．

表7.4 体重増加につながる要因と要因の背景

要因	要因の背景
定期的な運動習慣の有無とその運動強度	・仕事や家庭・仲間を優先し運動するための時間を融通してこなかった ・歩いていけそうな距離でもクルマや自転車を利用してしまう ・少々つらい運動やトレーニングは仲間と一緒でなければできない ・何をするにも面倒だと感じる ・一緒に運動をする仲間を自分で探すことはしてこなかった ・学生時代に競技として実施していたスポーツでさえも就職後はすっぱり止めてしまった ・時間や費用があれば運動に費やすよりも遊興につぎ込んできた ・入社後, 意図的な運動習慣を持たなくなっていった
バランスのとれた食事の時間と食事内容	・家族に対して献立をリクエストしたりメニューを決定したりなどほとんどしてこなかった ・食事時間や内容は自分の意思よりも, 仕事や周囲の状況に合わせてきた ・食事は, 出されたものや目の前にあるものを残さず全部食べてきた ・外食や間食は栄養バランスよりも自分の欲するものを瞬間的・直感的に選択してきた
食事量の過剰摂取	・食べ物を調達に行くと甘いものももれなく買っている ・食べたいものを買うときにはスーパーよりもコンビニに行く ・食事を抜いたり減らしたりすると元気も減ることを経験してきた ・食べたい時に食べることこそ, 明日の活力につながると実践してきた ・外食先では大盛りを好んだり, 満腹感が得られるまで追加注文を繰り返したりしてきた ・たとえ満腹であろうが食事を残すなんて勿体ないことはできないし, 決してしてこなかった
食事時間がもつ価値	・食事も飲酒も仲間と一緒の時が最高だ！ と, 実感している ・同僚から飲み会や食事会に誘われれば, 急な誘いであっても喜んで付き合ってきた ・食事の時間は自分にとって, かけがえのないくつろぎや至福の時間となってきた
ストレス	・仕事上でのストレスを感じるようになってきた ・仕事の合間にはタバコと缶コーヒー, もしくは清涼飲料水で頭や気分をスッキリさせて休憩するようにしている ・TV ゲームやパチンコのように, やっていてどんどん楽しくなる遊興を好んできた ・自分の楽しみのためだったら仕事時間を融通してでも時間を捻出してきた ・飲み会や遊興等でうっぷんを晴らしているからこそ, 次の日から元気に仕事ができてきた ・食事が遅い時間になろうとも付き合いを優先させてきた ・飲み会に参加して食事すると, いつも満腹以上に食べてきた
健康管理意識	・実践中の健康食・健康法に目立った効果は実感していないが, 負担が少ないのでなんとなく続けられている ・健康食・健康法を始めるきっかけのほとんどが, 人から紹介されたり, もらったり, たまたまであって, 自分で考えついたことは, まずない ・身近な人が健康食や健康法を実践していると聞くと, 体によさそうだと感じ自分でも試してみている ・体によいとか, 負担だとかは明日の体調に影響するかどうかで判断してきた ・日頃から健康を意識することが, まずない ・たまに体が悪いと指摘されても実感がないので, とりたててどうこうしてこなかった ・体力や筋力は着実に衰えていると実感するようになってきた
体格認識	・入社当初には今のように体重が増えるなんて予想もしていなかった ・今の体重になってちょっと動いても重いし, しんどいと感じるようになってきた ・健康のためと言われるよりは減量や体力維持のためと言われる方が自分のためと思える ・以前に比べると少しは動くように心がけるようになってきた ・痩せたいけれど, それは願望であって真に痩せる必要性は感じてこなかった ・体型やお腹の肉付きを恥ずかしく思い, 何とかしなければと感じるようになってきた ・今の体型になって異性や周囲から格好良く見られることに妥協するようになってきた ・減量を成功させる知識や技術を, あえて習得しようとはしてこなかった ・家族が自分のために調節した食事については甘んじて受け入れてきた
関係性する相手（食べ物を提供する食事の作り手）との	・会食や飲み会後に帰宅して自分の分として食事が作ってあると, 食べないのは悪いと感じ残さず食べるようにしてきた ・同僚が職場でお土産のお菓子を配っていると, 無下に断るのは申し訳ないのでその都度いただいて食べてきた ・行きつけの外食先で自分の嗜好に合うものを勧められたり, おまけされたりすると, 嬉しくなっていただくようにしていた

田甫久美子ほか,「肥満となった若年男性労働者の就職以降に体重増加に繋がった要因の背景」より抜粋.

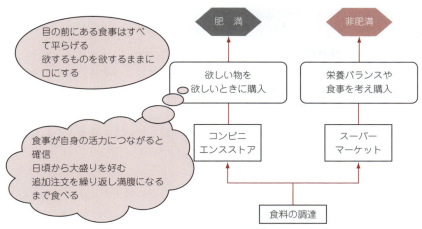

図 7.8　食事量の過剰摂取

　肥満でない者は食事のバランスや量を気にしており，食事でビタミン類が不足していると感じれば野菜や果物のジュースで補ったり，自分の適量を把握し摂取量を加減したりできる．また，昼食ではつき合いで外食をしても，朝食や夕食を食べる場所は未婚・既婚に関係なく自宅が多い．

（c）食事量の過剰摂取

　食事の調達はおもにコンビニエンスストアを活用しており，食事とは別に甘いものを欲したときにもそのつど買い出しに出かけ，食事を減らすと元気が出ず，食事をすることが自身の活力につながると確信し，欲するものを欲するまま口にする．日頃から大盛りを好んだり，飲酒によって食欲が増すと追加注文を繰り返し満腹になるまで食べ続けたりする傾向もある．そして，食事を残すことに対する抵抗感が強く，満腹感を感じていても目の前にある食事はすべて平らげる．

　肥満でない者は，食事の買い出しにはおもにスーパーマーケットを利用しており，栄養バランスや食事を考えて買い物をすることができる（図 7.8）．

（d）食事時間がもつ価値

　気の合う仲間たちとの語らいや飲み会を通じて，また食事をしているという至福の時間を通じて仕事などからの緊張を緩和させ，食事時間に栄養を補給することとは別の価値を見いだしている．

　一方肥満でない者は，食事は栄養を摂るため生きるために必要なものと考え，食事の時間は大切で楽しみな時間と考えている．

（e）ストレス

　就業年数が経つにつれ仕事上でのストレスを感じるようになり，またそのストレスは自身でコントロールすることが難しいことも実感するようになる．そして，ストレスを自覚しながら，タバコと缶コーヒーもしくは清涼飲料水といっ

ストレスマネジメント
2.2 節，7.4 節参照．

健康づくりのための身体活動・運動ガイド2023

今回の推奨事項には，「歩行またはそれと同等以上の強度の身体活動を1日60分以上行うことを推奨する」などの定量的な推奨事項だけでなく，「個人差等を踏まえ，強度や量を調整し，可能なものから取り組む」といった定性的な推奨事項を含むものであるとともに，「基準」という表現が全ての国民が等しく取り組むべき事項であるという誤解を与える可能性等を考慮し，「身体活動基準」から「身体活動・運動ガイド」に名称を変更した．

た刺激物を利用して一時の気分転換を図ったり，一人で自分の趣味に興じたり，仲間と飲酒の機会をもったりして，短時間でも仕事を忘れようとする．

（f）健康管理意識

健康食・健康法について，効果の実感はないが体によさそう，負担が少ないと思えば継続し，人から体に悪いと指摘される体型や習慣であっても，自身でその実感が伴わない場合には対応しない．

肥満でない者は，自分なりの健康法があり継続している．また，その効果を疲れにくさや体力・筋力の維持として実感もしている．

（g）体格認識

就職以降10 kg以上体重が増加した者は，無意識に増えた数字よりも，むしろ外観の見栄えを気にしているが妥協もするようになる．反面，体が重たい，しんどいと感じることから体重増加を実感し，減量や体力維持のために少しは

表7.5 健康づくりのための身体活動・運動ガイド2023（概要）

健康日本21（第三次）における身体活動・運動分野の取組の推進に資するよう，「健康づくりのための身体活動基準2013」（以下，「身体活動基準2013」という．）を改訂し，「健康づくりのための身体活動・運動ガイド2023」を策定した．

○身体活動・運動に取り組むに当たっての全体の方向性として，「個人差を踏まえ，強度や量を調整し，可能なものから取り組む」こととしている．
○推奨事項としては，運動の一部において筋力トレーニングを週2〜3日取り入れることや，座位行動（座りっぱなし）の時間が長くなりすぎないように注意すること等を示した．
○高齢者について，身体活動基準2013では，強度を問わず10メッツ・時／週以上の身体活動を推奨していたが，本ガイドでは，3メッツ以上の身体活動を15メッツ・時／週以上（歩行またはそれと同等以上の強度の身体活動を1日40分以上）行うことに加え，多要素な運動を週3日以上取り入れることを推奨事項とした．

対象者※1	身体活動※2（＝生活活動※3＋運動※4）		座位行動※6
高齢者	歩行又はそれと同等以上の（3メッツ以上の強度の）身体活動を1日40分以上（1日約6,000歩以上）（＝週15メッツ・時以上）	運動 有酸素運動・筋力トレーニング・バランス運動・柔軟運動など多要素な運動を週3日以上【筋力トレーニング※5を週2〜3日】	座りっぱなしの時間が長くなりすぎないように注意する（立位困難な人も，じっとしている時間が長くなりすぎないように少しでも身体を動かす）
成人	歩行又はそれと同等以上の（3メッツ以上の強度の）身体活動を1日60分以上（1日約8,000歩以上）（＝週23メッツ・時以上）	運動 息が弾み汗をかく程度以上の（3メッツ以上の強度の）運動を週60分以上（＝週4メッツ・時以上）【筋力トレーニングを週2〜3日】	
こども（※身体を動かす時間が少ないこどもが対象）	（参考） ・中強度以上（3メッツ以上）の身体活動（主に有酸素性身体活動）を1日60分以上行う ・高強度の有酸素性身体活動や筋肉・骨を強化する身体活動を週3日以上行う ・身体を動かす時間の長短にかかわらず，座りっぱなしの時間を減らす．特に余暇のスクリーンタイム※7を減らす．		

※1 生活習慣，生活様式，環境要因等の影響により，身体の状況等の個人差が大きいことから，「高齢者」「成人」「こども」について特定の年齢で区切ることは適当でなく，個人の状況に応じて取組を行うことが重要であると考えられる．
※2 安静にしている状態よりも多くのエネルギーを消費する骨格筋の収縮を伴う全ての活動．
※3 身体活動の一部で，日常生活における家事・労働・通勤・通学等に伴う活動．
※4 身体活動の一部で，スポーツやフィットネスなどの健康・体力の維持・増進を目的として，計画的・定期的に実施する活動．
※5 負荷をかけて筋力を向上させるための運動．筋トレマシンやダンベルなどを使用するウエイトトレーニングだけでなく，自重で行う腕立て伏せやスクワットなどの運動も含まれる．
※6 座位や臥位の状態で行われる，エネルギー消費が1.5メッツ以下の全ての覚醒中の行動で，例えば，デスクワークをすることや，座ったり寝ころんだ状態でテレビやスマートフォンを見ること．
※7 テレビやDVDを観ることや，テレビゲーム，スマートフォンの利用など，スクリーンの前で過ごす時間のこと．

厚生労働省．

表 7.6　身体活動のメッツ表

メッツ	3メッツ以上の生活活動の例
3.0	普通歩行(平地，67 m/分，犬を連れて)，電動アシスト付き自転車に乗る，家財道具の片付け，子どもの世話(立位)，台所の手伝い，大工仕事，梱包，ギター演奏(立位)
3.3	カーペット掃き，フロア掃き，掃除機，電気関係の仕事：配線工事，身体の動きを伴うスポーツ観戦
3.5	歩行(平地，75～85 m/分，ほどほどの速さ，散歩など)，楽に自転車に乗る(8.9 km/時)，階段を下りる，軽い荷物運び，車の荷物の積み下ろし，荷づくり，モップがけ，床磨き，風呂掃除，庭の草むしり，子どもと遊ぶ(歩く/走る，中強度)，車椅子を押す，釣り(全般)，スクーター(原付)・オートバイの運転
4.0	自転車に乗る(≒16 km/時未満，通勤)，階段を上る(ゆっくり)，動物と遊ぶ(歩く/走る，中強度)，高齢者や障がい者の介護(身支度，風呂，ベッドの乗り降り)，屋根の雪下ろし
4.3	やや速歩(平地，やや速めに＝93 m/分)，苗木の植栽，農作業(家畜に餌を与える)
4.5	耕作，家の修繕
5.0	かなり速歩(平地，速く＝107 m/分)，動物と遊ぶ(歩く/走る，活発に)
5.5	シャベルで土や泥をすくう
5.8	子どもと遊ぶ(歩く/走る，活発に)，家具・家財道具の移動・運搬
6.0	スコップで雪かきをする
7.8	農作業(干し草をまとめる，納屋の掃除)
8.0	運搬(重い荷物)
8.3	荷物を上の階へ運ぶ
8.8	階段を上る(速く)

メッツ	3メッツ以上の運動の例
3.0	ボウリング，バレーボール，社交ダンス(ワルツ，サンバ，タンゴ)，ピラティス，太極拳
3.5	自転車エルゴメーター(30～50ワット)，自体重を使った軽い筋力トレーニング(軽・中等度)，体操(家で，軽・中等度)，ゴルフ(手引きカートを使って)，カヌー
3.8	全身を使ったテレビゲーム(スポーツ・ダンス)
4.0	卓球，パワーヨガ，ラジオ体操第1
4.3	やや速歩(平地，やや速めに＝93 m/分)，ゴルフ(クラブを担いで運ぶ)
4.5	テニス(ダブルス)*，水中歩行(中等度)，ラジオ体操第2
4.8	水泳(ゆっくりとした背泳)
5.0	かなり速歩(平地，速く＝107 m/分)，野球，ソフトボール，サーフィン，バレエ(モダン，ジャズ)
5.3	水泳(ゆっくりとした平泳ぎ)，スキー，アクアビクス
5.5	バドミントン
6.0	ゆっくりとしたジョギング，ウエイトトレーニング(高強度，パワーリフティング，ボディービル)，バスケットボール，水泳(のんびり泳ぐ)
6.5	山を登る(0～4.1 kgの荷物をもって)
6.8	自転車エルゴメーター(90～100ワット)
7.0	ジョギング，サッカー，スキー，スケート，ハンドボール*
7.3	エアロビクス，テニス(シングルス)*，山を登る(約4.5～9.0 kgの荷物をもって)
8.0	サイクリング(約20 km/時)
8.3	ランニング(134 m/分)，水泳(クロール，ふつうの速さ，46 m/分未満)，ラグビー*
9.0	ランニング(139 m/分)
9.8	ランニング(161 m/分)
10.0	水泳(クロール，速い，69 m/分)
10.3	武道・武術(柔道，柔術，空手，キックボクシング，テコンドー)
11.0	ランニング(188 m/分)，自転車エルゴメーター(161～200ワット)

＊試合の場合．
厚生労働省運動基準・運動指針の策定検討会，「健康づくりのための身体活動基準2013」．

動くように心がけているが，減量のための知識や技術を獲得しておらず，思うようにコントロールができないでいる．

肥満でない者は，いつ，どのような経緯で体重が増加したか振り返り，また体重増加には敏感に反応し，自分で決めた体重増加の上限を決して超えないよう食事や運動量を調整できる（表7.5，7.6）．

（h）食事のつくり手（食べ物を提供する相手）との関係性

会社でお菓子などが配られると断ることは申し訳ないと感じ，行きつけの飲食店でメニューを勧められたりすると，自分の嗜好に配慮してもらっていると気遣い，すべて引き受ける傾向にある．

肥満でない者は，1日の食事回数が増えれば1回量を減らしたり運動で消費しようとする．それ以上食べられないときはその旨を相手に伝えたり，食事量を調節することができる．

（4）行動科学理論を用いた栄養教育プログラム

対面型の教育では対象者数に制限があり，現代のライフスタイルあるいは勤務形態に合わせたアプローチとしては，パソコンや携帯電話などのITを用いた非対面型の栄養教育も有効である．さらに効率や普及を最大限に考えたさまざまなアプローチをするには，まず実行可能な目標設定や方法を自己決定できるよう支援する必要がある．そして勤労者には，行動科学理論を用いた栄養教育と職場における食環境を組み合わせたプログラムにより，結果期待・自己効力感を高め行動変容へとつなげる仕組みが求められる（図7.9）．

7.4　ストレスと栄養教育

現代は「ストレス社会」といわれているように，私たちはストレスを引き起こす各種の刺激（ストレッサー）に囲まれて生活している．ストレスとは体内の歪みをいい，体外から加わったストレッサーとこれにより生じる防御反応の両方を示している．ストレスの強さは個人の認知度や感受性・耐性などによって異なり，一律に決めることはできない．また適度な緊張感を伴うストレスは，成長や活動的な生活にプラスに働く場合も多い．

しかしストレスが長く続くと，疲労がたまり抵抗力が低下して，いろいろな疾患の原因ともなるので対症療法による治療を難しくする．生命活動は自律神経系によって緊張（ストレス）と緩和（リラックス）のバランスをはかりながら巧みに制御され，さらに自律神経を構成している交感神経と副交感神経が各種臓器の活動を調整している．このバランスが崩れると，身体にさまざまな支障が生じる．自律神経はストレスの影響を受けやすく，不安，不満，怒り，興奮などの精神的なストレスに敏感に反応する．

身体に精神的ストレスが加わると交感神経が過剰に反応し，また，肉体的疲労が続くと副交感神経が過剰に興奮する．この二つの自律神経のバランスが乱れると過剰な興奮状態となり，自律神経失調症と呼ばれる状態となる．

> **ストレスマネジメント**
> 2.2節も参照．

> **自律神経失調症**
> 自律神経失調症が続くと交感神経，副交感神経の2つの自律神経が疲弊し，心も身体も疲れ切ってうつ状態となり，心身症が発症する．

7.4 ストレスと栄養教育

期間	段階	変容プロセス	栄養教育			食環境づくり		働きかけのポイント
			個別面接(目標設定)	健康講座(4回:栄養3運動1)	セルフヘルプガイドの活用	スマートミール週3回以上の利用	栄養ひとくちメモ	
		まずはここからスタート!						
6週間	前熟考期	意識の高揚 情動的喚起 環境の再評価	自分の減量に対する努力が医療費軽減につながることを再認識する.	栄養1: 自分の健康状態を知る.メタボリックシンドロームのなりたち, 放置した場合の病気の重症化について	STEP1 肥満の害を知る. STEP2 太る原因を知る.	エネルギー, 野菜量, 脂肪を基準内におさめる.	・油対策 ・飲み物にご用心 ・将来をシュミレーション ・記録の勧め ・アルコールの飲み方	行動変容に役立つ新しい情報や方法を探したり知ろうとする. 
6週間	熟考期	自己の再評価	個人のアセスメント結果に基づき目標設定と行動モニタリングを促す.	運動1: 摂取と消費のバランスについて	STEP3 何を変えたらよいか確認する		・主食の適量 ・主菜:あなたはどれを選択 ・主菜:肉・魚・卵・大豆 ・毎日の定食でバランス ・夕食が遅くなる時の対処法	 自分の目標を明確にする.
	準備期	コミットメント		栄養2: 必要なエネルギー量, 野菜の効用, 脂質の上手な取り方, 成功事例を見せる.			・今からでも遅くない ・自分で決定計画立案 ・運動の具体的方法	 行動変容を強く決意し表明する.
6週間	実行期	習慣拮抗法 刺激統制法 褒美		栄養3: 食行動の置き換え(代替行動)	STEP4 減量を実行する		・逆条件付きテクニック ・自分に褒美の方法 	問題行動を, 代わりとなる新しい行動や考えに置き換える.
4週間	維持期	ソーシャルサポートの利用			STEP5 減量を維持する.家族や同僚からのサポート.		・ストレス対処法 ・アルコールを飲む機会の多い人 ・間食大好き, 夜食をよくする人	社会的な支援(専門家や友人, 家族などのサポート)を求めて利用する. 
2週間					減量を維持する.家族や同僚からのサポート(自己管理).		・家族のサポート ・友人のサポート ・専門家のサポート	 自分にほうびを与える.

図7.9 栄養教育と食環境を組み合わせたプログラム(例)

　ストレスの刺激の程度, 質, 回数, 持続時間などによって異なるが, ストレスによる身体への影響には3段階がある. まず, 疲労を感じる時期(警告期), 次にストレスに対応しようとがんばる時期(抵抗期), 最後に力尽きて病気へと進展する時期(疲弊期)であり, ストレス性潰瘍や心身症, うつ病, 過労死などが起こる.

　ストレスはハンス・セリエ博士(Hans Selye)によって提唱された学説であり, その伝達経路を(図7.10)に示す. 人間の身体は自律神経系と内分泌系(ホルモン)と免疫系(リンパ球など)の機能が深く関連し合って, 健康の維持・身体の恒常性(ホメオスタシス)を保っている. 各種のストレッサーにさらされると, このホメオスタシスが乱れて心身に不調をきたす. 警告期では, ストレス信号が脳に伝わり, 思考力と行動力を高めるホルモンが分泌され, 神経の活性化を促す. しかし, 不安がさらに増すと神経, ホルモン, 免疫のバランスが崩

7章 ■ 成人期の栄養教育の展開

神経の種類

私たちの身体は中枢神経と末梢神経で制御されており，中枢神経は身体全体を，末梢神経は各器官に情報を伝える働きをコントロールしている．末梢神経は，刺激を伝える感覚神経，身体を動かす運動神経，内臓の働きやホルモンの分泌をつかさどる自律神経に分かれる．感覚神経と運動神経は自分の意志でコントロールできるのに対して，自律神経は自分の意志ではコントロールできない．

交感神経と副交感神経

交感神経はおもに日中，活発に生活するときに活躍する神経であり，活動型状態に身体を整える．一方，副交感神経は，心と身体をリラックスさせ，交感神経で働いた心臓や肺などの動きを穏やかにし，胃腸を盛んにして消化吸収を活発にする．そして，不要なものを尿や便として排出するなどの働きをする．この2つの神経が必要に応じて切り替わり，環境や状況に応じて内臓の働きを調節している．

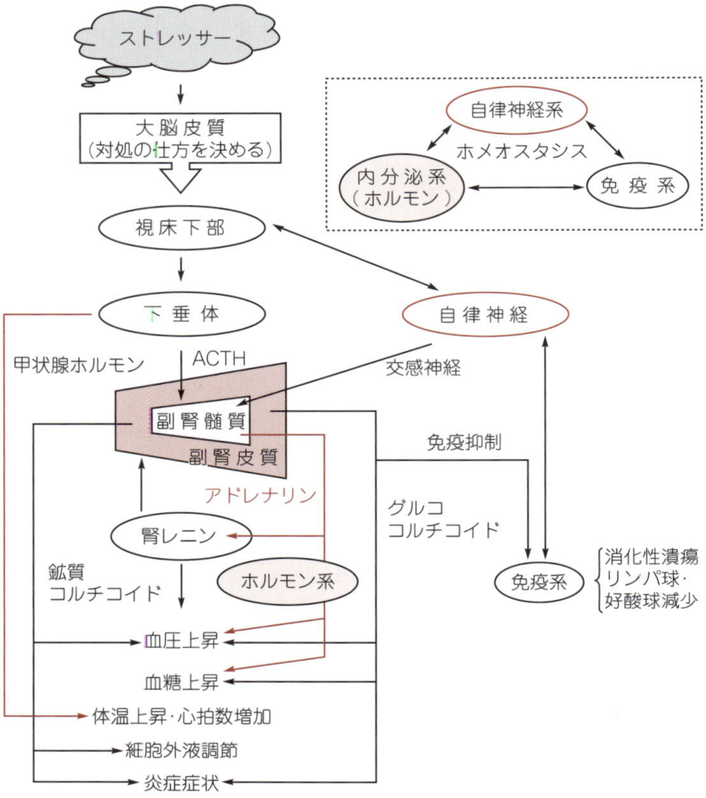

図 7.10 ストレス反応
ACTH：副腎皮質刺激ホルモン．

れ，呼吸が速まり，心拍数の増大，酸素供給量の増加，頻脈，血圧の上昇，血糖値の上昇，けがに備えての血液凝固機能の上昇，筋肉の緊張，体温の上昇に伴う発汗，排尿感，口の渇き，瞳孔の拡大，知覚の鋭敏化などの反応が起こり，次への行動に備えるようになる．同時に脳から副腎髄質に指令が送られ，驚けばアドレナリン，怒ればノルアドレナリン，楽しければドーパミンというホルモンが分泌される（抵抗期）．さらにストレスが強まると免疫系に影響を与え，ストレスホルモンの一種であるコルチゾール（グルココルチコイド）が副腎皮質から分泌され，コルチゾールが免疫細胞と結びついて，免疫細胞の活動を鈍らせ免疫機能を低下させ，各種疾病に結びつく（病弊期，図 7.11）．

このようにストレスと免疫系はきわめて密接に関係している．最近では脳松果体より分泌されるメラトニンが，コレステロールを減少させて，コルチゾールの分泌を抑制する作用があることがわかってきた．メラトニンは生体リズムを調節するホルモンであるが，抗酸化力を伴う免疫増強物質として，さらにドーパミン，セロトニンやオピオイド（β-エンドルフィン）などはやる気を起こす物質として注目されるようになってきている．

Plus One Point

消極的休養
睡眠や入浴がある．

積極的休養の種類
① 身体活動：テニス，水泳，ゴルフなど各種スポーツ
② 精神活動：絵画，俳句などの創作，つき合い，団らん，読書など
③ 身体・精神活動：旅行，園芸，日曜大工など

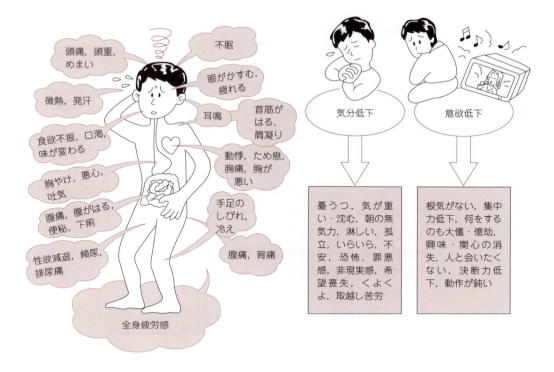

図 7.11 うつ病の症状
田中迪生,『精神科医による元気になる本』, 誠之書房 (1987).

(1) 栄養教育のポイント

ストレスに対処する食事療法についての明確な方法は確立されていないが,やる気を起こさせる脳内物質(ドーパミン,セロトニン,メラトニン,オピオイドなど)が必要である.

セロトニンは楽しい気分のときにたくさん分泌されるので,まずはおいしく楽しく食事をする.セロトニンはアミノ酸のトリプトファンから合成されるので,トリプトファンを効率よく取り入れることは効果的であり,肉や魚の赤身,卵,牛乳,チーズ,大豆に多く含まれている.大切なことはバランスのよい食事であるが,ビタミンやミネラルの不足が起こると,ストレスに対抗するホルモンの分泌が低下する.そして自律神経が乱れやすくなり,うつ症状を起こすことにつながる.この場合のアプローチには,他職種の専門家と協力し合って連携し,患者との間でよりよい関係をつくる努力が必要である.

7.5 減塩のための栄養教育

高血圧は心筋梗塞や脳卒中などのリスク因子であり,食塩の摂り過ぎと血圧の上昇との関連や減塩に血圧を下げる効果があることは,多くの研究から明らかになっている.また,高食塩摂取が胃がんのリスクを高めるという報告もあ

トリプトファンからのセロトニンの合成

① 食事によって体内に入ったトリプトファンが,吸収されて血中を通り脳に到達するためには,インスリンによる刺激が必要となる.インスリン分泌には,炭水化物や砂糖などの糖分を一緒に摂ることが重要である.

② トリプトファンからセロトニンを合成するには,光が必要である.眼から光が入ると,視神経が脳の視床下部に伝達してセロトニンがつくられる.日光だけでなく,室内の蛍光灯の光でも有効である.

自律神経を整える
① 一日の午前10時から午後2時までホルモン分泌が活発となる.
② 睡眠時間は7時間とする.
③ 眠れなくても消灯して身体を横にする.
④ 就寝3時間前までに食事を終え,消化器を休養させる.

る.適切な身体機能のために必要な最低限のナトリウム摂取量については十分に定義されていないが,世界保健機関(WHO)のガイドラインには,「200〜500 mg/日であると推定される」と記載されており,わが国の通常の食生活では不足や欠乏の可能性はほとんどない.

日本食は塩やしょうゆ,みそなどをよく使うため日本人の食塩摂取量が高い傾向にあるものの国民健康・栄養調査の結果を見ると,年々減ってきていることがわかる(図7.12).しかし「健康日本21(第2次)」の目標の1つである「食塩摂取量の減少：8 g」には届いていない.WHOは「食塩相当量として5 g未満/日」を強く推奨しているが,日本人の食事摂取基準(2020年版)では,実施可能性を考慮して,5 g/日と平成28年国民健康・栄養調査における摂取量の中央値との中間値をとり,ナトリウムの食事摂取基準の目標量を「食塩相当量として男性7.5 g未満/日,女性6.5 g未満/日」とし,「高血圧及び慢性腎臓病の重症化予防のための食塩相当量の量は男女とも6.0 g/日未満」としている.日本高血圧学会減塩委員会では,高血圧の予防のために,血圧が正常な人にも食塩制限(可能であれば1日6 g未満)を勧めている.

(1) 減塩教育

若い世代に比べると高齢者のほうが食塩摂取量は多い傾向にある.その理由として,食事内容の違いや,老化に伴う味覚・嗅覚の閾値の上昇などが考えられる.ライフステージ,ライフスタイルに応じた減塩教育を行う.

一般的には,減塩の意義や普段の食事からどのくらいの食塩を摂取していて,どのようにすれば減塩が可能であるかなどを教育し,行動変容を促す.一方で,薄味にすることで食事が苦痛になってしまわないように,おいしく食べられる工夫を伝え,できることから取組みを続けていく.また,子どもの頃から薄味で食べる習慣をつけておくことで,生涯にわたって食塩摂取量を減らし,生活

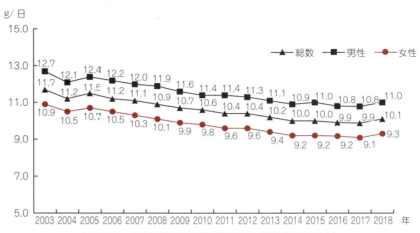

図7.12 食塩摂取量の平均値の年次推移(20歳以上)
国民健康・栄養調査の結果より作図.

7.5 減塩のための栄養教育

夏の塩分補給

　日本の夏は暑さの厳しい日が多くなり，熱中症対策が注目されるようになった．夏になると塩分補給をうたった飲料や菓子類が市場に出回るため，「熱中症予防には必要」と思い込んで摂取している人は少なくない．しかし，実際には日々の食事から必要以上の食塩を摂取しているため，高温環境下で身体を動かして大量の汗をかいているなどの特殊な場合を除けば，水やお茶をこまめに飲むことで熱中症は予防できる．世の中のはやりものを使う前に「本当に必要か？」を考えなければならない．

習慣病の予防につなげることも重要である．

　減塩によりナトリウム摂取量を減らすことに加えて，野菜・果物からのカリウムの摂取や運動などによる発汗も体内のナトリウム量を減らすためには有効である．腎機能が低下している場合のカリウム制限や，疾患による運動の制限なども考慮し，個々人の健康状態に合わせて実行可能な取組みを検討する．

（2）食環境整備を通じた減塩

　今日の日本において，市販の加工食品なしに食卓を成立させることは困難である．また，多くの人が中食や外食を日常的に利用するようになっている．このような現状を考慮してみると，政府，企業などが連携し，国をあげて減塩に取り組まなければ国民の食塩摂取量を減らすことは難しい．

　イギリスでは，2000年頃から国内で販売するパンの食塩濃度を少しずつ下げていき，およそ10年間で20％低下させた．その結果，他の食品での取組みも含めて，イギリス人の成人の食塩摂取量を約15％低下させることに成功し，血圧の低下にもつながっている．食塩のように，国民の大部分が摂取過剰であり減塩することによるデメリットがほとんどない場合は，広く環境整備を行うことが効果的である．

（a）食品表示の変更

　平成27年（2015）の食品表示法施行に伴い制定された食品表示基準により，食品の栄養成分表示においてナトリウムは原則として食塩相当量で表示されるようになった．これにより，国民が加工食品の食塩相当量を簡単に把握できるようになった．

（b）企業などでの取組み

　スマート・ライフ・プロジェクト（SLP）の一環として，毎月17日を「減塩の日」として「おいしく減塩マイナス2 g」，「毎日プラス1皿の野菜」を啓発している．啓発用のPOPは，店頭や社員食堂などで使えるよう，HPから無料でダウンロードできるようになっている（図7.13）．

　また，近年は食品加工技術の発展に伴い，みそやしょうゆなどの調味料や，魚の干物，かまぼこなどの練り製品，漬物といった日本人の食生活に欠かせな

Plus One Point
減塩のコツ
- 新鮮な食材を用い，素材の味や香りを生かす．
- うま味を効かせる（だしなど）．
- 酸味を効かせる（酢，柑橘果汁など）．
- 香りや辛味を効かせる（香辛料，香味野菜，薬味など）．
- しょうゆやソースはかけずにつける（舌に触れるところにだけ調味料がつくように）．
- 味にメリハリをつける（煮物は調味料を煮含めずに表面に味を絡める，味の濃い料理と薄い料理を合わせる，など）．
- 麺類の汁を残す．
- 漬物は控える．
- 汁物は具沢山にして汁の量を少なくする．
- 加工食品などの食塩量を確認する．

7章 成人期の栄養教育の展開

スマート・ライフ・プロジェクト（SLP）
「健康寿命を延ばしましょう」をスローガンに，国民全体が人生の最後まで元気に健康で楽しく毎日が送れることを目標とした厚生労働省の国民運動である．平成23年（2011）から始まり，運動，食生活，禁煙の3分野を中心に，具体的なアクションの呼びかけを行っている．平成26年度からは，健診・検診の受診を新たなテーマに加え，さらなる健康寿命の延伸を目指し，プロジェクトに参画する企業・団体・自治体と協力・連携しながら推進している．

POP
point of purchase advertising
購読時点広告．小売店の店頭に展開される広告媒体．

図7.13 スマートライフプロジェクトの啓発ツール

表7.7 食塩摂取源となっている食品のランキング

順位	食品名	1日あたりの食塩摂取量(g)[*1]	1日あたりの食品摂取量(g)[*2]	摂食者(人)
1	カップめん[1]	5.5	92.7	368
2	インスタントラーメン[2]	5.4	86.2	413
3	梅干し[3]	1.8	8.9	2,835
4	高菜の漬物	1.2	21.1	347
5	きゅうりの漬物[4]	1.2	32.2	1,580
6	辛子めんたいこ	1.1	20.0	567
7	塩さば	1.1	63.7	787
8	白菜の漬け物	1.0	44.9	1,306
9	まあじの開き干し[5]	1.0	63.7	555
10	塩ざけ	0.9	56.0	2,605
11	大根の漬物[6]	0.9	30.3	304
12	パン[7]	0.9	70.8	10,558
13	たらこ	0.9	19.7	519
14	塩昆布	0.8	4.6	359
15	かぶの漬物	0.8	29.6	546
16	福神漬	0.8	15.4	607
17	キムチ	0.7	33.1	753
18	焼き豚	0.7	30.4	757
19	刻み昆布	0.7	19.6	335
20	さつま揚げ	0.7	38.2	2,538

注）平成24年国民健康・栄養調査のデータをもとに解析．
　　対象は20歳以上男女 26,726名．摂食者数が300人未満の食品，調味料・香辛料類は除く．
*1 当該食品からの食塩摂取量の平均値．
*2 当該食品を摂取している者における摂取量の平均値．カップめんとインスタントラーメンは調理後の重量に換算した．
[1] 中華カップめん（油揚げめん），焼きそばカップめん（油揚げめん），中華カップめん（非油揚げめん），和風カップめん（油揚げめん）を含む．
[2] インスタントラーメン（油揚げ味付けめん），インスタントラーメン（油揚げめん），インスタントラーメン（非油揚げめん）を含む．
[3] 塩漬，調味漬を含む．
[4] 塩漬，しょうゆ漬，ぬかみそ漬を含む．
[5] まあじの開き干し，まあじ開き干し（焼き），むろあじ開き干しを含む．
[6] ぬかみそ漬，べったら漬，みそ漬を含む．
[7] 食パン，コッペパン，フランスパン，ロールパンを含む．

国立研究開発法人 医薬基盤・健康・栄養研究所，「日本人はどんな食品から食塩をとっているか？―国民健康・栄養調査での摂取実態の解析から―」，2017年11月8日．

い食品においても減塩商品が増えた.「食塩摂取源となっている食品のランキング」(表7.7)にあがっている食品の多くにも減塩商品が展開されている.

練 習 問 題

■出題傾向と対策■
成人期の栄養管理や栄養教育の特徴を,行動科学と合わせて理解しておくこと.ワーク・ライフ・バランスについて,策定の意義,取組みの方針と指標および目標について理解しておくこと.

次の文を読み,正しいものには○,誤っているものには×をつけなさい.

(1) 男性はとくに20歳代から30歳代にかけて,体重を増やさないような栄養教育が必要である.
(2) 平成19年(2007)12月に官民トップ会議において,「ワーク・ライフ・バランス憲章」「仕事と生活の調和推進のための行動指針」が策定された.
(3) ディーセント・ワークにより働きがいと経済的自立を実現し,健康で豊かな生活を可能にしていく取組みが必要である.
(4) 「行動指針」の点検・評価方法として,15の指標と数値目標が設定されている.
(5) 仕事と生活の調和に健康は欠かせないものであり,性別,食物嗜好,健康観,ライフスタイルの違いなどを考慮した栄養教育のアプローチが必要である.
(6) 健康行動の効果についてわかってはいるけれど改善ができない人には,勤務形態など属性でセグメント化し,まずはできることからチェンジしてもらうようにする.
(7) 相手を理解しながら直接的に栄養教育へと反映させる一つの方法として,イメージ・マッピング手法があり,個人の食に関する意識・イメージを可視化,表現しようとしたものである.
(8) 体重増加につながる要因とその背景についての把握は,健康教育の基礎資料となる.
(9) 健康増進を目的とした運動では,最大酸素摂取量の60%以上が推奨されており,少なくとも30分以上継続することが必要である.
(10) 適正体重維持のためには,食事バランスに関してのみ栄養教育すればよい.
(11) こころの健康を保つには,栄養や適度の運動に加え,休養が必要である.
(12) 身体的疲労と精神的疲労のメカニズムは異なるので,両者は同時に起こらない.
(13) 心身のストレスはその強弱にかかわらず,生体にとって有害である.
(14) 消極的休養により疲労をとることは,よい休養方法ではない.
(15) 深い睡眠は,どのような原因から生じた疲労でも解消できる.

8

ライフステージ・ライフスタイル別栄養教育
高齢期の栄養教育の展開

8.1 高齢期の栄養教育の特徴と留意事項

(1) 高齢期の特徴

　高齢者に見られる運動量の低下，味覚・嗅覚の鈍化，視覚の低下は食欲減少を，歯の欠損，唾液や消化液の減少は消化能力の減少を招き，嚥下反射の低下は誤嚥（ごえん）といった事故につながりやすくなる．また，運動量の低下によって便秘や下痢の症状，骨粗鬆症（こつそしょうしょう）などの疾病になりやすい．また，食欲不振，嚥下障害，脱水，褥瘡（じょくそう），便秘，歯科疾患，認知症の有無は直接，栄養にかかわる問題であり，その特徴を熟知して適切な対処法を検討しなければならない．高血圧，糖尿病，腎臓疾患などの疾患をもつ場合も多く，炭水化物，塩分，たんぱく質の摂取量についても管理が必要である．また，長年の食習慣や嗜好にも個人差が大きく，身体機能だけでなく精神機能，コミュニケーション能力の低下がある高齢者に対しては，食生活習慣を変えることが難しいため，栄養教育の目標である行動変容は困難な場合が多い．したがって栄養教育は，症状の悪化・進行を抑えたり，機能障害を補うなどのQOL（生活の質）の向上が目標となる．

　高齢期のエネルギー必要量は，一般的に基礎代謝量や生活活動量の低下によって，高齢になるほど低下するが，近年は高齢者の健康意識が高まり，運動や栄養に関心をもつ高齢者も多いため，個人差は大きく，健康状態，体位，身体活動量に合わせて判断しなければならない．エネルギー以外の栄養素については，たんぱく質，脂肪，微量栄養素は成人期とほぼ同量である．

　食事は身体の抵抗力を高め，病気の予防や回復を促すことを十分に理解してもらい，数多くの食品を幅広く選んでもらうような栄養教育が必要となる．さらに疾病や障害がある高齢者に対して，栄養士は，栄養の専門家としてだけではなく，医師，看護師，ケアマネジャー，理学療法士，介護福祉士などの医療・福祉チームと同等に意見交換ができる知識や技術も不可欠である．

(2) 高齢者のQOLと栄養教育における留意事項

　高齢者にとっての食事のQOLとは，食事が生理的な欲求を満たすだけでなく，精神的・社会的・文化的な欲求を満たすことである．QOLの基本は本人

高齢期の年齢の定義
前期：65〜74歳
後期：75歳以上

嚥下困難
脳卒中後遺症や脳血管性認知症．食道がんや胃がんによる食道狭窄やストレスなどに起因する喉のつかえ感などが見られる．

褥瘡
いわゆる床ずれ．寝たきりの病人や高齢者の肩や腰など，床に当たる部分がただれ，ひどくなると骨が露出する．

歯の喪失
50歳代で5〜6本，60歳代で15〜16本，70歳代で20〜22本を失う．原因は，う蝕（38％）と歯周病（50％）で，高齢期ではほぼ100％歯周病である．

便秘の原因
食事量や水分量の不足，腸の働きの低下，腹筋力の低下，運動不足，精神的なもの，便意の抑制，腸の病気などが原因として考えられる．食欲不振，頭痛，動悸，精神不安定などの影響が出る．4日以上排便がなかったり，排便があっても少量で硬い場合は便秘である．予防には規則正しい排便習慣をつけ，果物，ジュース，牛乳などの水分やいも類，野菜など繊維の多いものを摂取させる．運動できない場合でも腹部マッサージは有効である．便意は我慢させない．

の満足度(well-being)にある．まず，三度の食事の心配がなく，好きなものが食べられ，食事がおいしく，楽しいと感じられることで食の満足感が得られる．しかし，加齢や疾病で自分の力だけでは生活行為ができなくなった高齢者にとって，これらを確保することは困難であり，まして人間らしく尊厳をもって老後を生きることは難しい．とくにADL（日常生活動作）が低下した高齢者では低栄養（PEM）が多く見られるが，ADLの的確な把握と，それに応じた適切な介護者への栄養指導がQOLの向上につながり，栄養状態の改善をはかる（表8.1）．

高齢者をあるがままに受け入れ，栄養士は家族や介護者との信頼関係を築き，高齢者の自己決定を尊重して支えることが重要である．高齢者では味覚，嗅覚，視覚，聴覚，触覚機能の低下に大きな個人差がある．「何ができるのか」といった残存機能，食事環境，動作を把握し，それを最大限に生かす食材の選択，調理法の工夫，食器の形状や素材への配慮を行い，自力摂取を促すようにすることが最も大切である（図8.1）．

（3）食事環境の重要性

高齢者が着替えをし，寝具から出て，家族が食事をする場所で食事を摂る，いわゆる寝食空間の分離は，高齢者の単調な生活にリズムをつけるだけでなく，体力低下の防止（寝たきり防止にもつながる），食欲増進，誤嚥の防止，そして何より家族と団らんを過ごす楽しさをもたらす．30分程度の座位がとれるよう，椅子やクッションなどで環境を整えるように家族に理解を求める指導を行いたい．そして，寝たきりの状態にある高齢者でも，食事はできるだけ座位の姿勢でとるようにする（図8.1参照）．どうしても座位姿勢がとれない場合には，座位にこだわらず，楽で，誤嚥をしない姿勢でよいが，隣接する部屋などで食

> **ADL**
> activities of daily livingの略語．日常生活動作の意．誰もが毎日繰り返し行う身の周りの活動（食事，排泄，整容，入浴など）．

> **PEM**
> protein energy malnutritionの略語．たんぱく質・エネルギー欠乏症のこと．

表8.1　ADLとQOLの食事介助の基本

	ADLの食事介助	介助の基本	QOLの食事介助
食事の準備	① 食器の位置，取扱い ② 食事の手順，調味料などの確認 ③ 体調などの確認 ④ 食事場所との関係	① 配膳の方法 ② 食事の献立，内容の理解 ③ 状況に応じた言葉かけや会話 ④ 食事姿勢 ⑤ 介助者の位置	① 食の意識度 ② 食事内容の期待度 ③ 表情，気持ち，コミュニケーション ④ 食事意欲の表出 ⑤ 食事時の信頼関係
食事中	① 食事に応じた介助のしかた ② 咀しゃく，嚥下力の見極め ③ 食事環境の整え ④ 食事の雰囲気の意識度	① 食の意欲 ② 食のリズム ③ 食の方法（調味料など） ④ 食の好み，量（道具の選択） ⑤ 食の時間	① 食事の満足度 ② 食事のリラックス度 ③ 食事時の解放感
食後	① 食事終了の見極め ② 食事摂取量の確認 ③ 好みの食材とその種類 ④ 介助者の立ち振舞い	① 食事の残渣処理 ② 食器の整理 ③ 食器はトレーで一度に下げる ④ 会話，言葉かけ	① 食事摂取による疲労度 ② 食後の満足感の確認 ③ 食後のいたわり

柴田浩美，『柴田浩美の高齢者の食事介助を考える』，医歯薬出版(2002)，p.38.

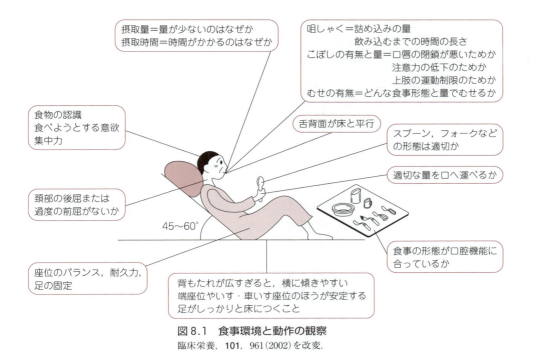

図8.1　食事環境と動作の観察
臨床栄養, 101, 961 (2002) を改変.

事を摂るようにするなど，食事空間はぜひ共有したい．

8.2　高齢期のライフイベントと栄養教育
(1) ライフイベントとQOL

　高齢期になると，人生のなかでも大きな環境の変化(表8.2)があり，そのさまざまな変化に対応できる体力や精神力などの有無が老後のQOLに大きく影響すると考えられる．

　高齢者の**ライフイベント**における社会的な衰退と損失として，子どもの自立(喜びでもあるがある種の喪失感)，退職，経済力の低下，社会とのつながりの減少がある．とくに男性では退職というライフイベントがこれまでの生活を一変させる．やり遂げたという充実感を感じる人もいるが，就労を通じての社会的役割や，他者とのつながりが失われるという喪失感をもつ人も多い．また身体的な衰退と損失としては，身体の衰え，病気，配偶者との死別があり，これらは高齢者の「生きる気力」を失うほど精神的なストレスは大きい．

要介護状態
身体上または精神上の障害があるために，入浴，排泄，食事などの日常生活における基本的な動作の全部，または一部について，厚生労働省令で定める期間にわたり継続して，常時介護を要すると見込まれる状態である．その介護の必要の程度に応じて，厚生労働省令で定める要介護状態の区分の，いずれかに該当するものをいう．

要支援状態
要介護状態になるおそれのある状態，または常時の介護は必要でないが，家事や身支度など，日常生活に支援が必要な状態．

ケアプラン
介護支援専門員が，要介護者の心身や家族状況，本人や家族の意見などを聞いたうえで，必要な施設介護，居宅サービスを組み合わせて作成する．

表8.2　高齢者のライフイベント

・退職，引退	・自分の病気やけが	・父母(義父母)の介護
・配偶者の退職，引退	・家族の病気やけが	・配偶者の介護
・定年による転職，再就職	・孫の誕生	・父母(義父母)との死別
・引っ越し	・子どもとの別居	・配偶者との死別
	・子どもとの同居	・友人との死別

高齢期では，食生活に気をつけ，活動的な生活を送ることで，より健康に留意し，また，これまでの人生の積み重ねで得た経験から生まれる寛容さ，思慮深さ，生活の知恵，さまざまな特技を生かして自分に自信をもち，精神的な自立度を高めることや，地域社会との新しい関係を築いていくこと(社会性の獲得)が高齢者自身の生活満足度を高めていくことにつながる．

(2) 高齢者と介護

寝たきり，認知症，一人暮らしなどのため，日常生活で介護・介助が必要な高齢者が年々増加している．このような高齢者が安心し，尊厳をもって生活が送れるよう，社会全体で支える制度として，平成12年(2000)から介護保険制度が施行された．市町村が運営主体で，40歳以上の者が加入し，認知症，がんや寝たきり状態になった場合，居宅サービスおよび施設サービスが提供される．

介護の種類，提供主体，内容といったケアプランは給付額の範囲内で自ら選択ができる．介護サービスにかかる費用は利用者が1割負担である．元気な高齢者がいつまでも健やかに暮らせるように，介護予防に重きを置いた平成18年(2006)の改正では，現在，介護が必要でない人についても，地域支援事業として，健康教室や栄養指導などの介護予防サービスが提供されることになった．平成24年(2012)から施行された改正では，さらに予防重視型システムの確立，地域密着型サービスの創設，低所得者に配慮した居住費，食費の利用者負担限度額が設けられた．

介護保険制度では，要支援1，2（一部の要介護1を含む）と要介護1〜5の7区分となり，「要支援1」「要支援2」は新しい予防給付制度．要介護1以上は従来の介護給付制度の対象者になる．新しい予防介護には予防通所介護と予防訪問介護があり，予防通所介護は地域包括支援センターで介護予防マネジメントが行われる．予防通所介護には共通的サービス(日常生活上の支援)と選択的サービスがある．選択的サービスには「運動機能向上トレーニング」「栄養改善」「口腔機能ケア」があり，① 運動習慣をつけ，② 適切な栄養バランスのとれた食生活を送れるよう食習慣を指導し，また，③ 歯のブラッシング指導を通して健康な歯を保つことにより，要介護状態になるのを予防することが目的となっている．この介護予防サービスも他の介護サービスと同じく1割が自己負担となる．なお，介護保険制度のサービス機能を担う介護支援専門員の対象職種には栄養士が位置づけられている．

(3) 高齢期の社会的・精神的・身体的状態を支援する栄養教育

一人暮らしになったときに最も困ることの1つに，日々の食事がある．まず，買い物ができる環境にあるかが重要である．スーパーマーケットの大型化・郊外型化が進み，地元小売業の廃業，既存商店街の衰退などにより買い物難民，買い物弱者，買い物困難者と呼ばれる高齢者が多くなっている．しかし，最近では地域に密着した小型スーパーマーケット，コンビニエンスストアなどが展開され始め，高齢者が手押し車などを携え，好きなものを好きなときに入手で

訪問介護
要介護者などが居宅(軽費老人ホーム，有料老人ホーム，そのほか厚生労働省令で定める施設における居室も含む)において，介護福祉士などにより行われる介護(入浴，排泄，食事など)．そのほか日常生活上の世話．

介護保険の給付対象となる福祉用具
〈レンタルするもの〉
車椅子，車椅子付属品，特殊寝台，特殊寝台付属品，床ずれ予防用具，体位変換器，手すり，スロープ，歩行器，歩行補助杖，認知症性老人徘徊感知機器，移動用リフト
〈購入するもの〉
腰掛け便器，特殊尿器，入浴補助用具，簡易浴槽，移動用リフトのつり具

デイサービスとデイケア
日中，来所した高齢者にリハビリや入浴，食事などのサービスを行うのがデイサービス．医療機関で同様のことを行う場合はデイケア．

きるようになってきた．今後，宅配などのシステムも含め，食環境整備がさらに進むと考えられる．

また，一人暮らしでは料理をつくっても量が多くて，毎日同じものを食べなければいけない，簡素になる，買うときに食材の量が多過ぎるなどの声が多いが，地域での教室や講演会では，食材のいろいろな料理法，保存法などを提案し，いろいろな食材が食べられ，バランスのとれた食事づくりができるような栄養教育が重要になってくる．

また男性の高齢者では，退職や配偶者の死などをきっかけに飲酒量が増加する傾向にある．それに加え，食事を十分に摂らないと低体重となり，感染症などに対する抵抗力が低下する．さらに，過度の飲酒は肝臓や脳血管障害，認知症のリスク要因となるので，飲酒がさまざまな疾病につながることを理解してもらい，趣味や社会活動など他の精神的なストレス発散法を見つけてもらえるように指導する．

また，男性も行政や地域で行われている「料理教室」や「健康教室」などへ参加することにより，料理のスキルの向上，自分のつくった料理を食べる楽しみ，食生活の見直し，社会・仲間とのつながりなどが精神的，社会的，身体的にも良い効果を及ぼすため，数多い開催を住民が要望して，積極的に参加するようにしたい（図8.2）．

図8.2　滋賀県レイカディア大学での調理実習

8.3　寝たきり予防と栄養教育

加齢に伴い心身機能が低下（虚弱，フレイル）していく．なかでも骨，関節，筋肉に支障をきたして運動障害が引き起こされる状態をロコモティブシンドロームという．とくに筋肉量の減少をサルコペニアという．高齢者においては運動や食事の摂取などの刺激に対する感度が低下し，食事量，とくにたんぱく質（アミノ酸）摂取量や運動量の減少により，筋肉の合成量が低下し，合成・分解のバランスが崩れることで筋肉量が減少する．筋肉量の減少は歩行障害や転倒といった要支援・要介護状態のきっかけとなるため，予防対策（健康寿命の延伸対策）として適切な栄養摂取と運動が重要となる．

筋肉，骨，関節の機能低下は，単独ではなく，それぞれ密接にかかわり合って起こる．低栄養や運動不足と加齢により，徐々に筋肉量が低下していき，筋肉による膝関節のサポート力が減少して，関節への負担が増す場合と，過剰な

Plus One Point

高齢者の慢性疾患に対する食事療法の是非
高齢者にとって，好きなものを好きなだけ食べる，食べられることが幸せで，生き甲斐となっている場合は少なくない．成人に対する慢性疾患の食事療法のやり方を，そのまま高齢者に適応するのは好ましくないという報告もある．病態，予後，本人の意思など，総合的な判断が必要である．

バリアフリー
障害をもつ人々が自立した生活を営むことのできる社会をつくるために，その障壁を取り去るという考え方．物理的バリア（建築，都市環境など），心理的バリア（意識や態度），社会的バリア（制度，プログラムなど）という側面から論じられる．

ロコモティブシンドローム
加齢に伴い筋肉，骨，関節の3つの部位に支障をきたし，日常生活が困難になる現象（略称：ロコモ）．悪化すると，廃用症候群や寝たきりなどの要介護状態になる．

サルコペニア
個人差はあるが，40歳前後から徐々に筋肉量の減少傾向が見られ，加齢に伴い加速化していく．とくに高齢者ではその速度はますます高まり，1年で5%以上の減少率となることもある．この現象を「サルコペニア」という．ギリシャ語で骨格筋の減少を意味し，サルコ（筋肉），ペニア（減少）の造語である．

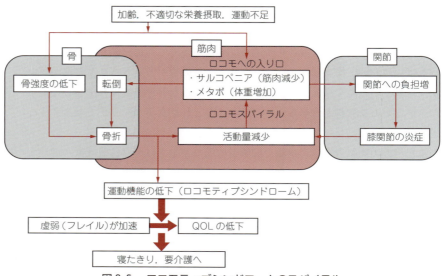

図8.3　ロコモティブシンドロームのスパイラル

栄養摂取と運動不足（筋肉量も低下）で肥満となり，関節への負担が増す場合がある．結果として膝関節に炎症が起こる．

また，筋肉量が減少するとつまずきや転倒のリスクが高まり，骨強度が低下する（加齢，不適切な栄養摂取と運動不足）と転倒した際の骨折のリスクが高まる．一度骨折すると治癒までの間，運動量が減少するため筋肉量が低下し，ロコモティブシンドロームのスパイラルにつながる（図8.3）．とくに，筋肉量の低下はロコモの入り口となるため，筋肉量の維持・増加は，ロコモ予防にとって非常に重要であり，骨・関節・筋肉の半減期（細胞の半分が入れ替わるのに要する期間）は骨7年，関節・軟骨117年，筋肉タンパク質48日のため，筋肉へのケアで一番効果が出やすい．適切な種類のアミノ酸（分岐鎖アミノ酸，と

フレイル健診の開始
令和2年（2020）4月から後期高齢者医療制度の健診で，フレイル状態のチェックが始まった．従来のメタボを中心とした質問票に代わって，今後はフレイルなど後期高齢者（75歳以上）の特性を踏まえた健康状態を総合的に把握するために「後期高齢者の質問票」が使用される．

表8.3　高齢者地域サロンにおける「寝たきりにならないための健康教室」の事例

	講義名	実施項目
第1回	健やかに過ごすための食生活	体力テスト，骨密度測定，ライフコーダーによる身体活動量調査，食生活調査，食行動調査
第2回	転倒防止のための足指体操	体力テスト，ライフコーダーによる身体活動量調査，食生活調査，食行動調査
第3回	骨粗鬆症を予防するための食生活	体力テスト，ライフコーダーによる身体活動量調査，食生活調査，食行動調査
第4回	骨粗鬆症を予防するための運動	体力テスト，ライフコーダーによる身体活動量調査，食生活調査，食行動調査
第5回	寝たきりにならないための食生活	体力テスト，骨密度測定，ライフコーダーによる身体活動量調査，食生活調査，食行動調査
第6回	健康教室1年の成果について	個別の結果資料配布

くにロイシンと必須アミノ酸）を十分に摂取することにより，効果的に筋肉を維持・増加することを栄養教育の目標とする．表8.3に高齢者地域サロンにおける健康教室の例を示す．

（1）脳卒中

脳卒中は寝たきりの最大の原因であり，高齢者の脳卒中は重症で意識障害を伴いやすく，機能回復も若年者に比べて悪い．また認知症発現率も高いのが，高齢者の脳卒中の特徴である．

かつて脳卒中の原因は大部分が脳出血であったが，最近では脳梗塞が多くなっている（表8.4）．脳卒中は高血圧が引き金となる場合が多く，食塩制限，カルシウム摂取，食物繊維摂取，アルコール摂取制限で高血圧を予防するとともに，動物性脂質の過剰摂取，ビタミンC不足，低たんぱく質には注意が必要である．また脳梗塞は低血圧でも発症するため，肥満や脂質異常症，糖尿病にならないような食生活や生活習慣を，若い頃から身につけることが重要である．

高齢者は体水分比率が低く口渇中枢が鈍くなって口渇を感じにくいため，容易に脱水状態になる．脱水は血液濃縮を引き起こし，粘った血液は血栓の原因となる．予防のためには，就寝前や起床時にコップ1杯の水を飲むなど，水分摂取を心がける指導が必要である．

表8.4 脳卒中の分類と危険因子

分　類	危険因子
脳梗塞　　ラクナ梗塞　　アテローム血栓性脳梗塞　　心原性脳塞栓症	高血圧，糖尿病　糖尿病，高コレステロール血症，高血圧　心房細動，心弁膜疾患，心筋症，心筋梗塞
脳出血	高血圧，血管奇形，抗凝血薬
くも膜下出血	脳動脈瘤，血管奇形，高血圧

臨床栄養，93，507（1998）．

（2）骨・関節疾患

脳卒中に次いで多い寝たきりの原因は，骨折である．大腿骨頚部骨折の20％が寝たきりとなっている．高齢者は加齢とともに骨量が減少し，強度を失い容易に骨折する．一定以上骨量が減少し，微細構造の破綻が起こった状態を骨粗鬆症という（表8.5）．骨の新生は骨芽細胞，吸収は破骨細胞が担っているが，骨粗鬆症は，破骨細胞の活動を抑制している性ホルモンの低下により始まる．老齢人口の1/3が骨粗鬆症で，その8割が女性であるのは，閉経による性ホルモン（エストロゲン）の分泌減少，カルシウム調節ホルモンであるカルシトニンの減少，骨塩溶出を亢進させる副甲状腺ホルモンの働きが上昇するためである．女性では40歳後半から骨塩量が急激に減少し，平均的な女性でも60歳で骨折危険域に入る．骨折により臥床期間が長くなると，他の合併症や認知症なども併発しやすいので，早期にリハビリテーションを開始する．

脳出血

脳動脈が血管壊死により破綻して出血し，できた血腫が脳組織を圧排・破壊する．85〜90％は高血圧に由来する．

Plus One Point

脳梗塞

脳血管の閉塞により，その領域の血液供給が途絶え，脳組織が壊死に陥った状態．脳卒中の70〜80％を占める．硬化性に変化した動脈に，血小板を主体とする血栓ができて生じる脳血栓が多い．心臓内や動脈壁にできた血栓がはずれて，脳動脈を閉塞して起こる脳塞栓症がある．

脱水防止

高齢者では，喉の渇きを感じない，渇きを感じても訴えられない，自分で水分補給ができない，排泄の心配から水分摂取を控えてしまうなど，水分が不足しがちである．飲料水として1日に1000〜1200 mL，食事から600〜1000 mL程度補給が必要である．口唇や皮膚の乾燥，尿量の減少などで判断する．とくに発熱時，下痢，嘔吐，発汗やよだれが多いときには十分に補う．

骨塩量

骨は輪切りにすると，周囲は厚い緻密骨の層（骨皮質）に囲まれ，内部は細い網目（骨梁）が張りめぐらされている．網目には造血組織である骨髄が詰まっている．骨皮質と骨梁を足した骨の容積を，骨塩量としている．

更年期症候群

生理不順，頭痛，肩こり，腰痛，イライラ，不眠などの不定愁訴を訴える症候．一般に早期にエストロゲンの分泌低下による顔面熱感，発汗などが見られ，晩期では膀胱機能障害，骨粗鬆症のような末梢組織の代謝性変化に基づく症状が認められる．

表 8.5　原発性骨粗鬆症の診断基準（2012年度改訂版）

I 脆弱性骨折あり		
II 脆弱性骨折なし		
	脊椎X線像での骨粗鬆化	骨密度値
正　常	なし	
骨量減少	疑いあり	YAMの70〜80％未満
骨粗鬆症	あり	YAMの70％未満

YAM：若年成人平均値（20〜44歳）．骨塩量は原則として腰椎の骨塩量とし，腰椎骨塩量の評価が困難な場合にのみ橈骨，第2中手骨，大腿骨頸部，踵骨の骨塩量値を用いる．

Plus One Point

ビタミンDとカルシウムの吸収

ビタミンD（D_2，D_3）は肝臓および腎臓で代謝され，活性型ビタミンD（1α，25水酸化ビタミンD）となり，生理作用を発揮する．小腸からのカルシウム吸収の促進，骨からのカルシウムの溶出と沈着の調節など，副甲状腺ホルモン，カルシトニン，エストロゲンなどのカルシウム代謝調節ホルモンと共同して生体内のカルシウムの恒常性を維持する．また，腎尿細管でのカルシウムの再吸収の促進も行う．

骨粗鬆症の予防には，栄養・運動・薬物療法がある．栄養ではとくにカルシウムが重要であり，植物性より動物性カルシウムのほうが吸収がよい．骨の基質はたんぱく質であり，骨を取り巻く筋肉もたんぱく質である．カルシウムを多く含む良質のたんぱく質摂取を指導する．

図8.4にカルシウムを多く含む食品を示す．カルシウム吸収，骨芽細胞活性化に効果のあるビタミンD（高齢者では活性型ビタミンDがよい）の投与は有効である．運動による骨格への抵抗刺激は骨の脱灰化を抑制し，骨へのカルシウムの結合を促すので，ウォーキングなど無理なくできるものを習慣にする．運動は転倒防止にも有効であり，骨折してもリハビリが容易となる．また，更年期障害が出始めた時期でのホルモン補充療法（HRT）も有効である．

更年期に入る頃から年に1度は骨密度測定を行うように勧めて，自分の骨の状態を知ってもらうことが栄養や運動への関心を高めることになり，骨粗鬆症予防や骨折予防につながる．

図8.4　カルシウム約100 mgを含む食品重量（g）

日本人の食事摂取基準（2025年版）におけるカルシウム推奨量
- 男性　65〜74歳：750 mg
　　　　75歳以上　：750 mg
- 女性　65〜74歳：650 mg
　　　　75歳以上　：600 mg

男性は，これらの食品から7, 8個，女性は，6, 7個を1日に摂取すると良い．

乳・乳製品
牛乳	コップ半分	100 g
ヨーグルト	1カップ	90 g
スライスチーズ	1枚	15 g

豆・大豆製品
豆腐	1/4丁	100 g
高野豆腐	1枚	20 g
納豆	1パック	40 g

小魚・海藻
ちりめんじゃこ	大さじ1	5 g
もずく	1カップ	100 g
乾燥さくらえび	大さじ1	5 g

野菜
| 小松菜 | 小鉢1杯 | 70 g |
| ちんげん菜 | 小鉢1杯 | 70 g |

高齢者の腰痛，膝痛の多くは関節リウマチで，関節に変形が生じる膠原病の一つで炎症性自己免疫疾患である．関節には，滑膜関節と結合関節がある．滑膜関節は肩，肘，股，膝などの関節で，結合関節は椎間板などである．加齢により関節軟骨はまず変性を起こし，さらに進むと軟骨が脱落し，軟骨下骨が露出する．その硬化した骨同士が接し，骨囊胞ができたり，骨棘が形成された状態が変形性関節症である．脊椎の結合関節である椎間板でも，加齢によってプロテオグリカンが減少し，膠原線維が増加して弾力性が減ってくる．周辺にひび割れができ，そこから髄核が拡散するため，椎間板の高さが低くなり，上下の椎体縁に骨硬化や骨棘形成，椎間関節の歪みが生じ，変形性脊椎症になる．軟骨には血管がなく，栄養は関節液から浸透作用によって供給される．この作用は関節運動によって促進されるので，栄養を行き渡らせるには，関節を可動域いっぱいに動かすことが必要である．痛みのため歩くのも大変という高齢者には，ストレッチなどの運動指導も必要である．

（3）感染症

寝たきり高齢者の死因は，肺炎が30％，その他の感染症が20％で，半数が感染症である．高齢者の肺炎はほとんど無症状で発症するため，発見が遅れることが多い．原因菌が緑膿菌，ブドウ球菌といった皮膚や口腔に常在する菌であり，免疫性をもっているために高熱が出にくいため，気がついたときには急激に全身状態が悪化し，呼吸困難，心臓衰弱などに陥るためである．

寝たきりの高齢者では唾液や痰が気管に入ったり，脳梗塞などで嚥下障害がある場合に食物を誤嚥したりし，気管支炎や誤嚥性肺炎になりやすい（表8.6）．また，体位変換が不十分な場合，下肺がうっ血し，沈下性肺炎になる．おむつ使用などでは皮膚炎，膀胱炎，褥瘡から菌が入り，骨髄炎になりやすい．最近では高齢者施設での結核やインフルエンザの集団感染による死者も増えており，ワクチン接種が有効である．いったん感染すると治りにくく，治療が続くとMRSA（メチシリン耐性黄色ブドウ球菌）のような薬に耐性をもつ菌が残り，難治療性の感染症となる．

感染症予防の指導は，高齢者や介護者に免疫力を高めるための栄養摂取，誤嚥などを防ぐ安全な食事介護，清潔な介護環境の整備などが重要であることを理解してもらうことが必要である．

8.4 摂食・嚥下機能障害と栄養教育

摂食・嚥下障害の代表的な原因は，脳卒中による麻痺である．また老化に伴って起こる機能低下として，①虫歯や歯の喪失により咀しゃく力が低下，②嚥下筋の筋力低下，③口腔粘膜の知覚・味覚の低下，④唾液分泌の減少，⑤咽頭の下降，⑥無症候性脳梗塞，⑥注意力・集中力の低下などが原因となる．

（1）摂食・嚥下のメカニズム

摂食・嚥下とは，食べ物を認知し，咀しゃくし，そして嚥下するという一連

Plus One Point

高齢者と結核

平成28年（2016）に結核を発病した人は17,625人であった．患者の年齢はますます高齢に偏り，60〜79歳は31％，80歳以上は40％にも達する（結核の統計2017）．また80歳以上の罹患率は67.4であった．しかし平成9年（1997），新潟県の特別養護老人ホームでは，関係者や入所者23人が集団感染し，12人が死亡した．とくに免疫力の低下している高齢者への対策が必要である．

誤嚥性肺炎

高齢者の肺炎は不顕性誤嚥によって起こり，不顕性誤嚥は嚥下反射と咳反射の低下によって起こる．両反射の低下は脳卒中，認知症など脳活動の低下によりもたらされる．

表8.6 誤嚥性肺炎への対策

step 1	誤嚥をなくす，減らす
step 2	細菌の誤嚥，化学的誤嚥（胃液の逆流）を減らす
step 3	肺炎の発症を予防する
step 4	肺炎の早期発見と治療

臨床栄養, 93, 522 (1998).

MRSA

黄色ブドウ球菌は，鼻腔や皮膚に常在する毒性が強いグラム陽性球菌で，化膿や食中毒の菌として知られている．抗生物質や消毒剤に抵抗性をもち，耐性化が著しく，ペニシリン，メチシリン，オキサシリン，マクロライド系，アミノ酸糖体系などにも耐性をもつ多剤耐性菌化の傾向が強い．病院での院内感染原因菌のなかでは，とくに注意が必要である．

Plus One Point

食器の形状や素材への配慮
握力が弱い場合は，軽いプラスチック製食器がもちやすく，安全である．食器をもてない場合はスプーンや深めの皿などを使い，重い食器や滑り止めマットなどで動かないような工夫する．箸は滑らないもの，スプーンは5 mL 程度の小ぶりのもので，適宜ストローなども用意する．

介護福祉士
身体上または精神上の障害があることにより，日常生活を営むのに支障がある者につき，入浴，排泄，食事その他の介護を行うと同時に，その者およびその介護者に対し，介護に関する指導を行うことを業とするもの．

介護支援専門員
介護保険のサービスを利用する人の相談に応じ，施設や在宅サービスの介護計画を立てることができる資格者．当事者に代わって，介護サービスを市町村や民間業者などと調整して提供する．要介護認定に際しては，市町村の委託で訪問調査を行う．医療，福祉，保健の分野から受験できる．

咀しゃく
口腔に入った食物を細かく嚙み砕き，唾液と混ぜることによって，飲み込みやすい塊を形成すること．

高齢期の献立指導
献立は，和洋中の料理，季節の旬のもの，郷土食と変化をもたせたり，反対にいつもの常備食などを用意するのも大切である．肉と魚類は交互に，卵，大豆製品，果物，牛乳は毎日，ご飯などの穀類，野菜は毎食，海藻類も1日おきには摂取するよう，具体的な食品で示すとよい．

のシステムで，この動作には，口腔組織，筋・神経など多くの組織が関与し，非常にシステマティックに統合されている．

① 食物の認識
② 口への取り込み（捕食）
③ 咀しゃくと食塊形成
④ 奥舌への移送，咽頭への送り込み［口腔期］
⑤ 咽頭通過，食道への送り込み［咽頭期］
⑥ 食道通過［食道期］　　　　　　　　　　　　　（④～⑥が嚥下に当たる．）

　⑤の咽頭期は，食塊が舌奥にさしかかり，咽頭が上に上がり始めると，軟口蓋（口腔の上の後方部）部分は後咽頭壁と接触し，鼻咽腔を閉鎖し食塊が鼻腔へ入るのを防ぐ．舌根部は下に移動して，下咽頭部は大きく開く．食物が通過すると，舌根と軟口蓋，さらに舌全体と硬口蓋（口腔の上の前方部）がぴったりとついて口腔内への逆流を防ぐ．咽頭口は，被裂咽頭蓋ひだ〔喉頭と下咽頭（食道の入り口）の境界〕と咽頭蓋によって閉鎖される．また，咽頭も上へ上がり受動的に気管が閉鎖される．

　⑥の食道期では，食道に食物が送り込まれると，逆流しないように食道括約筋がぴったりと閉鎖し，その後，蠕動運動で胃へと運ばれていく．

（2）摂食・嚥下障害と誤嚥

（a）脳卒中患者の特徴的な摂食・嚥下障害

　脳卒中患者の特徴的な摂食・嚥下障害は，① 嚥下反射が起こる前に食塊が咽喉に流れ込む，② 食塊通過の際の鼻咽腔や咽頭口の開閉のタイミングのずれ，③ 咽頭に食塊が残留する，④ 脳幹部の病変で，食道の蠕動運動が障害されるなどで，食物が気管に入る誤嚥を起こす．また，食道括約筋の閉鎖が不完全な場合にも胃食道への逆流が起こり，胃酸，消化液，細菌を含む食物が咽頭に逆流し，気管に入ると肺炎の原因になる．

（b）歯や歯肉と摂食・嚥下障害

　口のなかで食物は，舌や歯，なかでも臼歯を使って唾液と混ぜられ咀しゃくされて，食塊を形成し飲み込みやすい形となる．しかし，歯の欠損や歯の痛み，歯肉炎などの歯科疾患がある場合，場合によっては嚥下機能全体に影響を及ぼす．とくに無歯顎者や舌の麻痺がある場合，舌をスプーン状にできないため食塊をつくれず，嚥下困難となることがある．

（3）摂食・嚥下障害に対する栄養教育

（a）摂食時の姿勢

　摂食時の姿勢は30°仰臥位・頚部前屈が食塊を送り込みやすく，遅延している嚥下反射に対応でき誤嚥を防ぐことができる．さらに気管が食道の上になり，重力の関係で気管に入りにくく，反対に重力を利用して，食物を食道に送り込める．ただし，頚部は伸身状態であると嚥下しにくいので，枕やクッションで前屈状態にする（図8.1参照）．

（b）摂食・嚥下障害の食事

食べやすい食品の条件は，① 密度が均一である，② 適度な粘度があってバラバラになりにくい（とろみをつける），③ 口腔や咽頭を通過するとき変形しやすい，④ べたついていないものがよい．これらを満たすものとしては，肉や魚，野菜，果物などはミキサーで粉砕し，ゼラチンで固めたゼラチン食がある．

反対に，食べにくい食品としては，① 密度が安定していない，② 硬すぎて噛み砕けない，③ サラサラしすぎる，④ 変形しにくいもの，⑤ べたつくものがある．ゼラチンに似たものとして寒天があるが，寒天は変形しにくく，噛むと細かい粒々になり，舌で押しつぶしが難しく，誤嚥しやすい．また，刻み食は口に運びにくく，口のなかで食塊をつくりにくく，こぼれやすい，咽頭に残りやすいなどの理由で，嚥下障害食としては適さない．

（c）摂食・嚥下障害への対応（検査と訓練）

医療チームが嚥下障害の程度について摂食アセスメントを行い（表8.7），判断する．判断の結果，経口摂取の可能性が高ければ，窒息，誤嚥性肺炎，脱水，低栄養などのリスク管理を行いながら，食物形態，食事体位に留意し，慎重に経口摂取を始め，同時に摂食・嚥下訓練を併用するのが高齢者のQOLのためにも望ましい（表8.8）．

Plus One Point

液体の嚥下と固形物の嚥下
液体では液体が咽頭腔に進入する直前（0.1秒前），咀しゃくが必要な固形物では中咽頭に進入した後（0.3～6.4秒後）に嚥下反射が起こり，異なった様式を示す．

高齢者の食事介助の基本
① 食事30分前に排泄を済ませる．
② 食事前に手を洗う．
③ 介助者は高齢者と同じ目の高さに．
④ 高齢者の食べるスピードに合わせる．
⑤ まずスープなどの汁ものから．
⑥ 食物は舌の上にのせる．
⑦ 一度に口に入れる量は少なく．
⑧ 食品目を変えながら．
⑨ 最後にお茶を．

表8.7 摂食アセスメント

項　目		内　容	○または×	項　目		内　容	○または×
食事前	食物の認識 姿　勢	意識障害 覚醒状態 集中力 体幹の保持 バランス スプーンを使える		咽頭への送り込み	口　腔 飲み込みの姿勢 口唇閉鎖	口腔内に残渣がない 上を向かない 　　　固形食 　　　ペースト食 　　　水　分 飲み込むときに唇を閉鎖できる	
口への取り込み	開口機能 閉口機能 よだれ，食べこぼし	ティースプーンが口に入る カレースプーンが口に入る 口を閉じることができる 口の閉じに左右差がない よだれが出ない 食べこぼしがない		咽頭通過，食道送り込み	む　せ	食事中むせがない 食後のせきが見られない 食事中に苦しさの訴えがない 咽頭に残留感がない 変声がない	
咀しゃくと食塊形成	口腔内 舌 下顎の動き	虫歯がない 歯周囲炎，口内炎がない 義歯がない 義歯が合っている 上下運動がある 左右運動がある 前後運動がある 上下運動がある 回旋運動がある		食　事	食事形態 疲労感	食事の固さ 食事の大きさ 食事の粘性 食事所要時間 疲労感の有無	

臨床栄養, 101, 964（2002）．

構音訓練
言葉や飲み込みのための訓練.

表8.8 嚥下障害の治療手段

基本的治療	間接的訓練
① 全身状態の改善(経管栄養の併用も含む)	① 頸部のリラクゼーション(全例)
② 原疾患の治療	② 咀しゃく障害に対する訓練
③ 口腔ケア	・口腔周囲筋群の運動訓練
④ 歯科的治療	・構音訓練
⑤ 薬物の見直し	・氷なめ・キャンデーなめ訓練
直接訓練(摂食訓練)	③ 口腔内の送り込み障害に対する訓練
① 本人・介護者への説明	・口腔周囲筋群の運動訓練
② 飲みやすくする代償手段	・構音訓練
・姿勢の調節	④ 嚥下反射の惹起と強化のための訓練
・食事のテクスチャーの調節	・のどのアイスマッサージ
・二度飲み,嚥下後の咳払いなど	・メンデルゾーン手技
呼吸訓練,頸部体幹訓練	⑤ 気道の保護と誤嚥防止のための訓練
① 呼吸のコントロール訓練	・声帯の内転運動
② 咳嗽力の強化訓練	・咳嗽訓練,嚥下パターン訓練
③ 頸部上肢筋力増強,可動域訓練	特異的治療法
④ 座位耐久性を上げる	① バイオフィードバック
	② バルーンカテーテルによる拡張
	③ チューブの飲み込み訓練
	④ 手術

臨床栄養, **93**(4), 521(1998).

■出題傾向と対策■
高齢者が自立した生活が送れるよう,社会が高齢者を支える数々の制度と,そのなかでの管理栄養士の役割についても整理しておくこと.

練 習 問 題

次の文を読み,正しいものには○,誤っているものには×をつけなさい.

(1) 高齢者では,フレイルの予防および生活習慣病の発症予防の両者に配慮した栄養教育が重要である.

(2) 寝たきりの最大の原因は脳卒中であり,高血圧が引き金となるため,食塩,カルシウム,アルコールは制限する.

(3) 女性高齢者に骨粗鬆症が多いのは,閉経によるエストロゲンの減少やカルシトニンの減少が原因である.

(4) 寝たきり高齢者の死因では肺炎などの感染症が半数を占め,なかでも食物などの誤嚥性肺炎が多い.

(5) 高齢者にとって食事のQOLの基本は,まず生理的な食欲を満たすことである.

(6) 咀しゃく・嚥下機能低下患者に対して,栄養教育の一環で口腔衛生指導をしてはいけない.

(7) 高齢者の食事介護では残存機能を把握し,食材や調理の工夫,食器の形状などに配慮することが必要であるが,介護者の都合がまず優先される.

(8) 寝食空間の分離は高齢者の体力を消耗させ,生活リズムを乱すので,寝室で食事ができる環境を整える.

(9) 男性の高齢者は退職や配偶者の死などをきっかけに飲酒量が急激に増加し,食事を十分とらなくなり,感染症などに対する抵抗力が低下する傾向にある.

■出題傾向と対策■
老化に伴う身体的・生理的・精神的変化に対し,栄養状態にどのような問題が起こるのかを理解する.寝たきりの原因となる脳卒中や骨折の原因となる食生活習慣,予防の方法は重要.また,嚥下食や食事介護の方法についても押さえておく.

9 ライフステージ・ライフスタイル別栄養教育
傷病者の栄養教育の展開

9.1 肥満

(1) 疾患の概要

肥満(obesity)とは，体脂肪量が相対的または絶対的に増大・蓄積した状態をいい，肥満度が20％以上となると，高血圧や耐糖能異常などの合併症の頻度が高くなる(図9.1)．**肥満症**は「肥満に起因ないし関連する健康障害を合併するか，その合併が予測される場合で，医学的に減量を必要とする病態をいい，疾患単位として取り扱う」と定義される(表9.1)．

肥満により誘発される疾患のなかでも，近年，糖尿病は罹患率が上昇し，これに伴う合併症が懸念されている．また心臓疾患や脳血管障害は，世界各国で死因のトップを占めており，わが国では死因の第2位，3位を占めてから20年あまりになる．WHO(世界保健機関)では「**代謝症候群**，メタボリックシンドローム」と定義づけ，克服を呼びかけている．肥満・肥満症の予防と治療は大きな課題である．

代謝症候群
マルチプルリスクファクター症候群ともいわれる．動脈硬化性疾患における高頻度の合併をもつ病態を指し，「死の四重奏」に代表される(図9.16参照)．

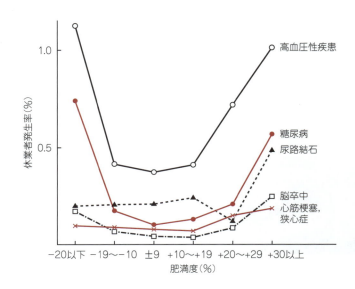

図9.1 肥満度別・主要疾病別休業者発生状況
20～54歳：死亡例も含まれる．佐久間光央，治療，61, 669(1979).

Plus One Point

遺伝と肥満

肥満の成因は，一卵性双生児の研究から，食生活や生活習慣など環境因子による場合のほうが多く，「遺伝30％，環境70％」といわれる．

β₃-レセプター活性

肥満体質に関連する遺伝子多型．

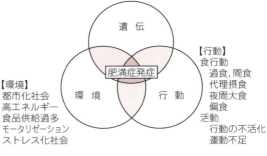

図9.2 肥満症の成因
黒川 衛，診断と治療，84，1077(1996)．

肥満のタイプ

① 上半身肥満と下半身肥満

W/H（ウエストとヒップの周囲径の比）により判定する．男性1.0以上，女性0.8以上を上半身肥満とする．上半身肥満の疑いありと判定された者は，腹部CT（コンピュータ断層撮影）法により呼気時の臍レベル断画像を撮影し，内臓脂肪型肥満か皮下脂肪型肥満かを判定する．

② 内臓脂肪型肥満と皮下脂肪型肥満（腹部CT断層画像撮影法，図9.3）

内臓脂肪型肥満の細胞は皮下脂肪に比べて脂肪がたまりやすく，治療を要する**ハイリスク肥満**である．V/S〔CT断層画像の内臓脂肪(visceral fat)と皮下脂肪(subcutaneous fat)の面積比〕により判定する．0.4以上を内臓脂肪型肥満，0.4未満を皮下脂肪型肥満とする．

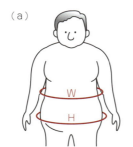 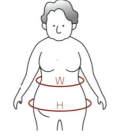

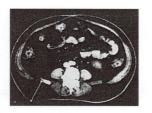 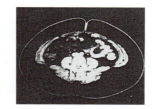

図9.3 脂肪分布による肥満の分類
(a)左は上半身肥満（りんご型肥満），右は下半身肥満（洋なし型肥満）．
(b)左は内臓脂肪型肥満（腹部から上のとくに腹部周辺の脂肪沈着が顕著で，男性に多く，細胞は肥大型が主である），右は皮下脂肪型肥満（腹部から下のとくに臀部や大腿部の脂肪沈着が著しく，女性に多く，細胞は増殖型が主である）．

【肥満の成因と診断基準】

肥満の約95％は**原発性肥満（単純性肥満）**であり，その成因としては，インスリンの感受性や機能の低下などによる糖・脂質代謝異常のほかに，熱産生能障害などの遺伝的素因があげられる．また食生活や生活活動などの環境要因，さらに食行動の異常などの行動要因が複雑に関与しているとされる（図9.2）．残りの約5％は，内分泌系などの基礎疾患により発症した**二次性肥満（症候性肥満）**である．

（2）肥満症診療ガイドライン2022

日本肥満学会から，新しい肥満症治療の指針「肥満症診療ガイドライン2022」が6年ぶりに改訂された．

肥満の治療法には，① 食事療法，② 運動療法，③ 行動療法，④ 薬物療法，⑤ 外科療法がある．医学的治療を必要としない場合は，一般に①〜③が併用される．

「**肥満症診療ガイドライン2022**」の新しい肥満の判定と肥満症の診断基準を表9.1に，内臓脂肪型肥満の判定手順を図9.4に示す．

> **DIT（食事誘導性熱産生）**
> diet induced thermogenesisの略語．食後，交感神経系を介して生じる熱産生で，褐色脂肪細胞の働きによるエネルギー放出とされる．DITが低下すると肥満になると考えられる．

表9.1 肥満の判定と肥満症の診断基準

肥満の定義：
　肥満組織に脂肪が過剰に蓄積した状態で，体格指数 $\left(BMI = \dfrac{体重(kg)}{身長(m)^2}\right) \geq 25$ のもの．

肥満の判定：
　身長あたりのBMIをもとに下表のごとく判定する．

肥満症の定義：
　肥満症とは肥満に起因ないし関連する健康障害を合併するか，その合併が予測される場合で，医学的に減量を必要とする病態をいい，疾患単位として取り扱う．

肥満症の診断：
　肥満と判定されたもの（BMI ≧ 25）のうち，以下のいずれかの条件を満たすもの
　1）肥満に起因ないし関連し，減量を要する（減量により改善する，または進展が防止される）健康障害を有するもの
　2）健康障害を伴いやすい高リスク肥満
　　ウエスト周囲長のスクリーニングにより内臓脂肪蓄積を疑われ，腹部CT検査によって確定診断された内臓脂肪型肥満

表　肥満度分類

BMI(kg/m²)	判定	WHO基準
< 18.5	低体重	Underweight
18.5 ≦ 〜 < 25	普通体重	Normal range
25 ≦ 〜 < 30	肥満（1度）	Pre-obese
30 ≦ 〜 < 35	肥満（2度）	Obese class Ⅰ
35 ≦ 〜 < 40	肥満（3度）	Obese class Ⅱ
40 ≦	肥満（4度）	Obese class Ⅲ

注1）ただし，肥満（BMI ≧ 25）は，医学的に減量を要する状態とは限らない．
　なお，標準体重（理想体重）は最も疾病の少ないBMI 22を基準として，
　標準体重(kg) = 身長(m)² × 22 で計算された値とする．
注2）BMI ≧ 35を高度肥満と定義する．

「肥満症診療ガイドライン2022」，日本肥満学会（2022）．

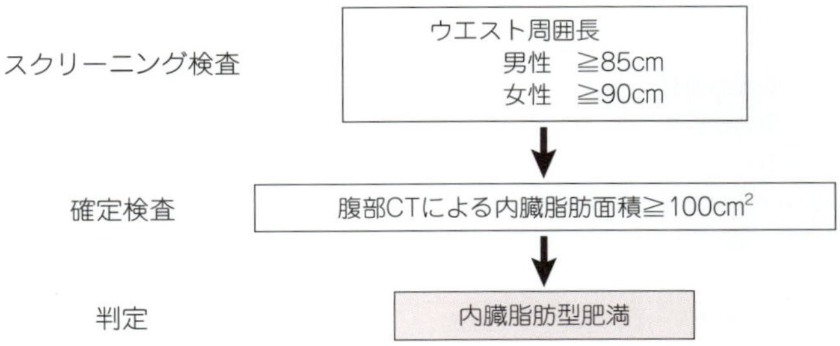

図9.4 肥満における内臓脂肪型肥満の判定手順（BMI≧25の場合）

スクリーニング検査：ウエスト周囲長　男性 ≧85cm　女性 ≧90cm
↓
確定検査：腹部CTによる内臓脂肪面積 ≧100cm²
↓
判定：内臓脂肪型肥満

「肥満症診療ガイドライン 2016」，日本肥満学会（2016）．

ウエスト周囲径は，肥満症診断基準2011でより正確な表現として**ウエスト周囲長**と改められ，**原発性肥満**と単純性肥満，**標準体重**と理想体重という同義語の扱いはそれぞれ前者に統一され，初発時のみ，原発性肥満（単純性肥満），標準体重（理想体重）と表記されることとなった．また，二次性肥満と症候性肥満は前者へ統一された．

（a）肥満の判定と肥満症の診断基準

肥満の目安となる BMI（体格指数）は，体重（kg）÷身長（m）^{2} で求められ，肥満の定義は，「脂肪が過剰に蓄積した状態で，BMI 25 kg/m^2 以上のもの」とされる．日本人の成人で BMI 35 以上の高度な肥満は，0.2〜0.3％といわれており，欧米と比べると少ないが，男子大学生を対象とした調査では BMI 35 以上が 0.3〜0.66％という報告があり，体重が 100 kg を超えている人も珍しくなくなってきた．今後，肥満度の高い人が増えてくる可能性があるため，新しい診断基準では BMI 35 以上が**高度肥満**と定義され（表9.1参照），① 呼吸器（睡眠時無呼吸など），循環器（心不全，冠動脈疾患，血栓症など），代謝系に重篤な合併症を生じやすい，② 食事・運動・行動療法に加え，しばしば薬物療法や外科治療の対象になる，などの記載が加えられている．

（b）肥満に**起因**ないし関連し，減量を要する健康障害

表9.2 に肥満症の診断基準に必須となる合併症を示すが，2011年に従来の10種類に，新たに**肥満関連腎臓病**が追加された．これは，肥満によってたんぱく尿が出て，腎障害が起きる人がいることがわかってきたからである．肥満関連腎臓病には内臓脂肪が深くかかわり，減量による治療が非常に重要と考えられている．肥満と各種合併症との関連ならびに減量の効果について，詳述されている．

肥満に関連する脂肪肝の1つである，非アルコール性脂肪性肝炎（NASH）は内臓脂肪と関連が深く，この病態から肝硬変や肝がんに進展することがわかっている．さらに，最近の研究において胆道がん，大腸がん，乳がん，子宮内膜がんは，肥満の人に発症や再発が多いと報告されている．これを受けて，肥満

表 9.2 肥満症の診断基準に必須な健康障害

1	耐糖能障害（2型糖尿病・耐糖能異常など）
2	脂質異常症
3	高血圧
4	高尿酸血症・痛風
5	冠動脈疾患
6	脳梗塞：一過性脳虚血発作
7	非アルコール性脂肪性肝疾患
8	月経異常・女性不妊
9	閉塞性睡眠時無呼吸症候群・肥満低換気症候群
10	運動器疾患（変形性関節症：膝・股関節，手指変形性関節，変形性脊椎症）
11	肥満関連腎臓病

「肥満症診療ガイドライン2022」，日本肥満学会（2022）．

に関連する悪性疾患として胆道がん，大腸がん，乳がん，子宮内膜がんが記載され，肥満はがんの発症にも関与するものであり，予防と警鐘の必要があるという知見が加えられた．

（c）肥満症診断のフローチャート

肥満症の診断に用いられるフローチャートを図9.5に示す．

（3）肥満症治療指針

（a）減量目標

肥満症の治療の基本は，標準体重やBMI 25以下に減量することではなく，減量治療で体重を減らして合併する疾患を改善・解消することにある（図9.6）．

「肥満症治療ガイドライン2006」では5％減量を目標としていたが，2008年に開始された特定健診・特定保健指導のデータが集積・解析された結果，体重が1％減るだけでも改善される病態も明らかとなった．特定健診・特定保健指導で肥満症の診断基準を満たす3408人を対象とし，1年後の体重変化と血圧や脂質，血糖，肝機能，尿酸などの検査値の変化量を検討した報告によると，1～3％の減量でLDL-ChやHDL-Ch，トリグリセリド，HbA1c，肝機能は有意に改善し，3～5％の減量で血圧，尿酸，空腹時血糖が有意に改善した．このエビデンスに基づき，肥満症では減量目標をまず3％減量とし，高度肥満症では5～10％以上の減量としている．合併する疾患によっては，さらに大きな減量も必要となる．たとえば，睡眠時無呼吸症候群では15％以上の体重減少が必要といわれている．

食行動異常

肥満と判定した場合，二次性肥満および食行動異常の可能性についても考慮する必要がある．
① 食欲の認知性調節異常（間食，ストレス誘発性食行動）
② 食欲の代謝性調節異常（過食，夜間大食）
③ 偏食，早食い，朝食の欠食

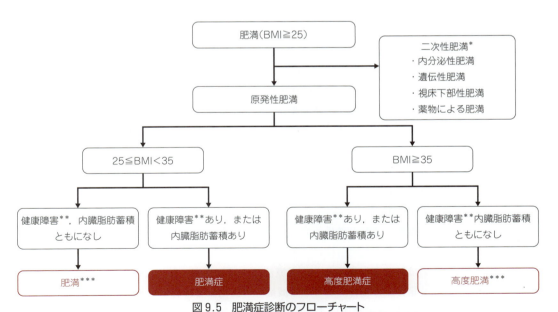

図9.5 肥満症診断のフローチャート
＊常に念頭において診療する ＊＊表9.2に相当 ＊＊＊肥満，高度肥満でも減量指導は必要．
「肥満症診療ガイドライン2022」，日本肥満学会（2022）．

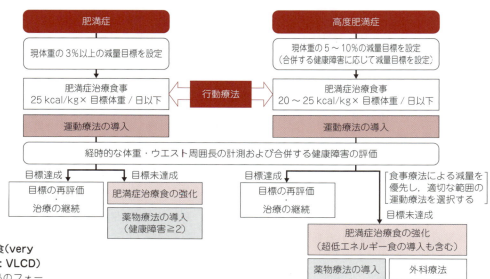

図9.6 肥満症治療指針
標準体重は身長(m)²×22で算出．3〜6カ月を目安に各治療成果を評価．

超低エネルギー食（very low calorie diet：VLCD）
一般に液体規格食品のフォーミュラ食でオプティアルファット（240 kcal/日，420 kcal/日）などが用いられる．1日あたり，たんぱく質70 g，糖質30 g，必要量のビタミンを摂取できる．対象は難治性肥満やおもにBMI 35以上の肥満など特別なケースで，発育期の小児や妊婦は除外される．通常4週間とし，8週間を限度とする．

薬物療法
肥満症治療薬として，現在，日本では食欲抑制薬であるマジンドールしか承認されておらず，その使用もBMI 35以上という高度肥満症が対象で，加えて長期処方が認められない．

外科療法
高度肥満症では，外科手術が長期的に減量を維持でき，肥満関連健康障害の改善効果が大きいことが証明されている．日本では，18〜65歳の原発性肥満で，6か月以上の内科治療で改善が見られないBMI 35以上の高度肥満症が対象となる．糖尿病などの代謝障害を合併する例では，BMI 32以上を手術適応としている．保険診療で認められている術式は腹腔鏡下スリーブ状胃切除術である．

（b）生活習慣改善療法

食事，運動，行動療法などの生活習慣改善療法は肥満症治療の基本である．薬物，外科療法を実施した場合にも生活習慣改善療法は必須である．体重を減らすためには食事療法により摂取エネルギーを減らし，運動療法で消費エネルギーを増やし，食事・運動療法を維持・強化するため行動療法を併用する．

① 食事療法

肥満症では，摂取エネルギーは1日あたり25 kcal/kg標準体重以下，高度肥満症では，摂取エネルギーは1日あたり20〜25 kcal/kg標準体重以下とする．

栄養素の配分は糖質50〜60％，たんぱく質15〜20％，脂質20〜25％が推奨されている．エネルギーを制限する場合，たんぱく質摂取量が少ないと体たんぱく崩壊を起こすので，たんぱく質が標準体重1 kgあたり最低1 g以上は摂るようにする．近年，糖質制限食が流行しているが，短期的な減量効果は大きいものの，長期的には差が見られないことも多いので，極端な糖質制限は勧められない．

② 運動療法

有酸素運動が効果的で，歩行・速歩などの低〜中程度の強度の運動を週5日程度行う．運動前にはメディカルチェックを必ず行い，適切な運動の実施あるいは制限を指導する．行動療法は，減量治療の動機付けや取組みのサポート，減量体重の維持，さらなる減量への強化などに有効である．

（c）行動療法による生活習慣の改善

肥満症患者に特徴的な生活習慣は下記のようであり，表9.3に示すような食

表 9.3 食行動質問表の例

氏名(　　　　　　　　) 年齢(　　　) 性別(男・女)
身長(　　cm) 体重(　　kg)
つぎに示す番号で以下の問いにお答えください．
1. そんなことはない　2. 時々そういうことがある　3. そういう傾向がある　4. まったくその通り

1 (　) 早食いである
2 (　) 太るのは甘いものが好きだからだと思う
3 (　) コンビニをよく利用する
4 (　) 夜食をとることが多い
5 (　) 冷蔵庫に食べ物が少ないと落ち着かない
6 (　) 食べてすぐ横になるのが太る原因だと思う
7 (　) 宴会・飲み会が多い
8 (　) 人から「よく食べるね」といわれる
9 (　) 空腹になるとイライラする
10 (　) 風邪をひいてもよく食べる
11 (　) スナック菓子をよく食べる
12 (　) 料理があまるともったいないので食べてしまう
13 (　) 食後でも好きなものなら入る
14 (　) 濃い味好みである
15 (　) お腹一杯食べないと満腹感を感じない
16 (　) イライラしたり心配事があるとつい食べてしまう
17 (　) 夕食の品数が少ないと不満である
18 (　) 朝が弱い夜型人間である
19 (　) 麺類が好きである
20 (　) 連休や盆，正月はいつも太ってしまう
21 (　) 間食が多い
22 (　) 水を飲んでも太るほうだ
23 (　) 身の回りにいつも食べ物を置いている
24 (　) 他人が食べているとつられて食べてしまう
25 (　) よく噛まない
26 (　) 外食や出前が多い
27 (　) 食事の時間が不規則である
28 (　) 外食や出前をとるときは多めに注文してしまう
29 (　) 食事のメニューは和食よりも洋食が多い
30 (　) ハンバーガーなどのファストフードをよく利用する

31 (　) なにもしていないとついものを食べてしまう
32 (　) たくさん食べてしまった後で後悔する
33 (　) 食料品を買うときには，必要量よりも多めに買っておかないと気がすまない
34 (　) 果物やお菓子が目の前にあるとつい手が出てしまう
35 (　) 一日の食事のうち，夕食が豪華で量も多い
36 (　) 太るのは運動不足のせいだ
37 (　) 夕食をとるのが遅い
38 (　) 料理をつくるときには，多めにつくらないと気がすまない
39 (　) 空腹を感じると眠れない
40 (　) 菓子パンをよく食べる
41 (　) 口いっぱいに詰め込むように食べる
42 (　) 他人よりも太りやすい体質だと思う
43 (　) 油っこいものが好きである
44 (　) スーパーなどでおいしそうなものがあると予定外でも買ってしまう
45 (　) 食後すぐでもつぎの食事のことが気になる
46 (　) ビールをよく飲む
47 (　) ゆっくり食事をとる暇がない
48 (　) 朝食をとらない
49 (　) 空腹や満腹感がわからない
50 (　) お付き合いで食べることが多い
51 (　) それほど食べてないのに痩せない
52 (　) 甘いものに目がない
53 (　) 食前にはお腹が空いていないことが多い
54 (　) 肉食が多い
55 (　) 食事ときは食べ物を次からつぎへと口に入れて食べてしまう

樋口恵子，吉松博信，臨床栄養，**108**(5)，536 (2006)．

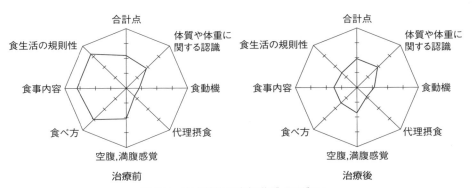

図 9.7　治療前後の食行動ダイアグラム
樋口恵子，吉松博信，臨床栄養，**108**(5)，536 (2006)．

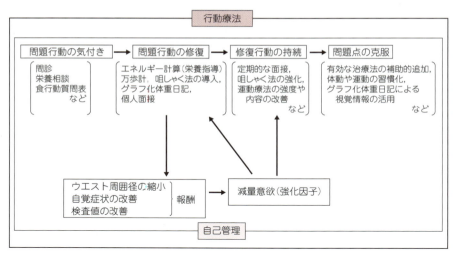

図9.8 行動療法の主要ステップと治療法の流れ

日本肥満学会肥満症治療ガイドライン作成委員会,「肥満症治療ガイドライン2006」, 肥満研究, 2006, 12（臨時増刊号）より改変.

行動質問表を用い，行動療法により生活習慣の改善に向けてサポートしていくことが重要である（図9.7, 9.8. 2章も参照）.

① 1回の食事が30分以上，食卓から離れず食べ続ける.
② 食事は満足するまでたっぷり食べる.
③ 間食，夜食が多い.
④ アイスクリームなどを好む.
⑤ 自動車を使うことが多く，あまり歩かない.
⑥ 喫煙している.
⑦ 緑黄色野菜をあまり食べない.

（4）栄養評価

以下の肥満（症）のプロフィールから評価・判定する.

① 身体状況：身長，体重（BMIや体重歴），運動習慣や生活活動.
② 生化学検査：血液検査（血糖値，Hb値，Ht値），尿検査. とくに次の臨床検査値は，肥満の合併症予防（表9.2参照）の観点から，必ず評価に加えなければならない.

- 糖尿病：空腹時血糖値，75 g OGTT値，HbA1cなど
- 高血圧：血圧の変化
- 脂質異常：血漿 TCh, TG, LDL-Ch, HDL-Chなど
- 動脈硬化：高血圧，脂質異常，糖尿病，高尿酸血症（いずれも肥満の合併症）
- 脂肪肝：血漿 AST（GOT），ALT（GPT），コリンエステラーゼ，γ-GTP，さらに超音波など
- 高尿酸血症：血漿尿酸

臨床検査の略語

OGTT：経口ブドウ糖負荷試験
HbA1c：ヘモグロビンA1c
TCh：総コレステロール
TG：トリグリセリド（トリグリセライド）
LDL-Ch：低密度リポたんぱくコレステロール
HDL-Ch：高密度リポたんぱくコレステロール
AST（GOT）：アスパラギン酸トランスフェラーゼ（グルタミン酸-オキサロ酢酸トランスアミナーゼ）
ALT（GPT）：アラニントランスフェラーゼ（グルタミン酸-ピルビン酸トランスアミナーゼ）
γ-GTP：γ-グルタミルトランスペプチダーゼ
LAP：ロイシンアミノペプチダーゼ

③ 臨床診査：既往歴，現病歴，代謝異常（糖尿病，高血圧，脂質異常，脂肪肝など），生理機能異常（呼吸器や循環器）．
④ 栄養素摂取状況：エネルギーや栄養素の摂取状態，欠食・どか食いなどの有無．
⑤ その他：生活習慣，パーソナリティ（家庭環境，身体的ハンディ，葛藤・情緒不安定・ストレスなどの精神的背景や精神的ハンディ）．

（5）栄養教育のポイント

肥満の栄養教育では，ライフスタイルの改善，食事療法や運動療法による効果的な実践により，内臓蓄積脂肪の軽減と体重維持の確立が求められる．したがって肥満治療は，肥満についての正しい理解や治療に対する意欲に加え，生活態度を見直し，活動量を増やす努力をするなど，積極的な姿勢の「自己管理を継続する意識」の確立が何よりも重要である．

① 欠食やまとめ食いも，結果的にTGを増加させる要因の一つになるので，朝食欠食，夜食，早食いなどの太りやすい食習慣を改善させ，1日3食の規則正しい食生活を身につけさせる．
② 体重の急激な減少は，運動を併用した場合でも除脂肪体重（lean body mass，除脂肪組織ともいう）の減少を避けることはできないこと，また，なかなか体重が減少しない適応現象（adaptation）の時期があることを理解させる．
③ 合併症のある場合は，合併症の治療に肥満解消が必要であることを理解させる．
④ 心疾患や高度肥満などの運動禁忌の場合を除き，200〜300 kcal消費するためには，運動強度が中等度までで20分以上継続する有酸素運動を行う．
⑤ リバウンド防止のため，治療過程で行動療法を併用して生活習慣を改善し，規則正しい生活を維持するよう指導する．
⑥ 栄養教育内容は優先順位をつけ，負担が少ない小項目を一つずつ根気よく反復しながら改善をはかり，目標達成のレベルを徐々に上げていく．
⑦ 長く継続できるよう，体重，食事（内容，時間，場所，心境など），生活活動および行動内容や運動状況などの記録をとらせることにより，本人の自覚を促し，修正またはフォローアップの栄養教育を行っていく．
⑧ 肥満者によるエネルギー摂取および生活活動量や運動量などの自己申告は，多くの場合，控え目で妥当性に欠ける問題点があるので注意する．また，減量速度が低下したり，記録を忘れたりする状況は，減量の意欲低下の現れと見て治療をゆるめるなど，様子を見ることが大切である．
⑨ 長期的な減量計画に対する成果について，適切な自己評価能力を養い，その内容を次の治療段階に有効に生かせるかを，たとえば次の点を検討して評価することが重要である．
　（ⅰ）目標体重に向かって順調に減量が継続しているか．
　（ⅱ）生体に障害が生じることなく，代謝や生理機能の改善が見られたか．

除脂肪組織
生命維持や日常の活動に必要な脳，内臓，筋肉，骨，水分などの活性組織を指す．

適応現象
摂食量低下に伴う一種の生体防御反応で，体の恒常性を損ねないように，基礎代謝が低下する現象が起こる．これは摂取した物を少しでも長く栄養として蓄える節約遺伝子の働きによるもので，朝食欠食やまとめ食い，絶食期間が長いなどの，極端な食事療法では出やすくなる．

有酸素運動の具体例
7000〜10000歩/日の歩行が好ましい．ほかにラジオ体操，自転車エルゴメーター，水泳など，全身を使う有酸素運動が好ましい．脈拍数120/分くらいがよい（p.155参照）．

（6）食事教育

① 適正エネルギー量を設定する（図9.6 参照）．
② たんぱく質は，良質のものを標準体重1 kg あたり1.0〜1.5 g/日とする．
③ 炭水化物は基本的には制限するが，総エネルギー量の約50%を下回らないよう確保し，ケトーシスと体たんぱく質崩壊予防のために，最低でも100 gは摂る．デンプン性の食品を摂り，砂糖や菓子類および果糖の多い果物は極力控える．
④ 脂質はエネルギー比率で20%を確保する．厳しい減量の場合でも，必須脂肪酸や脂溶性ビタミンの摂取量低下に伴う発育障害，皮膚炎などの予防に，最低10〜20 gは摂取する．脂肪酸比率も適正に保つ．
⑤ ビタミンやミネラルは食事摂取基準を満たすようにする．とくに減量に伴って生じがちな，鉄欠乏による貧血やビタミンB_1欠乏などの栄養障害に注意する．
⑥ 食物繊維を20〜25 g/日摂取する（成長期，高齢期：10〜15 g/1000 kcal）．咀しゃく回数が増えると満腹中枢が刺激され，また胃内停滞時間が長くなるため，空腹感が抑制されるなどの効果がある．また，ゆっくりと，よく噛んで食べる習慣を身につける．
⑦ 高血圧の予防のため，食塩の摂取量は7〜10 g/日とする．また，食べ過ぎを予防するために薄味にする．
⑧ 厳しい減量を行ったときは，とくに水分を十分に摂取する．
⑨ 原則的に禁酒または節酒（80〜160 kcal/日）とする．

9.2 メタボリックシンドローム

内臓脂肪蓄積を上流因子とし，インスリン抵抗性耐糖能異常，動脈硬化惹起性リポたんぱく質合成の異常，高血圧のうち2項目以上を個人に合併する心血管病易発症状態（心血管イベント）をいう．

内臓脂肪が過剰にたまっていると，糖尿病や高血圧症，脂質異常症といった生活習慣病を併発しやすくなってしまう．しかも，「血糖値が少々高め」「血圧が少々高め」といった，まだ病気とは診断されない予備軍でも，生活習慣病を併発することにより動脈硬化が急速に進行し，大変危険である．

メタボリックシンドロームの発症機序は図9.9のように考えられている．脂肪細胞から分泌される生理活性物質はアディポサイトカインと呼ばれ，この分泌過剰と分泌不全がメタボリックシンドロームの発症機序と密接に関連している点が重要である．図9.10にメタボリックシンドロームの診断基準を示す．診断基準にしたがって，まず必須項目となっている，ウエスト周囲長を正確に測定する（図9.11）．次に，血液検査データにより脂質，血圧，血糖値のそれぞれが基準値以上である場合をリスク1とし，2個以上重なっている場合をメタボリックシンドロームと判定する．

ケトーシス
糖質が不足すると，エネルギー補給に脂肪が分解され，アセチルCoAが蓄積する．TCA回路に入りきれないアセチルCoAは副次反応に進み，過剰のケトン体（アセト酢酸，β-ヒドロキシ酢酸，アセトン）を生じる．

食後血糖値の上昇
脳の満腹中枢は血糖値の上昇で刺激を受け，食後20分ほどしてから上昇する．

厳しい減量と水分
急激な減量で水分が35%以下になると，脱水状態やショック状態に陥る．

9.2 メタボリックシンドローム

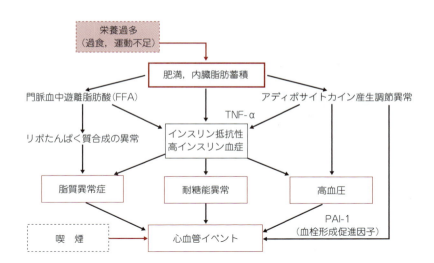

TNF-α
腫瘍壊死因子.

PAI-1
プラスミノーゲン活性化抑制因子1.

図9.9 メタボリックシンドロームの発症機序

内臓脂肪(腹腔内脂肪)蓄積	
ウエスト周囲長 　(内臓脂肪面積　男女とも≧ 100 cm² に相当)	男性≧ 85 cm 女性≧ 90 cm
上記に加え以下のうちの2項目以上	
高トリグリセライド(TG)血症 　　かつ／または 低HDLコレステロール(HDL-C)血症	≧ 150 mg/dL ＜ 40 mg/dL（男女とも）
収縮期血圧 　　かつ／または 拡張期血圧	≧ 130 mmHg ≧ 85 mmHg
空腹時高血糖	≧ 110 mg/dL

＊ウエスト周囲長は立位，軽呼気時，臍レベルで測定．臍が下方に編位している場合は肋骨下縁と前上腸骨棘の中点の高さで測定．
＊高TG血症，低HDL-C血症，高血圧，糖尿病に対する薬物治療を受けている場合は，それぞれの項目に含める．

図9.10 メタボリックシンドロームの診断基準
メタボリックシンドローム診断基準検討委員会，「メタボリックシンドロームの定義と診断基準，日本内科学会雑誌，**94**，4 (2005)，p.794 より作成．

　メタボリックシンドロームの保健指導の場合では，図9.12のようなプランニングシートにそって対象者に理解してもらう必要がある．たとえば1か月で2kg減量する場合は次のように説明する．脂肪組織の組成は，80％が中性脂肪で20％が水分である．体脂肪1kgは9 kcal/g × 1000 g × 0.8 ＝ 7200 kcalに相当する．2kgの減量を1か月で行うには7200 kcal/kg × 2 kg ÷ 30 日 ＝ 480 kcal/日，つまり「約500 kcal －運動消費エネルギー」が制限エネルギー量となる．

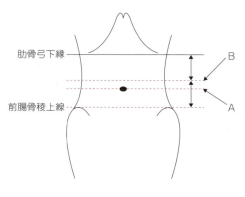

【測定部位】
① 臍位：A
② 過剰な脂肪蓄積で腹部が膨隆下垂し，臍が正常位にない症例では，肋骨弓下縁と前腸骨稜上線の中点：B

【姿勢，呼吸】
① 両足を揃えた立位で，緊張せずに腕を両側に下げる．
② 腹壁の緊張を取る．
③ 軽い呼気の終期に計測．

【計測時の注意点】
① 非伸縮性のメジャーを使用．
② 0.1 cm 単位で計測．
③ ウエスト周囲長の前後が水平位になるように計測．
④ メジャーが腹部にくい込まないように注意．
⑤ 食事による測定誤差を避けるため，空腹時に計測．

図 9.11 ウエスト周囲長の測定法
赤い点線は測定部位を示す．「肥満症診療ガイドライン 2016」，日本肥満学会（2016）．

無理なく内臓脂肪を減らすために
〜運動と食事でバランスよく〜

腹囲が男性 85 cm 以上，女性 90 cm 以上の人は，次の①〜⑤の順番に計算して，自分に合った腹囲の減少法を作成してみましょう．

① あなたのウエスト周囲長は？　①　　　cm

② 当面目標とするウエスト周囲長は？　②　　　cm
メタボリックシンドロームの基準値は男性 85 cm，女性 90 cm ですが，それを大幅に超える場合は，無理をせず段階的な目標を立てましょう．

③ 当面の目標達成までの期間は？
　確実にじっくりコース：①−②　cm ÷ 0.5 cm／月 ＝ ③　　か月
　がんばるコース　　　：①−②　cm ÷ 1 cm／月 ＝ ③　　か月
　急いでがんばるコース：①−②　cm ÷ 2 cm／月 ＝ ③　　か月

④ 目標達成まで減らさなければならないエネルギー量は？
　①−②　cm × 7,000 kcal ＝ ④　　kcal
　④　kcal ÷ ③　か月 ÷ 30 日 ＝ 1 日あたりに減らすエネルギー　kcal

※ウエスト周囲長 1 cm を減らす（＝体重 1 kg を減らす）のに，7,000 kcal が必要

⑤ そのエネルギー量はどのように減らしますか？
　1 日あたりに減らすエネルギー　kcal
　　運動で　　　kcal
　　食事で　　　kcal

図 9.12 内臓脂肪減量のためのプランニングシート
厚生労働省，「保健指導における学習教材集（確定版）」（2007）．

9.3 糖尿病
（1）疾患の概要
糖尿病患者は世界的に増加傾向にあり，2017年は4億2500万人であったが，2045年までには6億9300万人に達すると推定されている．

（a）症状と分類
糖尿病(diabetes mellitus)は，膵臓より分泌されるホルモンであるインスリンの作用不足(インスリンの分泌不足，インスリン感受性の低下など)により起こる代謝障害である．口渇，多飲，多尿，体重減少，全身倦怠感，視力の障害などは，典型的な糖尿病の一般症状である．病状が進行すれば，細小血管障害の糖尿病性網膜症・腎症・神経障害の三大合併症や，脳血管障害，虚血性心疾患などの糖尿病性大血管障害といった合併症が生じる．糖尿病における虚血性心疾患の発症危険率は，非糖尿病患者の2～5倍である．

糖尿病は現在，表9.4のように分類される．2型糖尿病(NIDDM)はわが国の糖尿病患者の9割を占め，インスリン感受性の低下または分泌能の低下によって発症する．1型糖尿病(IDDM)はインスリンの分泌欠如によって発症し，生涯にわたってインスリン投与を必要とする．症状は尿糖と体重減少を主症状とし，放置すればインスリンの絶対的不足から高ケトン血症となり，ケトアシドーシス性昏睡による意識障害を招く．

（b）診断基準
糖尿病の診断は，空腹時と随時血糖値およびOGTT 2時間値(表9.5)のいずれかとHbA1c(国際標準値，NGSP)が6.5％以上〔HbA1c(JDS)が6.1％以上〕の検査値が確認された場合は，まず「糖尿病型」と判定する(図9.13)．次に糖

表9.4 糖尿病と糖代謝異常*の成因分類

Ⅰ 1型(膵β細胞の破壊，通常は絶対的インスリン欠乏に至る)
  A．自己免疫性
  B．特発性
 Ⅱ 2型(インスリン分泌低下を主体とするものと，インスリン抵抗性が主体で，それにインスリンの相対的不足を伴うものなどがある)
	Ⅲ その他の特定の機序，疾患によるもの
	  A．遺伝因子として遺伝子異常が同定されたもの
	   ① 膵β細胞機能にかかわる遺伝子異常
	   ② インスリン作用の伝達機構にかかわる遺伝子異常
	  B．他の疾患，条件に伴うもの
	   ① 膵外分泌疾患
	   ② 内分泌疾患
	   ③ 肝疾患
	   ④ 薬剤や化学物質によるもの
	   ⑤ 感染症
	   ⑥ 免疫機序によるまれな病態
	   ⑦ その他の遺伝的症候群で糖尿病を伴うことの多いもの
	 Ⅳ 妊娠糖尿病

注：現時点では上記のいずれにも分類できないものは分類不能とする．
* 一部には，糖尿病特有の合併症をきたすかどうかが確認されていないものも含まれる．
「糖尿病の分類と診断基準に関する委員会報告(2010)」 http://www.jds.or.jp/jds_or_jp0/uploads/photos/626.pdf

---

IDDM(1型糖尿病)
insulin dependent diabetes mellitusの略語．インスリン依存性糖尿病．欧米では糖尿病患者の15～30％を占める．

NIDDM(2型糖尿病)
non-insulin dependent diabetes mellitusの略語．インスリン非依存性糖尿病．

日本人の糖尿病の患者数
国際糖尿病連合「糖尿病アトラス(第5版)」(2011年)によると，日本の成人人口(20～79歳)は約9,534万人で，うち約1,067万人が糖尿病人口であり，糖尿病の有病率は11.2％に達している．年齢層別に見ると40～59歳では33.3％，60～79歳では60.8％で加齢に伴う増加傾向が著しい．

内臓脂肪型肥満と糖尿病
糖尿病に罹りやすく，脂質異常症や高血圧にもなりやすい．とくに，高血圧の患者は血圧コントロールが不十分であることがわかっており，2型糖尿病の50％は，最終的に高血圧症を合併するといわれる．

妊娠糖尿病
詳細は4章参照．

OGTT
oral glucose tolerance testの略語．経口ブドウ糖負荷試験．ブドウ糖75gを水に溶かして飲んだ後，一定時間ごと(直前および飲用後30分おきに120分までの5回)に血糖の変化を測定し，糖代謝異常の有無を診断する．

糖尿病の典型的症状
口渇，多飲，多尿，体重減少．

表9.5　75g経口糖負荷試験(OGTT)が推奨される場合

(1) 強く推奨される場合(現在糖尿病の疑いが否定できないグループ)
・空腹時血糖値が110〜125 mg/dLのもの
・随時血糖値が140〜199 mg/dLのもの
・HbA1c(NGSP)が6.0〜6.4%のもの(明らかな糖尿病の症状が存在するものを除く)
(2) 行うことが望ましい場合(糖尿病でなくとも将来糖尿病の発症リスクが高いグループ：高血圧・脂質異常症・肥満など動脈硬化のリスクをもつものはとくに施行が望ましい)
・空腹時血糖値が100〜109 mg/dLのもの
・HbA1c(NGSP)が5.6〜5.9%のもの
・上記を満たさなくても，濃厚な糖尿病の家族歴や肥満が存在するもの

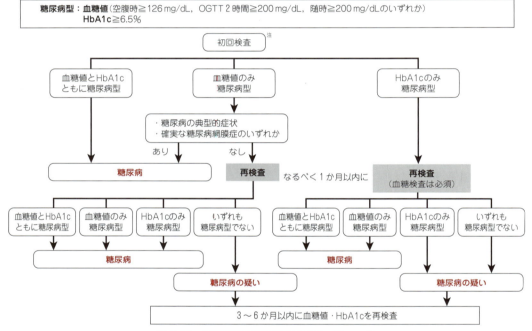

図9.13　糖尿病の臨床診断のフローチャート

注）糖尿病が疑われる場合は，血糖値と同時にHbA1cを測定する．同日に血糖値とHbA1cが糖尿病型を示した場合には，初回検査だけで糖尿病と診断する．
日本糖尿病学会，「糖尿病の分類と診断基準に関する委員会報告（国際標準化対応版）」糖尿病，55(7)，494（2012）より一部改変．

尿病の典型的症状，ヘモグロビンA1c(HbA1c)値，あるいは糖尿病網膜症の存在により「糖尿病」と診断する(表9.5参照)．

(c) 原因と発症までの経過

わが国の2型糖尿病は，遺伝的素因に加え，食習慣の欧米化，運動不足，肥満などの環境因子が大きく関与し，発症している．とくに内臓脂肪型を招く動物性脂肪の過剰摂取と，自動車の普及およびBMIの増加は，糖尿病有病率の上昇と強く関連している．また，ストレスや老化なども誘因と考えられる．日

本人は欧米人に比べると比較的肥満傾向はなく，インスリン分泌が少ない．加えて肝臓，筋肉，皮下脂肪の標的細胞でインスリンの作用が十分に発揮できないという，組織のインスリン感受性の低下（**インスリン抵抗性**）が生じて数年後に発症する．このインスリン抵抗性は肥満により増大する．一般に境界型と診断されると，その30％は10年間のうちに2型糖尿病を発症する．

（d）糖尿病治療ガイド2020－2021（基本的考え方）

新しい糖尿病診断基準では，糖尿病の診断にHbA1c値をより積極的に取り入れ，血糖とHbA1cの同日測定を推奨し，HbA1c値はNGSPを使用するように指示している．2型糖尿病はインスリン分泌低下やインスリン抵抗性をきたす素因を含む複数の遺伝因子に，過食（とくに高脂肪食），運動不足，肥満，ストレスなどの環境因子および加齢が加わり発症する．1型糖尿病では，インスリンを合成・分泌するランゲルハンス島β細胞の破壊・消失が，インスリン作用不足の主要な原因である．糖尿病の診断は1時点での血糖値のみからは行わず，「型」の判定にとどめ，別の日に行った検査や他の自他覚的所見も合わせて糖尿病と診断する．治療には年齢，罹病期間，臓器障害，低血糖の危険性などを考慮して個別に対応する（図9.14）．

（2）栄養教育

（a）栄養評価

糖尿病の栄養評価は，次の項目から患者の状況を的確に判定し，個々の病状に見合った栄養教育の計画を立て，繰り返し栄養教育を行っていく．

① 身体状況：BMI，年齢，性別，生活活動量，運動習慣など．
② 生化学検査：血液検査〔空腹時および随時血糖値，OGTT2時間値，HbA1c，**グルコアルブミン（GA）**，**1,5AG**，総コレステロール（TCh），中性脂肪（TG），HDL-Ch，遊離脂肪酸〕，尿検査（糖，たんぱく質，微量アル

目標	コントロール目標値[注4]		
	血糖正常化を目指す際の目標[注1]	合併症予防のための目標[注2]	治療強化が困難な際の目標[注3]
HbA1c(%)	6.0未満	7.0未満	8.0未満

図9.14 血糖コントロール目標

治療目標は年齢，罹病期間，臓器障害，低血糖の危険性，サポート体制などを考慮して個別に設定する．

注1）適切な食事療法や運動療法だけで達成可能な場合，または薬物療法中でも低血糖などの副作用なく達成可能な場合の目標とする．
注2）合併症予防の観点からHbA1cの目標値を7％未満とする．対応する血糖値としては，空腹時血糖値130 mg/dL未満，食後2時間血糖値180 mg/dL未満をおおよその目安とする．
注3）低血糖などの副作用，その他の理由で治療の強化が難しい場合の目標とする．
注4）いずれも成人に対しての目標値であり，また妊娠例は除くものとする．

資料：日本糖尿病学会 編，糖尿病治療ガイド2020－2021．

HbA1cの国際標準化に伴う変更について

2012年4月1日以降，HbA1cの表記とその運用を，以下のように改めることとなった．

1. 日常臨床においてもNGSP値を用い，「HbA1c（NGSP）」と表記する．従来のJDS値は「HbA1c（JDS）」と表記し，当面は両者を併記する．
2. 特定健診・特定保健指導に関しては，システム変更や保健指導上の問題を避けるため，2013年3月31日まで，従来通りJDS値のみを用いる．その後は，NGSPを用いる．

血清グルコアルブミン（GA）

アルブミンにブドウ糖が非酵素的に結合したものが糖化アルブミン，すなわちグルコアルブミン（GA）である．過去2週間の血清コントロールの指標として用いられる．基準値は11～16％である．また，HbA1cは過去1～2か月の血清コントロールの指標で，基準値は4～6.5％である．ブドウ糖が赤血球膜を通過し，Hbと結合している．したがって，赤血球が破壊されるまでの120日間，血中に存在している．

血清1,5アンヒドログルシトール（1,5AG）

1,5AGは，食物より摂取される多価アルコールの一種で，構造はブドウ糖に似ている．尿細管から再吸収される際，ブドウ糖と競合する．高血糖で尿糖排泄が増加すると，血清1,5AG値は低下する．血清1,5AG値は血糖コントロールと逆相関し，血糖やHbA1cと逆の挙動をする指標である．正常値は14.0 µg/mL以上である．

ブミン，尿素窒素，クレアチニン，ケトン体），血圧測定，眼底検査および血糖コントロール目標値で判断する．
③ 臨床診査：既往歴（糖尿病歴，検査結果およびその後の経過，高血圧，脂質異常症，動脈硬化，とくに虚血性心疾患と脳血管障害），投薬状況など．
④ 栄養素摂取状況：エネルギーや栄養素の摂取状態，飲酒・喫煙習慣など．

（b）治療の目的

糖尿病治療の目的は，顕著な低血糖，高血糖またはケトアシドーシスのような急性症状の発症を抑え，糖尿病特有の網膜や腎臓へのダメージを引き起こす細小血管障害，神経障害および心臓や脳における血管障害による合併症を防ぎ，失明や腎透析を回避することである．これら合併症の発症や進展の予防を目的とし，厳格な血糖コントロールの維持が重要で，血糖コントロール目標に達成できない場合の治療方法を定めている（図9.14）．

具体的な糖尿病の栄養教育は，以下のような方法で行われている．① 個人教育指導には「外来患者集中療養指導」，「入院教育指導」，「人間ドックでの栄養教育指導」および「栄養スクリーニングの一定周期における実践」などがある．② 集団教育指導には「糖尿病教室」，「開放病棟での食事後ミニ講話」，「バイキングによる食材や料理の栄養価計算の学習」がある．③ 子どもの糖尿病指導として「母親教室」や「サマーキャンプ」などが行われている．④ 日本糖尿病協会により設立されたクリニック単位「友の会」は，医療スタッフとともに患者同士で糖尿病の自己管理能力を高め，新しい知識を導入する場を提供する会である．月刊機関誌の発行，行事の開催，糖尿病の啓蒙活動や講演などを行っている．

（c）栄養教育のポイント

食事療法は「適正な摂取エネルギー量」，「各種栄養素のバランス」を二大原則とし，おもに「糖尿病食事療法のための食品交換表（第7版）」を用いた教育が行われる．「糖尿病食事療法のための食品交換表（第7版）」では，前回の改訂（2002年）より10年以上が経過したことと，炭水化物の適正な摂取量に対する社会的関心の高まりを受けて改訂し，炭水化物を指示エネルギーの50〜60％，たんぱく質を1.0〜1.2 g／標準体重1 kg，残りを脂質で摂取するように定めた．さらに，食事に関する炭水化物の割合について60％，55％，50％の配分例を示した．

① 適正エネルギー量は，目標体重に身体活動強度を加味した指示エネルギー（表9.6）を目安とする．糖尿病の栄養基準を表9.7に示した．
② 栄養素のバランスを適正に保つ．炭水化物はそれぞれの症状に応じて，40〜60％のエネルギーの推奨範囲にそって柔軟に対応することとなった．ただし，55％，50％の場合は，相対的なたんぱく質や脂質の過剰摂取につながるので，腎症や動脈硬化症を有する場合には注意が必要としている．3食は均等に配分し，偏りをなくして食後血糖上昇を抑える．また，インスリン注射を行っている場合は，低血糖予防のため，3食のほかに午後と就寝前

ケトアシドーシス

ケトン体が血中に増加すると，アルカリ性の重炭酸塩やその他の緩衝物質で中和されるが，血液のpHはなお低下し，正常より低くなる状態をいう．重症でコントロール不良の糖尿病の際に生じる．脱水により循環血液量も低下して意識障害が出現するので，緊急の治療を要する．

Plus One Point
一般的教育入院
（外来患者集中療養指導）

① 1〜2週間の入院，② 食事療法や血糖値の自己測定（一定時間），運動療法などの実施，③ 3回の食事は個人の症状に合わせ，カロリー計算し，食事の前後に血糖値を自己計測する，④ 生化学検査値や食事教育などから生活改善の意識を高める．

グリセミックインデックス
（Glycemic index：GI），
グリセミックロード
（Glycemic load：GL）

GIとは食事として摂取された炭水化物が糖に変化して血糖値を上昇させる能力の指標で，ブドウ糖50 gを100とした場合の相対的指標である．GLはGIに炭水化物摂取量を乗じた値でGIを考慮した炭水化物摂取総量の指標である．肥満度，TG，空腹時血糖と正相関を，HDL-Cと負相関を示す．

表9.6 糖尿病における身体活動量とエネルギー係数の目安(kcal/kg 目標体重/日)

軽労作	25～30
普通の労作	30～35
重い労作	35～

日本糖尿病学会 編，身体活動量の目安，『糖尿病治療ガイド 2020-2021』，p.49 より引用，改変．

表9.7 糖尿病の栄養基準

エネルギー (kcal)	たんぱく質 (g)	脂質 (g)	糖質 (g)	適用 (単位)
1200	60	35	160	15
1400	65	40	200	17.5
1600	70	40	240	20
1800	80	50	260	22.5

1200 kcal(15単位)を基礎食とする．

にも間食も配分する．

③ 糖質については食後血糖の上昇が遅く，インスリン分泌の刺激が少なく，GI値(グリセミックインデックス)が低い多糖類をとる(表9.8)．単糖類と二糖類は肥満になりやすいので，とくに高TG血症の場合は制限する．砂糖は6g(0.3単位)，果物と牛乳は交換表の1単位(＝80 kcal)の範囲内とし，間食や食後に配分する．ほかに認定を受けている特定保健用食品の0.19 アルブミンや治療用特殊食品およびエネルギー調整食品や砂糖代替甘味料などを，料理や間食づくりなどにも上手に利用する．

④ たんぱく質は適正体重1 kg あたり1.0～1.2 g，動物性たんぱく質比率を40%とする．腎症予防のため過剰摂取は避ける．

⑤ 脂質の摂取量は，脂質代謝異常の有無，血糖，脂質，体重の治療目標から調整する．脂質異常症や動脈硬化性疾患を予防するために，飽和脂肪酸の多い食品を控え，n-3系多価不飽和脂肪酸の割合を増加させる．コレステロールは高TG血症に準じて制限する．

⑥ 塩分は，糖尿病性腎症および高血圧の予防のため7～8 g/日を心がける．

⑦ 食物繊維は20～25 g/日ほど摂取し，食後血糖値とコレステロール上昇を

カリウムを多く含む食品
いも類，生の果物，野菜，海藻，きのこなど．

0.19 アルブミン
食物中の糖質の消化吸収を遅らせ，食後の急激な血糖上昇を穏やかにする働きがある．治療用特殊食品は，米や麺類などを低たんぱく質に加工した食品である．

Plus One Point

糖尿病予防のための診断ポイント
① 空腹時の血糖(前夜9時以降絶食の翌朝)：110 まで．② 夕食後の尿糖(重要)：糖が出ていなければ，まず大丈夫．③ HbA1c値：6.5%まで．④ BMI：25 以下，ウエスト周径：男性85 cm，女性90 cm 以下．⑤ 血圧：130/85 まで，TCh：200 まで，HDL-Ch：40 以上．

Plus One Point

合併症予防のための血清脂質と血圧
糖尿病予防のための診断ポイントに準じる．ただし，TG は空腹時150 mg/dL 未満である．

肥満と高尿酸値
高血糖により，尿酸クリアランスが低下し，尿酸排泄の低下により血清尿酸値が高くなる．

表9.8 各食品のGI値

高い(85 以上)		
フランスパン(93)	パイナップル(65)	卵(30)
食パン(90)	メロン(60)	さつまいも(55)
餅(89)	ケーキ(82)	ナッツ(29)
コーンフレーク(87)	団子(79)	トマト(30)
じゃがいも(90)	ワッフル(78)	えのき(29)
ブドウ糖(100)	低い(60 以下)	ひじき(19)
中度(60～85)	そば(59)	干しぶどう(57)
精白米(84)	ライ麦パン(58)	ジュース(42)
うどん(80)	玄米(56)	りんご(39)
スパゲッティ(65)	全粒粉パン(50)	あんず(38)
にんじん(80)	ヨーグルト(25)	洋なし(36)
かぼちゃ(65)	牛乳(25)	ゼリー(42)
グリンピース(60)	牛肉(46)	ビール(34)
オレンジ(65)	豚・鶏肉(45)	ワイン(32)
バナナ(65)	うなぎ(43)	
	まぐろ(40)	

抑制する．

⑧ 原則として禁酒する．禁酒の対象は，血糖コントロールが悪い場合，神経障害，脂質異常症，肝臓病，膵臓病などの合併症がある場合，薬物療法を行っている場合である．条件により飲酒が許可されるが，1日2単位までである．

なお，糖尿病性腎症に至った場合の治療の原則は，血糖コントロールと血圧のコントロールとたんぱく質制限食である．一般に低たんぱく質（0.8 g/適正体重1 kg）食，高エネルギー食，塩分制限（6 g以下）とカリウム制限が必要となる（詳細は9.5節参照）．腎不全の進行とともに，食欲減退により肥満度は減少していく．栄養教育には，糖尿病性腎症の食品交換表が用いられる．

（3）運動療法

糖尿病治療において運動療法は重要である．運動をすることによって筋肉におけるインスリンの働きが活発となり，血液中のブドウ糖をエネルギーとして消費し，インスリン作用を増強させる効果がある．運動には有酸素運動と無酸素運動があるが，糖尿病に効果のあるのは有酸素運動である．有酸素運動とは筋肉をゆったり動かす運動で，ウォーキング，ジョギング，水泳，サイクリングなどであり，酸素を十分に取り込みながら血液中の血糖を燃やし，その後，皮下脂肪の減少にもなり，肥満を是正する．有酸素運動を1日に最低20分以上（8000歩程度）行う．運動療法は脈拍を基準にして運動強度を決めるが，ウォーキング75 m/分ぐらいの速度運動（1.5 kmを20分かけて歩く）から始めてみる．歩き始めて5分のところで，脈拍をチェックして走行速度を調節する．運動の効果が最も期待できる時間単位は，血糖値が上がってインスリンの活動が活発になる食後1時間くらいに運動を始めるのがよい．

運動療法でとくに注意することは，糖尿病の治療薬を服用している場合とインスリンの注射をしている場合である．とくに，空腹時には低血糖を起こす可能性があるので，運動は避ける．さらに網膜症，腎症，神経障害など合併症がある場合は，重大な事態を招くことにもなりかねないので，注意が必要である．

（4）薬物療法

食事療法と運動療法だけでは血糖コントロールが不十分のとき，病態に合わせた経口血糖降下薬を選択する（図9.15）．インスリン抵抗性改善薬は，筋肉細胞などでインスリンの効果を高め，効率よくブドウ糖が細胞内に取り込まれるようにする．

SU薬はおもに膵臓のインスリン分泌細胞に働き，インスリン分泌を促進させる薬である．副作用は少ないが，基本的には食事30分前に服用する．医師からの処方量を超えて服用したり，薬を飲んだのに食事を摂らなかったりすると，低血糖症状（昏睡状態）が出現することがあるので，処方どおり服用する．α-グルコシダーゼ阻害薬は，腸管におけるデンプンやショ糖などの多糖類を単糖類へと分解するときに使われるグリコシダーゼ酵素の働きを抑制する薬で，糖の吸収を遅延させて血糖値の急激な上昇を抑える薬である．副作用とし

カーボカウント
急激な血糖上昇を示すのが炭水化物であることから，食事中の炭水化物量を計算して糖尿病の食事療法に利用する方法．炭水化物の単位をカーボという．
1カーボは，炭水化物15 g（アメリカ）または10 g（日本）と統一されていない．

運動療法の効果
① 血液の循環が促進される．
② 呼吸作用が活発になる．
③ 心臓が強くなる．
④ 筋肉や体力が増強される．
⑤ 消化が増進し，吸収が促進される．
⑥ 体脂肪が減り，肥満が解消される．
⑦ 脂質代謝が改善され，動脈硬化の予防になる．
⑧ 血液中のブドウ糖の利用効率が上昇する．

運動強度
運動強度は最大酸素摂取量の50％とし，年齢ごとに合わせた心拍数の運動とする．

年齢	心拍数（拍/分）	運動時間（分/週）
20歳	130	180
30歳	125	170
40歳	120	160
50歳	115	150
60歳	110	140

低血糖
血糖が40〜50 mg/dL以下の状態をいう．強度の空腹感，頭痛，冷や汗，脱水感，心悸亢進，頻脈，嘔吐，意識障害などの症状を呈す．低血糖は繰り返すと血管が弱り，目や腎臓，心臓に悪い．低血糖時は血糖を速やかに上昇させるために，消化吸収のよい単・二糖類0.5〜1単位（砂糖10〜20 g，角砂糖2個，缶ジュース1/2本など）で対処する．α-グルコシダーゼ阻害剤服用時は単糖類を用いる．

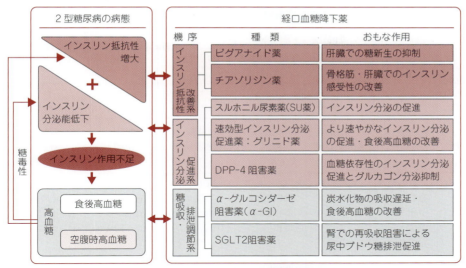

図 9.15　病態に合わせた経口血糖降下薬の選択

ては，お腹が張るなどがあるが，糖の吸収を阻害する薬ではなく，吸収のスピードを遅くするだけである．

インスリンの適応治療は，1型糖尿病の場合は当然であるが，2型糖尿病の食後高血糖を是正する目的に使用する．インスリン注射薬には多くの種類があり，症状に合わせて医師の指導のもとで決定し，注射量は1日2回～3回，速効型インスリンの場合は各3食前に注射する．重度肝障害や腎障害などを併発している場合や，空腹時血糖値が 250 mg/dL 以上であれば適応する．

また糖尿病の合併症として，高血圧や脂質異常症が発症した場合の治療方法では，生活習慣を修正し，血糖管理と同時に降圧治療を行う．

9.4　脂質異常症，動脈硬化性疾患
（1）疾患の診断基準と分類

脂質異常症(hyperlipidemia)とは，血清脂質〔LDL コレステロール(Ch)〕，中性脂肪(TG)のうち，一つ以上が基準値より高い状態をいう．粥状動脈硬化との関連性から，LDL-Ch と TG の増加が問題になっている．脂質異常症は WHO の分類(表 9.9)に示すように，増加するリポたんぱく質の種類により，六つのタイプに分かれる．日本人に多いタイプは Ⅱa，Ⅱb，Ⅳ型である．

動脈硬化症(arteriosclerosis)は，発生部位によって種々の症状を呈し(表 9.10)，病理学的な特徴から，表 9.11 のような3つの型に分類される．

（2）動脈硬化性疾患予防ガイドライン 2022 年版

日本動脈硬化学会は平成 29 年(2017)に「動脈硬化性疾患予防ガイドライン 2017 年版」を発表し，その後の国内外のエビデンスに基づき，2022 年に「動脈硬化性疾患予防ガイドライン 2022 年版」を公表した．

インスリンの 3 種類

速効型：注射後，速やかに効果が発現する．
中間型：ゆっくり半日ほど効果が持続する．
2 相型：両方を混合したもの．

LDL

細胞内で加水分解され，遊離コレステロール，アミノ酸，脂肪酸となり利用される．肝細胞(LDL の 60％)，末梢細胞の LDL 受容体と結合後，細胞内に取り込まれる．

動脈硬化の三大危険因子

高 LDL コレステロール血症，喫煙，高血圧．

表9.9 WHOの脂質異常症分類と誘発食事因子

型	I	IIa	IIb	III	IV	V
増加リポたんぱく質	CM	LDL	LDL, VLDL（レムナント）	β-VLDL（IDL）	VLDL	CM, VLDL
増加血清Ch / 脂質 TG	～↑ / ↑↑↑*	↑↑↑ / ～↑	↑↑ / ↑↑	↑↑ / ↑↑	～↑ / ↑↑	↑ / ↑↑↑
誘発食事因子	脂肪（外因性）	Ch 飽和脂肪酸	Ch 糖質 飽和脂肪酸	糖質 飽和脂肪酸	糖質（内因性）	脂肪 糖質（内因性，外因性）
原因	・CMの処理能低下（CMレセプター異常，LPL活性低下）	・LDLの処理能低下	・LDLへの変換促進によるVLDLの増加	・VLDLの肝臓への取り込み低下 ・IDL, VLDLレムナントの処理能低下	・VLDLの過剰合成 ・処理障害	・LPL活性低下 ・VLDLの異化低下
粥状動脈硬化	−	+++	++	++	++	+

Ch：コレステロール，IDL：中間型リポたんぱく質，LPL：リポたんぱく質リパーゼ．
CMとVLDL：TGリッチ．β-VLDL：TGとChリッチ，高レムナント．VLDL：TG150～400 mg/dL（LDLとChは増加していない）．
＊ TG：400 mg/dL以上．

表9.10 動脈硬化症の発生部位別症状

大動脈硬化症	大動脈瘤，解離性大動脈瘤，分岐部狭窄
冠状動脈硬化症	狭心症，心筋梗塞，心不全，不整脈
脳動脈硬化症	脳出血，脳梗塞，一過性脳虚血発作
腎動脈硬化症	高血圧，腎不全

表9.11 動脈硬化症の病型

粥状動脈硬化症（アテローム硬化症）
中膜硬化症
細動脈硬化症

β-VLDL
動脈硬化促進リポたんぱく質．IDL, VLDLレムナントの処理が低下して生じる．III型はβ-VLDLによる動脈硬化の可能性がある．

レムナントリポたんぱく質
CMやVLDLなどTGに富むリポたんぱく質の血中での中間代謝産物で，TGとChを運搬する．

糖質の過剰摂取
VLDLの合成が促進され，血中TGが上昇し，高VLDL血症が生じる．

（a）リスク評価と管理

動脈硬化性疾患予防には個々の動脈硬化のリスクを評価し，介入可能な因子を管理することが重要である．多くの疫学的エビデンスから，脂質異常症，喫煙，高血圧，糖尿病，慢性腎臓病，加齢，男性，冠動脈疾患の家族歴，冠動脈疾患既往，非心原性脳梗塞，末梢動脈疾患，腹部大動脈瘤，高尿酸血症，睡眠時無呼吸症候群，内臓脂肪蓄積とインスリン抵抗性に基づくメタボリックシンドローム（図9.16）が動脈硬化のリスクであることが示されている．

平成27年（2015），日本内科学会を中心とした11学会および日本医学会・日本医師会により，動脈硬化性疾患予防のための「脳心血管病予防に関する包括的リスク管理チャート」が発表された．本ガイドラインでは，このチャートの考え方に基づくスクリーニングから薬物療法に至る6ステップにわたる評価方法・管理方法を詳述している．

9.4 脂質異常症，動脈硬化性疾患

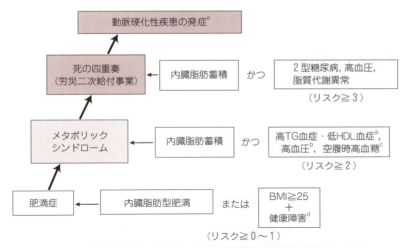

図 9.16　動脈硬化性疾患発症における肥満症と関連疾患群のかかわり
いずれの発症機序も内臓脂肪蓄積を基盤にしている．疾病（リスク）数の増加につれて，動脈硬化性疾患を頻発し，生命予後を悪化させる．
a：TG≧150 mg/dL かつ，または HDL コレステロール＜40 mg/dL．
b：収縮期血圧≧130 mmHg かつ，または拡張期血圧≧85 mmHg/dL．
c：空腹時血糖値≧110 mg/dL．
d：表9.3に相当．
e：冠動脈疾患，脳梗塞，糖代謝障害などを含む．
日本肥満学会，肥満症診療ガイドライン 2016．

表 9.12　脂質異常症の診断基準

LDL コレステロール	140 mg/dL 以上	高 LDL コレステロール血症
	120～139 mg/dL	境界域高 LDL コレステロール血症**
HDL コレステロール	40 mg/dL 未満	低 HDL コレステロール血症
トリグリセリド	150 mg/dL 以上（空腹時採血*）	高トリグリセリド血症
	170 mg/dL 以上（随時採血）	
non-HDL コレステロール	170 mg/dL 以上	高 non-HDL コレステロール血症
	150～169 mg/dL	境界域高 non-HDL コレステロール血症**

＊ 10時間以上の絶食を「空腹時」とする．ただし水やお茶などカロリーのない水分の摂取は可とする．
＊＊スクリーニングで境界域高 LDL-C 血症，境界域高 non-HDL-C 血症を示した場合は，高リスク病態がないか検討し，治療の必要性を考慮する．
・LDL-C は Friedewald 式（TC-HDL-C-TG/5）または直接法で求める．
・TG が 400 mg/dL 以上や食後採血の場合は，non-HDL-C（TC-HDL-C）か LDL-C 直接法を使用する．ただし，スクリーニング時に高 TG 血症を伴わない場合は，LDL-C との差が＋30 mg/dL より小さくなる可能性を念頭においてリスクを評価する．
日本動脈硬化学会（編）：動脈硬化性疾患予防ガイドライン 2022 年版．日本動脈硬化学会，2022

（b）動脈硬化性疾患予防のためのスクリーニングにおける脂質異常症診断基準

LDL-Ch およびトリグリセライド（TG）が高いほど，また，HDL-Ch が低いほど冠動脈疾患の発症頻度は高い．動脈硬化性疾患予防のためのスクリーニングにおける脂質異常症診断基準を表9.12に示す．この診断基準を用いるにあたって，空腹時採血での総コレステロール（TCh），TG，HDL-Ch を測定し，

FriedeWald 式
LDL-C＝TC−HDL-C−TG/5
食後や TG400 mg/dL 以上のときは誤差が大きいため用いることはできない．

血清脂質検査の採血条件
① 採血日前の数日間の食事と体重が安定している．② 早朝空腹時あるいは食後14時間経過後．③ アルコールや薬剤を飲んでいない．

脂質異常症の運動療法
インスリン感受性改善，肥満の是正，LPL 活性増加が生じ，HDL が増加することにより，動脈硬化性疾患が予防される．300～400 kcal/日 消耗し，全身を動かす持久的有酸素運動が効果的である．運動が過剰になると LDL の酸化が促進されるので，運動時には VE と VC，β-カロテンを多めに摂取する．一方，運動不足は VLDL の増加，HDL の低下を招く．

TGの働き

食事摂取エネルギーのうち，よぶんなエネルギーは肝臓でTGに変換され，脂肪組織に貯蔵される（皮下細胞）．組織でエネルギーが必要になれば，TGが分解されて脂肪酸（FA）を放出し，直接FFAがエネルギー源として組織で利用される．

アポたんぱく質

リポたんぱく質の表面に分布するたんぱく質部分．リポたんぱく質リパーゼ（LPL）などを活性化したり，血中の輸送担体や，細胞のレセプターとの結合認識部位となる重要な機能をもつ．アポB，アポC，アポEなどがある．

薬物療法の指針

国内外でスタチン治療のベネフィットが示されており，LDL-Ch管理にはスタチンを第一選択薬とする．LDL-Ch管理目標値としては，一次予防高リスク患者では120 mg/dL未満を目標とし，また，二次予防患者では発症後早期から少なくとも100 mg/dL未満を目指した積極的治療を行い，合併するリスクによってはさらに低い値も考慮する．また，どの経口脂質異常症治療薬においても，その適応・有効性・安全性は確認されており，各薬剤の適応・禁忌・慎重投与に留意する．

表9.13　リスク区分別脂質管理目標値

治療方針の原則	管理区分	脂質管理目標値（mg/dL）			
		LDL-C	non-HDL-C	TG	HDL-C
一次予防 まず生活習慣の改善を行った後薬物療法の適用を考慮する	低リスク	< 160	< 190	< 150	≧ 40
	中リスク	< 140	< 170		
	高リスク	< 120	< 150		
二次予防 生活習慣の是正とともに薬物治療を考慮する	冠動脈疾患の既往	< 100 （< 70）*	< 130 （< 100）*		

＊家族性高コレステロール血症，急性冠症候群の時に考慮する．糖尿病でも他の高リスク病態（動脈硬化性疾患予防ガイドライン2017年版，表1-3b参照）を合併する時はこれに準ずる．
・一次予防における管理目標達成の手段は非薬物療法が基本であるが，低リスクにおいてもLDL-Cが180 mg/dL以上の場合は薬物治療を考慮するとともに，家族性高コレステロール血症の可能性を念頭においておくこと（第5章参照）．
・まずLDL-Cの管理目標値を達成し，その後non-HDL-Cの達成を目指す．
・これらの値はあくまでも到達努力目標値であり，一次予防（低・中リスク）においてはLDL-C低下率20〜30％，二次予防においてはLDL-C低下率50％以上も目標値となり得る．
・高齢者（75歳以上）については第7章を参照．
日本動脈硬化学会（編）：動脈硬化性疾患予防ガイドライン2017年版．日本動脈硬化学会，2017

Friedewald式にてLDL-Chを算出することを基本とする．食後採血の場合やTG 400 mg/dL以上のときにはこの式は用いることができないため，non-HDL-Ch（＝TC − HDL-Ch）を用いる．LDL-Ch直接法は，以前よりも正確性が高まってきており，Friedewald式の代わりに用いることも可能である．

（c）動脈硬化性疾患予防のためのスクリーニングにおける脂質異常症の管理基準

表9.13に，性・年齢・危険因子の個数による層別化によるカテゴリー分類に応じた脂質管理目標値を示す．一次予防では，原則として一定期間の生活習慣改善を行い，その効果を判定した後に薬物療法の適用を考慮する．なお，低リスク・中リスクの患者における管理目標値は到達努力目標値であり，LDL-Ch 20〜30％の低下により冠動脈疾患が30％低下することも示されており，20〜30％の低下を目標としてもよいこととした．二次予防においては，生活習慣の改善を行うとともに，表の管理目標値を目標として薬物療法を行うことが望ましい．

（d）生活習慣改善

生活習慣改善はどの対象者においても必須である．禁煙は動脈硬化予防に重要であり，また，食事療法では，総エネルギー摂取量制限による適正体重の維持は血清脂質の改善に有効であり，動脈硬化性疾患の発症を予防できる可能性がある．標準体重と日常生活活動量をもとに，総エネルギー摂取量（kcal/日）＝標準体重（kg）×身体活動量（軽い労作で25〜30，普通の労作で30〜35，重い労作で35〜）で適正化を目指す．生活指導の積極的支援によって，肥満者における1年後の減量率が3％以上で，LDL-Ch，TG，血圧，血糖関連項目，

尿酸の減少率および HDL-Ch の上昇率が有意に大きかったというわが国の報告がある．

2型糖尿病の肥満成人では，総エネルギー摂取量の管理を含む生活改善により，1年で体重の5％を超える減量により，TCh, LDL-Ch, TGの低下，HDL-C 上昇が期待できる．

適正な体重の維持は血清脂質改善に有効で，動脈硬化性疾患発症を予防できる可能性があるが，高齢者などでサルコペニアや低栄養状態が考えられる場合には，総エネルギー摂取量をむやみに減らすべきでなく，適切な栄養素の比率と摂取量を考慮すべきである．日本食パターンを中心とした食事療法は脂質代謝改善を含めた危険因子改善に寄与する．

運動療法に関しては，疫学研究により，活動量や体力レベルが心血管病と負の相関を示しており，適切な運動を行うことが重要である．

（3）脂質異常症の栄養教育

（a）栄養評価

栄養評価の項目は以下のとおりである．

① 身体状況：BMI, 体脂肪率，運動習慣や生活活動．
② 生化学検査：血液検査(総 Ch 値，TG 値，LDL-Ch 値，HDL-Ch 値，リポたんぱく質量，肝機能検査値など)．
③ 臨床診査：家族歴・既往歴(高 LDL-Ch 血症，低 HDL-Ch 血症，高 TG 血症，糖尿病合併脂質異常症，虚血性心疾患，脳血管障害など)．
④ 栄養素摂取状況：脂質とくに飽和脂肪酸，n-6系多価不飽和脂肪酸，n-3系多価不飽和脂肪酸の摂取量と各エネルギー比率および Ch の摂取量，外食の食事内容と頻度，飲酒や嗜好品(喫煙も含む)，および市販食品摂取状況，投薬の有無，食行動など．

（b）栄養教育のポイント

動脈硬化症は，一度発症すると外科的に治療する以外に完治させる手段がないため，予防が重要となる．したがって教育の要点としては，① 動脈硬化の危険因子を取り除いて進行を予防するか，② 一次予防として食生活を改善することが重要となる．脂肪の量と質についてはとくに注意を要し，量的には摂取エネルギーの 20～25％ が望ましい（表9.14）．飽和脂肪酸は動脈硬化を促進する．植物油に多いリノール酸は，血清中の脂質（コレステロールなど）の低下作用をもち，魚油に多く含まれるエイコサペンタエン酸(EPA または IPA)やドコサヘキサエン酸(DHA)は，善玉コレステロールといわれる HDL コレステロールの増加作用や血中中性脂肪濃度の低下作用をもつなど，脂肪酸によってその作用が異なる．「日本人の食事摂取基準（2025年版）」においても，総脂質および飽和脂肪酸は目標量，n-3系・n-6系脂肪酸は目安量が示され，コレステロールの目標量は削除されている．

そのほか，次のような点に注意する．

HDL コレステロールと LDL コレステロール

HDL コレステロールと LDL コレステロールは，それぞれ高比重リポたんぱくと低比重リポたんぱくと呼ばれ，コレステロールの輸送にかかわっている．HDL コレステロールは，血管など末梢に存在するコレステロールを肝臓へ輸送する働きをもち，その結果として血中コレステロール濃度を減少させる．HDL コレステロール濃度が低い人は虚血性心疾患に罹患しやすいことから，HDL コレステロールのことを善玉コレステロールと呼ぶ．一方，LDL コレステロールは，腸管から吸収したコレステロールや，肝臓で合成したコレステロールを末梢へ輸送し，血中コレステロール濃度を上昇させることから，悪玉コレステロールと呼ばれる．

表9.14 脂質異常症における食事療法の基本

【動脈硬化性疾患予防のための食事】
1. エネルギー摂取量と身体活動量を考慮して標準体重〔身長(m)² × 22〕を維持する
2. 脂肪エネルギー比率を20〜25%，飽和脂肪酸を4.5%以上7%未満，コレステロール摂取量を200 mg/日未満に抑える
3. n-3系多価不飽和脂肪酸の摂取を増やす
4. 炭水化物エネルギー比率を50〜60%とし食物繊維の摂取を増やす
5. 食塩の摂取は6 g/日未満を目標にする
6. アルコール摂取を25 g/日以下に抑える

● 総摂取エネルギー，栄養素配分およびコレステロール摂取量の適正化
1）総摂取エネルギーの適正化と栄養素配分の適正化
　標準体重を目標に身体活動量に適した摂取エネルギー量と栄養素バランスを維持する
2）栄養素配分の適正化：
　炭水化物エネルギー比：50〜60%
　たんぱく質エネルギー比：15〜20%（獣鳥肉より魚肉，大豆たんぱく質を多くする）
　脂肪エネルギー比：20〜25%（獣鳥性脂肪を少なくし，植物性，魚類性脂肪を多くする）
　コレステロール：1日200 mg以下
　食物繊維：25 g以上
　アルコール：25 g以下（他の合併症を考慮して指導する）
　その他：ビタミン（C, E, B_6, B_{12}, 葉酸など）やポリフェノールの含量が多い野菜，果物などの食品を多く摂る（ただし果物には単糖類の含量も多いので，摂取量は1日80〜100 kcal以内が望ましい）

● 危険因子を改善する食事
1）高LDL-Ch血症（高コレステロール血症）
　コレステロール摂取量の制限：1日200 mg以下
　飽和脂肪酸：エネルギー比率7%未満
2）高トリグリセリド血症
　アルコール：過剰摂取を制限
　炭水化物の制限：炭水化物由来エネルギー比をやや低め
　n-3系多価不飽和脂肪酸の摂取を増やす
3）高カイロミクロン血症
　脂肪の制限：15%以下
4）低HDL-Ch血症
　適量の飲酒でTGに異常がなければ飲酒は制限しなくてもよい
　トランス不飽和脂肪酸，n-6系多価不飽和脂肪酸の過剰摂取の制限

日本動脈硬化学会，「動脈硬化性疾患予防ガイドライン2012年版」．

適度のアルコール摂取

25 g/日（0.4 g/kg/日）．日本酒1/2合程度で血中HDLは増加するので，禁酒の必要はない．ただし，過剰になるとVLDL（TG）が増加し，肥満や高血圧を招く．HDL-Chの正常な働きを妨げ，脂肪肝が起こり，長期に及ぶと肝硬変に進行することもあり，血中TGも増加する．極端な高TG血症により，急性膵炎を生じることもある．

喫煙

脂質異常症や動脈硬化を進展させる重大リスクファクターである．①ニコチンにより肝TGやLDL-Chの合成が促進され，HDL-Chが低下する．②LDL-Chの酸化促進，Chの血管壁沈着により，動脈硬化が進行する．③TChが200 mg/dLを超えると，非喫煙者の2倍以上も死亡率が高くなる．

アルコール：アルコールの適量摂取はHDLコレステロールを上昇させるといわれているが，過剰の摂取は肥満，脂肪肝，血圧の上昇につながり，動脈硬化を促進することになるため，過剰摂取および連続摂取は避ける．

食物繊維の摂取：食物繊維は，腸内の脂質や糖質を吸収しにくくする効果をもつ．野菜を1日350 g以上摂取するように心がける．

禁煙：たばこは血管収縮を起こし，血圧を上昇させる．また，LDLコレステロールを増加させ，動脈硬化を促進するため，禁煙を心がける．

また近年，動脈硬化の進展に血中脂質，とくに低比重リポたんぱく質（LDL）の酸化変性の関与がいわれている．β-カロテン，ビタミンE，ビタミンCな

どのビタミンには，抗酸化作用があることが知られている．お茶に含まれるカテキンや赤ワインに含まれるポリフェノールなど，抗酸化作用のある物質は多数発見されているが，まだ不明な点も多く，今後の研究が期待される．

小児の血清TCh（総コレステロール）値は40年前頃の値よりも高くなってきており，すべての年齢層でアメリカのTCh値の低下とは対照的に，わが国は上昇傾向にある．脂質異常症は自覚症状を伴わず，ひそかに進行するうえに，放置すると動脈硬化から虚血性心疾患や脳梗塞などの血管障害を引き起こす可能性が高い．とくに高LDL-Ch血症は，虚血性心疾患の最も重要な危険因子である．脂質異常症は食事の影響がきわめて強いため，食生活改善の栄養教育が有効かつ重要である．したがって若い頃，とくに小児期からの運動療法も含めた食事療法の指導により，血清脂質値を適正範囲にコントロールすることは，動脈硬化の予防にとどまらず，肥満，高血圧，糖代謝異常など，他の生活習慣病のリスクを減らすことにもつながり，栄養教育の意義は非常に大きい．

脂質異常症の栄養教育では次の点が重要である．

① 自覚症状がないために，治療への動機や熱意が生じにくい．したがって疾患そのものへの理解と，治療に対する自覚を促す必要がある．
② 治療の原則は食事療法で，心疾患などの危険因子がない場合には食事療法のみで治療可能である．しかし，タイプによって栄養教育の方法や食品などの制限が異なるので，食事成分が血清リポたんぱく質濃度に及ぼす影響（表9.9参照）や食事療法の意義を十分に理解させる．
③ 治療の基本は3か月間，食事・運動療法を主としてライフスタイルの改善を行い，血清脂質値が目的値に達しないとき，薬物療法を開始する．血清脂質値が治療目標値に達したら，血清TGの正常化を行う．
④ 軽度のうちに適度の体重の調整をはかり，病態に見合った食事療法と運動療法で改善を試みる．とくに，肥満者の改善により脂質異常症がよくなることがあり，体重のコントロールが重要である．
⑤ 長期間無理なく継続できる食生活改善を促すには，脂質の検査値や体重，および食事状況や生活習慣などの総合的な評価を定期的に行い，その症状の進退に合わせたきめ細かい栄養教育を行うことにより，フォローしていく．合併症の徴候や危険因子のチェックも忘れずに行う．
⑥ 動脈硬化発症の予防には，LDLと酸化LDLを低下させることが中心となる．高LDL血症は食事に起因する場合が多い．したがって，飽和脂肪酸を一価不飽和脂肪酸やn-3系多価不飽和脂肪酸に置換し，コレステロール摂取量は200 mg/日を超えないように制限する．また野菜，果物，海藻，穀類，豆類などから，食物繊維と抗酸化物質を摂取することが重要である．
⑦ 食事以外に，規則正しい生活習慣，運動習慣，ストレスの解消なども含めた生活の改善が効果的である．生活習慣の歪みを的確に把握し，具体的な生活改善目標を掲げるようにする．ただし，運動に関しては合併症の種類

平成29年度国民健康・栄養調査結果

習慣的に喫煙している者では男性29.4%，女性7.2%であり，10年間で有意に減少している．男性では30〜40歳代が最も高く（39.7，39.6%），20，50歳代では26.6，33.4%であり，女性では40歳代が最も高く12.3%，20歳代では6.3%である．

動脈硬化性疾患予防のための生活習慣の改善

1. 禁煙し，受動喫煙を回避する．
2. 過食を抑え，標準体重を維持する．
3. 肉の脂身，乳製品，卵黄の摂取を抑え，魚類，大豆製品の摂取を増やす．
4. 野菜，果実，未精製穀類，海藻の摂取を増やす．
5. 食塩を多く含む食品の摂取を控える．
6. アルコールの過剰摂取を控える．
7. 有酸素運動を毎日30分以上行う．

抗酸化ビタミンの摂取

動脈硬化予防に，LDLの酸化変性を防止するビタミンE，β-カロテン，ビタミンCなどが不足しないように注意する．酸化防止をするものは，ほかにカテキン（緑茶，ウーロン茶，ココアなど），ポリフェノール（赤ワイン），フラボノイド（大豆）などがある．

コレステロールの合成

アセチルCoAよりアセトアセチルCoAを経てHMG-CoA（ヒドロキシメチルグルタリルCoA）が生成され，酵素作用によりメバロン酸を経てコレステロールになる．肝臓で1.5〜2g合成される．また通常の食事で0.3g摂取し，1g排泄している．TChの1/3は食事からの影響を受けており，血中ChはLDL-Chに60〜65%，HDL-Chに20〜25%含まれる．

ストレスと脂質異常症

心理・社会ストレスが視床下部-下垂体-副腎皮質系を刺激し，グルココルチコイドの分泌が亢進して，血清ChやTGの上昇などの脂質代謝異常を生じる．過食，運動不足などの生活環境に過度の心理・社会ストレスが加わり，インスリン抵抗性が生じやすくなる．

食後脂質異常症の原因

①脂肪吸収の亢進，②CMの異化障害，③VLDLの合成促進，④VLDLの異化障害など．

適正エネルギー制限

肝臓でのCh合成と体重には正相関が認められるため，肝臓でのCh合成を抑制するエネルギー制限により，VLDL合成を抑制し，LDL濃度を低下させる．

低血圧症

低血圧（hypotonia）については一定の基準はないが，一般に収縮期100 mmHg以下，かつ拡張期60 mmHg以下を低血圧としている．心疾患や内分泌疾患がなく血圧の低いものを，本態性低血圧という．疲労，めまい，脳貧血などを起こすことがあり，一般に寝起きが悪く，元気がない場合が多い．

自覚症状のない場合はとくに治療の必要はないが，規則正しい生活とバランスのとれた食事を心がける．また，軽い運動を行うことも有効である．

や症状の段階などに配慮を要する．

⑧ 心疾患や高血圧，糖尿病を合併し，血清コレステロール値が200 mg/dL以上の場合は，診断基準値以下であっても危険性が高いので，必要に応じて薬物治療を加える．また，合併症の検査値のチェックも必ず行う．ただし薬物依存傾向が見られることが多いので，食事療法が不十分になると血清脂質コントロールを保てないことがあることを理解させる．

⑨ 高血圧と糖尿病を合併すると，動脈硬化の進展を加速することになるので，動脈硬化の発症・進展予防および脂質異常症の治療には，生活改善は欠かすことができない．したがって，患者と相互に正確な情報を提供し，治療効果を上げるように努めることが大切である．

⑩ 空腹時のTG値の高値は，食後脂質異常症の重要な発症素因である．小児には空腹時，いわゆる間食に脂肪の多いものを摂取しないよう啓発していくことも意義がある．

⑪ 高齢者の場合，消費エネルギーや基礎代謝量などの個体差が大きく，糖尿病などの合併症をもつ人が多いので，十分な配慮が必要となる．厳重すぎる食事療法によって，患者のQOLを損なわないよう注意する．

⑫ 妊婦は妊娠後期（8か月以降）に重篤な脂質異常症を生じやすいので，体重増加や脂質摂取量に注意する．

9.5 高血圧

（1）疾患の概要

血圧とは，血液の流れによって血管壁にかかる圧力のことで，心臓の収縮時の血圧を収縮期血圧（最大血圧），拡張時の血圧を拡張期血圧（最小血圧）という．高血圧は，心臓病，脳卒中などの循環器系疾患の危険因子であることから，生活習慣病予防の観点からも，重要なチェック項目となる．

高血圧症（hypertension）は，原因不明の本態性高血圧症と，腎疾患や内分泌疾患など原因疾患のために引き起こされる症候性高血圧症（二次性高血圧症）に分類される．なお，本態性高血圧症は高血圧全体の90〜95%を占めており，二次性高血圧症は約5%程度である．

（2）高血圧治療ガイドライン2019（JSH2019）（日本高血圧学会）

従来，わが国では心血管イベント（心血管病易発症状態）リスクとなる高血圧の有病率が高く，さまざまな対策が進められてきた．厚生労働省による国民健康・栄養調査や第5次循環器疾患基礎調査における「わが国の性別・年齢階級別の血圧水準」は年々低下傾向にあるが，いまなお4,000万人にのぼる高血圧患者が存在すると推計されている．さらに，肥満やメタボリックシンドロームなどを合併する高血圧患者も増加しており，高血圧以外のリスクや他疾患をも考慮した治療が重要となっている．こうした状況を受け，平成31年（2019）3月に日本高血圧学会は高血圧治療ガイドライン（JSH）の改訂を行った．

JSH2019では，心血管イベント抑制における24時間の厳格な血圧コントロールの重要性から，診察室血圧および家庭血圧両者それぞれの降圧目標を設定している．とくに家庭血圧の測定は，白衣高血圧や仮面高血圧の診断のみならず，高血圧の治療効果判定に有用であり，患者のアドヒアランスを良好に保つうえでも重要である．また具体的な降圧目標として，糖尿病や腎臓病のみならず，新たに心筋梗塞後や脳血管障害といった疾患や臓器障害のある高血圧患者に対する降圧目標が示された．

（a）血圧の分類

高血圧と診断される基準は，JSH2019においても140/90 mmHg（診察室血圧）と変わりはないものの，今まで「正常高値血圧」とみなされていた130～139/85～89 mmHgは，「高値血圧」に分類されるようになり，基準となる値も130～139/80～89 mmHgへと拡張期血圧の基準が5 mmHg引き下げられた．同様にこれまでの「正常血圧」（120～129/80～84 mmHg）が「正常高値血圧」（120～129/80 mmHg未満）へ，「至適血圧」（120/80 mmHg未満）が「正常血圧」（血圧値は変わらず）へと変更された．これはさまざまな研究で，120/80 mmHg未満と比較して血圧が上がるごとに脳心血管病の発症リスクが上昇することが明らかとなったためである．

さらにこれまで降圧薬治療開始の目安は140/90 mmHg以上の高血圧患者に限定されていたが，JSH2019では高値血圧に対しても生活習慣指導で十分な降圧が得られなければ降圧薬開始が推奨されるようになった．

（b）降圧目標

降圧目標値についても見直しがなされ，年齢による分類では若年・中年・前期高齢者が140/90 mmHg未満から130/80 mmHg未満へ，後期高齢者が150/90 mmHg未満から140/90 mmHg未満へと大きく引き下げられた（表9.15）．そのほか，各疾患別に降圧目標値が定められているが，一部の疾患・

表9.15 降圧目標（JSH2019）
（mmHg未満）

	診察室血圧	家庭血圧
若年，中年前期高齢者患者	140/90	135/85
後期高齢者患者	150/90	145/85*
糖尿病患者 CKD患者（たんぱく尿陽性）	130/80 130/80	125/75 125/75*
脳血管障害患者 冠動脈疾患患者	140/90	135/85*

*目安
注：目安で示す診察室血圧と家庭血圧の目標値の差は，診察室血圧140/90mmHg，家庭血圧135/85mmHgが，高血圧の診断基準であることから，この二者の差をあてはめたものである．

表9.16 血圧に基づいた脳血管リスク断層化（JSH2019）

リスク層 （血圧以外のリスク要因）	血圧分類 （mmHg）	正常高値 130～139/85～89	Ⅰ度高血圧 140～159/90～99	Ⅱ度高血圧 160～179/100～109	Ⅲ度高血圧 ≧180/≧110
リスク第一層（危険因子がない）		付加リスクなし	低リスク	中等リスク	高リスク
リスク第二層 （糖尿病以外の1～2個の危険因子．メタボリックシンドローム*がある）		中等リスク	中等リスク	高リスク	高リスク
リスク第三層 （糖尿病，CKD，臓器障害/心血管病，3個以上の危険因子のいずれかがある）		高リスク	高リスク	高リスク	高リスク

*リスク第二層のメタボリックシンドロームは，予防的観点から以下のように定義する．正常高値以上の血圧レベルと腹部肥満（男性85cm以上，女性90cm以上）に加え，血糖値異常（空腹時血糖110～125 mg/dL，かつ/または糖尿病に至らない耐糖能異常），あるいは脂質代謝異常のどちらかを有するもの．

降圧薬の使い方

カルシウム(Ca)拮抗薬，レニン・アンジオテンシン(RA)系抑制薬であるアンジオテンシン変換酵素(ACE)阻害薬とアンジオテンシンII受容体拮抗薬(ARB)，利尿薬〔サイアザイド系および類似薬，カリウム(K)保持性利尿薬，ループ利尿薬〕，β遮断薬(αβ遮断薬を含む)があり，これらの5剤から選択するとされ，α遮断薬が外された．降圧目標達成のためには，多くの場合2，3剤の併用が必要となり，その際，少量利尿薬を積極的に併用すべきであるとしている．適切な2剤の併用として，RA系抑制薬(ARBあるいはACE阻害薬)＋Ca拮抗薬，RA系抑制薬＋利尿薬，Ca拮抗薬＋利尿薬，Ca拮抗薬＋β遮断薬が推奨されている．

減塩の工夫

7章を参照．

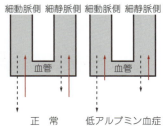

図9.17 膠質浸透圧の原理

細動脈側血圧(37 mmHg)－膠質浸透圧(25 mmHg)の力で組織に水が移動する．

膠質浸透圧(25 mmHg)－細静脈側血圧(17 mmHg)の力で血管に水がもどされる．

膠質浸透圧の低下は，細静脈側での血管への水分移動が減少する．

病態で引き下げられ，全体として血圧管理が厳格化されている(表9.16)．

(3) 高血圧症の栄養教育のポイント

本態性高血圧症は，前述の通り原因が不明ではあるが，遺伝，食塩(ナトリウム)の過剰摂取，加齢，寒さ，肥満，飲酒などと関係が深い．したがって食事指導の要点としては，次のことがあげられる．

【生活習慣の改善】

① 食塩制限6g/日未満：食塩(ナトリウム)の制限は，ナトリウム感受性のある患者においては，重要かつ有効な方法である．塩分制限を行う際の指導として，減塩の工夫が勧められる．ただし降圧利尿剤を服用している場合は，過剰な減塩により低ナトリウム血症を招くことがあるので，指示された食塩量を守ることが大切である．

② 野菜・果実の積極的摂取：多量摂取は，重篤な腎障害を伴う者では，高カリウム血症をきたす可能性があるので注意する．また，果物の積極的摂取は摂取カロリーの増加につながることがあるので，糖尿病患者では推奨されない．

③ 脂質の適正摂取：動脈硬化予防のため，コレステロールや飽和脂肪酸の摂取を控える．

④ 適正体重の維持：BMI 25を超えないように肥満者ではエネルギー制限をする．

⑤ 運動療法：心血管病のない高血圧患者が対象で，毎日有酸素運動30分以上を目標に定期的に行う．

⑥ たんぱく質の確保：たんぱく質はナトリウムの排泄を促進し，血圧上昇を予防して，合併しやすい脳出血予防にもつながる．また血液中の血清アルブミンは，血管内に水を引き込む作用があり，これを膠質浸透圧という．血清アルブミンが低下すると，血管内に水を引き込めず浮腫になる(図9.17)．このことから，血圧上昇予防のみならず浮腫の予防のためにも，十分なたんぱく質の摂取は重要である．一般にたんぱく質の摂取量は，1.0 g/体重kg/日，総エネルギーの12～14%(たんぱく質量×4 kcalの総摂取エネルギーに対する割合)が適当であるとされている．

⑦ ミネラルおよびビタミンの摂取：新陳代謝の亢進を抑制し，動脈硬化を予防するヨードやマグネシウムの多い海草類を摂取するほかに，カルシウムの多い牛乳，乳製品，小魚などを摂取する．また，便秘と血圧上昇を抑える食物繊維の多い，いも類，野菜，果物などを十分に摂取する．

⑧ アルコール制限：過剰なアルコール摂取は中性脂肪の合成を促進する．エタノールで男性は20～30 mL/日以下，女性は10～20 mL/日以下とする．

⑨ 禁煙．

9.6 脳血管疾患(脳卒中)

(1) 疾患の概要

脳卒中(cerebral apoplexy)とは，脳血管の閉塞，狭窄，破綻による脳の急速な循環障害によって，脳組織が損傷され，その結果，激しい頭痛，昏睡，運動障害，言語障害，意識障害などの症状が起こった症候群である．

脳卒中の病型と発症原因は，表9.17に示すとおりである．

脳卒中の危険因子として，次のことがあげられる．

高血圧：脳出血および脳梗塞の最大の危険因子であり，高血圧を治療することは，脳卒中の発症率を低下させることにつながる．

年齢：血管は加齢とともに弾力を失い，高血圧や動脈硬化になりやすいため，脳梗塞も加齢とともに増加する．しかし，脳出血は40歳以上の中高齢者に多く発症するが，加齢による増加傾向はとくに見られない．

表9.17 脳卒中の病型と発症原因

頭蓋内出血	脳出血	脳の小動脈壁が動脈硬化などで壊死を起こし，高血圧によって破綻し，出血する高血圧性脳出血が多い．
	くも膜下出血	外傷などによるものは除き，脳動脈の動脈瘤破裂によることが多い．脳動脈硬化症や高血圧症でも起こる．
脳梗塞	脳血栓	脳血管に血栓が生じ，動脈閉塞を起こす．基盤に動脈硬化を伴う場合が多い．
	脳塞栓	脳血管中に異物が流れてきて，血流を著しく減少または途絶したために生じる．異物の多くは，僧帽弁膜症や心房細動などによって心臓にできた血栓がはがれたものであることが多い．したがって，心内膜炎，心房細動，僧帽弁狭窄症の患者に多い．
一過性脳虚血		脳虚血によって一過性に神経症状を示すもの．以前は脳血管の攣縮とされていたが，現在は微小塞栓が注目されている．
高血圧性脳症		急激な血圧上昇が脳血管内圧の亢進や血管攣縮を起こし，脳浮腫を引き起こして頭蓋内圧が上昇するためとされている．

性別：日本での報告では，男性の発症頻度が女性に比べて高い．

心電図異常：心電図に異常が見られた例から，脳出血や脳梗塞が多発している報告がある．これは，心臓で形成された血栓が脳血管へ移動し，血流を遮断することで説明される．

眼底異常：眼底異常のある例から，脳出血や脳梗塞が多発している．

このほか，高ヘマトクリット，糖尿病，脂質異常症，高尿酸血症，肥満，飲酒，喫煙など，食事療法が有効となる因子が多い．

（2）栄養教育のポイント

脳卒中の食事療法は，脳卒中そのものの治療ではなく，脳卒中の予防と再発防止が目的となっている．日本において脳卒中の死亡率は減少しているものの，現在も死亡や要介護の原因の上位を占めることから，予防のためには危険因子を取り除く総合的な栄養教育が重要である．

脳卒中における全体的な食事療法の要点は，次のとおりである．

脳卒中の発作直後：脳卒中の発作直後は脱水しやすいため，脱水の有無を監視し，同時に電解質異常があれば補正する必要がある．発汗や脱水，電解質の状態に合わせて輸液量，輸液内容を決定する．経口摂取が不可能である場合，発作後3～4日から，鼻腔から栄養補給を行う．この場合のエネルギー量は1200～1500 kcal程度とし，血清総たんぱく質，血清総アルブミンを低下させないこと，下痢に注意する必要がある．脳卒中の後遺症として嚥下障害のある場合は，のどの通過に支障のない滑らかな形態の食べ物とする．また，手指に麻痺が残る場合は，食器類をうまく扱えない場合も多い．現在はさまざまな自助具が開発されていることから，麻痺の部位や程度に合った自助具を使って，できるだけ自分で食事が摂れるようにすることが望ましい．

脳卒中発作予防：日本人における脳卒中は高血圧と密接な関係をもち，塩分

Plus One Point

意識障害の判定

次の指標がよく用いられる．3-3-9度方式ともいう．

Japan coma scale (JCS)

Ⅰ	刺激しなくても覚醒している状態
1	だいたい意識清明だが，いま一つはっきりしない
2	見当識障害がある
3	自分の名前・年齢がいえない
Ⅱ	刺激をすれば覚醒する
10	普通の呼びかけで容易に開眼する
20	大きな声または体をゆさぶることにより開眼する
30	痛み刺激を加えつつ呼びかけを繰り返すとかろうじて開眼する
Ⅲ	どんな刺激を加えても覚醒しない
100	払いのける動作をする
200	少し手足を動かしたり顔をしかめる
300	痛み刺激にまったく反応しない

過剰摂取は高血圧を介して脳卒中発作の発症に結びつく．したがって，食塩の過剰摂取に注意することが大切である．また同時に，カリウムやカルシウムの摂取にも心がける必要がある．

練 習 問 題

次の文を読み，正しいものには○，誤っているものには×をつけなさい．

（1）肥満改善の栄養教育で適正エネルギーは，肥満の程度，生活習慣，合併症の有無などを考慮に入れる必要がある．

（2）ウエスト周囲長（計測）や腹部CT検査により，内臓脂肪型肥満を判定する．

（3）脂質異常症は食事と関連し，動脈硬化，虚血性心疾患，脳梗塞を引き起こす．

（4）脂質異常症の予防と治療は，冠動脈硬化発症の危険性だけでなく，マルチプルリスクファクターと動脈硬化発症の関連性も重視し，高血圧，糖尿病の管理を配慮して行わねばならない．

（5）近年では，肥満やメタボリックシンドロームなどを合併する高血圧患者も増加しており，高血圧以外のリスクや他疾患をも考慮した治療が重要となっている．

（6）肥満症診療ガイドライン2016では，BMI 35以上を高度肥満と定義された．また，肥満症診断のための合併症に11種の健康障害があげられている．

（7）肥満症の食事療法は，標準体重1 kgあたり25 kcal/日以下で算出する．

（8）高度肥満症の減量目標は，現体重の3％とする．

（9）肥満・高度肥満の場合，医学的に減量する必要はないので，減量指導は必要ない．

（10）糖尿病などでは，一般的な教育入院により，食事療法や血糖値の自己測定，運動療法，薬物療法などについて学習する．

（11）糖尿病の発症は，インスリン抵抗性が認められるとほとんど同時に起こる．

（12）糖尿病でも，高血圧を予防するために塩分は6 g/日くらいが好ましい．

（13）糖尿病の三大合併症とは，血管障害で動脈硬化につながる糖尿病性虚血性心疾患と脳血管障害および糖尿病性腎症を指す．

（14）空腹時血糖の基準値は70〜109 mg/dLである．

（15）糖尿病の典型的症状があり，75 g OGTT 2時間値が200 mg/dL以上で，空腹時血糖126 mg/dL以上であると糖尿病と判定される．

（16）血糖コントロールを少しでも良好にするためには，少々の低血糖は我慢する．

（17）糖尿病の血糖コントロールの良否は，体重，血糖，尿糖，フルクトース，HbA1c，血清脂質，血圧など総合的に評価して診断される．

（18）糖尿病では血糖値を正常化するために，決まった時間に規則正しく食事を摂る．

（19）冠状動脈硬化により，狭心症や心筋梗塞が発生することがある．

（20）脂質異常症は数タイプに分類されるが，いずれも動脈硬化症の危険因子となる．

（21）動脈硬化予防ガイドライン2017の脂質異常症「スクリーニングのための診断基

■出題傾向と対策■

成人期の栄養管理や栄養教育の特徴を理解しておくこと．とくに，メタボリックシンドロームと特定保健指導については重要なので，行動科学と合わせて理解しておくこと．また，生活習慣病（肥満や糖尿病，脂質異常症，高血圧症，動脈硬化症など）について，予防と治療の観点からもよく理解しておくこと．

準値」において，新たに高 non-HDL-Ch 血症が設けられた．
(22) JSH2019 の高血圧ガイドラインでは，心血管イベント抑制における 24 時間の厳格な血圧コントロールの重要性から，診察室血圧および家庭血圧両者それぞれの降圧目標を設定している．
(23) 高血圧者は減塩を基本とし，食塩量は本態性高血圧の場合 8～10 g/日を目安としてうす味調理をし，加工食品や外食の場合はその塩分を考慮する．
(24) 高血圧者にとり，カルシウムとカリウムは，ナトリウムによる血圧上昇作用を抑制するので，高カリウム血症がない場合は新鮮な野菜，果物，乳類，小魚を十分に摂取する． 🔖重要
(25) 脳血栓は前駆症状として，ふらつき，しびれなどの一過性脳虚血発作が多い．
(26) くも膜下出血は脳室内出血が多いため，一側性の片麻痺を主徴とする．
(27) 心房細動は脳梗塞の原因となるので，抗凝血療法も行われる．
(28) 脳卒中の予防には，高血圧，脂質異常症，糖尿病に対する治療が重要である． 🔖重要
(29) 脳卒中の治療は，急性期を過ぎたら積極的にリハビリテーションを行う．
(30) 痛風は治癒しても再発の可能性が高いので，血中尿酸値の経過観察と食事療法を続けなければならない． 🔖重要
(31) 医療機関では，医師，看護師，管理栄養士などが栄養サポートチームを組み，患者の栄養教育に携わり，効果を上げている．
(32) 慢性疾患に対しては，疾病の進展防止，病状の軽減対策などについて自律できるよう病院などにおいて教育入院を行っている．
(33) 医師を取り巻くコメディカルスタッフは，看護師，薬剤師，管理栄養士，臨床検査技師の 4 種類であり，他の職種は含まれない． 🔖重要

10 ライフステージ・ライフスタイル別栄養教育
障がい者の栄養教育の展開

10.1 障がい者の栄養教育の特徴と留意事項
(1) 身体障がい者

　日本の障がい者数は，令和元年版「障害者白書」によると**身体障がい者**約436万人（在宅約428.7万人，施設約7.3万人），**知的障がい者**約108万人（在宅約96万人，施設約12万人），**精神障がい者**約419万人（在宅約389万人，施設約30万人）と年々精神障がい者が増加している．在宅の身体障がい者では半数以上が肢体不自由で，その10％は視覚障害や聴覚障害を併せもつ．また在宅知的障がい者では，その20％が身体障がい者でもある．障害の種類や程度に合った適切な食生活が，障害の進行や悪化を遅延・予防する．

　身体障害者福祉法では，障害の定義を，① 視覚障害，② 聴覚または平衡機能障害，③ 音声機能，言語機能または咀しゃく機能障害，④ 肢体不自由，⑤ 内部障害（心臓，腎臓，呼吸器，膀胱，小腸など）の5つに分類している．

　障害の種類によって食べる機能の障害の程度は大きく異なり，それによって食事摂取上の困難さは違ってくる．食事介護に際しては，食事動作では**座位の安定性**，手の運びなどの**動作能力**，**嚥下障害**の有無，**口唇の開閉**の可否，歯の欠損，義歯の適合，**不随意運動**の有無，**意識障害**など，障害の種類とその程度を評価しなければならない．重度・重複の身体障害と知的障害を併せもつ**重症心身障害**では，健常児の発達過程をよく理解したうえで，摂食機能の発達を促す食事姿勢，食物形態，介助方法を実践していき，**経口摂取訓練**は口腔機能の変化を見ながら，あせらず行う．とくに寝たきりあるいはそれに類似した状態にある場合は，低たんぱく症，電解質の欠乏症，**感染**に対する抵抗力の低下，**褥瘡**の悪化を防ぐ栄養管理が重要である．また行動異常として異食がある場合には，特別の対応が必要である．

　とくに在宅における栄養食事管理は，疾病の治療，再発防止および社会復帰のための体力づくりといった医療面において果たす役割は大きく，また患者の**QOL**（生活の質）向上への貢献を期待されている．

障害種別雇用状況（民間企業）
民間企業（法定雇用率2.2％）に雇用されている障がい者は約56万人で，このうち身体障がい者は約35万人，知的障がい者は約12.8万人，精神障がい者は約7.8万人と実質雇用率は2.11％であった〔令和元年(2019)6月，厚生労働省〕．

Plus One Point
知的障害
国際的には従来の「精神薄弱」という概念や用語は用いられず，「精神遅滞」という概念と用語が採用されている．わが国では平成11年(1999)4月1日より，「精神薄弱」は「知的障害」に改められた．しかし，学術・医学上では「精神遅滞」が用いられている．

重症心身障がい児（者）
胎生期から18歳までに発生した脳障害により，重度の身体障害および重度の知的障害を併せもつ．主病態は脳性麻痺，精神遅滞，てんかんである．

介護の原則
① 生活習慣の尊重
② 自己決定権の尊重
③ プライバシーの尊重
④ 残存機能の活用
⑤ 観察
⑥ 個人，機関，地域単位での連携．介護チームの一員としての連携

介護従事者の職業倫理
① 人間としての尊厳と平等権の尊重
② 自己実現への援助
③ 生命の安全を守り，相手に危害を加えない
④ プライバシーの保護と秘密保持義務
⑤ 自己研鑽
⑥ 実施した行為に責任をもつ
⑦ 健康であること

脳性麻痺
周産期または新生児期に生じた，脳の非進行性病変による運動もしくは姿勢の異常．知的障害や言語障害，てんかんなどを伴う．

嚥下食
わが国では，嚥下食が登場するまで「きざみ食」や「ミキサー食（ブレンダー食）」が広く用いられてきたが，きざみ食やミキサー食は咀しゃくに対応した食事であり，むしろ嚥下食としては不適な食物形態であることが判明している．

（a）視覚障害の食事介護

視覚の障害には視力障害と視野障害があり，視覚障害を引き起こす疾患には老人性白内障，糖尿病性網膜症，緑内障，ベーチェット病，未熟児網膜症，先天性眼球異常，外傷などがある．先天盲では色彩の未体験，大きさの認知不可などにより，発達過程において情報収集能力の制限があり，身体的発達にも影響を及ぼす．

食事介護では，温かい言葉かけとスキンシップが安心感を与える．まず名前をはっきり呼びかけ，自分に向けられた言葉であることを示し，次に介護者の名前や受けもつ仕事内容を具体的に知らせる．そして，献立や調理内容を言葉に置き換えて伝える．次に食器の配置を伝える．倒れやすいグラスなどは軽く触れてもらい，何が何時の位置にあるか（クロックポジション）説明し，熱いものにはとくに注意を促す．

（b）聴覚障害の食事介護

老化による難聴，先天性難聴，メニエール病による難聴などがある．聴覚障害のタイプには感音性と伝音性がある．食事に関しては特別の介助はないが，食事中のコミュニケーションには配慮が必要である．

（c）肢体不自由障害の食事介護

脳性麻痺による全身性障害では自分で姿勢を保持することが困難で，歩行や立位などの方法で自力の移動ができない場合が多い．したがって食事，排泄，更衣などの生活全般において介助が必要となる．

脳性麻痺には代表的なものに痙直型とアテトーゼ型があり，アテトーゼ型で

簡単な経口摂取テスト

〈水飲みテスト〉
・冷水 3 mL を注射器などで舌下の口腔底に注ぎ，嚥下をするようにいう．
・嚥下後，反復嚥下を 2 回行わせる．
・以下に示した判定で 4 点以上なら，最大 2 施行繰り返す．
・最も悪い場合を評点とする．
判定基準：
1. 嚥下なし，むせる and/or 呼吸切迫．
2. 嚥下あり，呼吸切迫（silent aspiration の疑い）．
3. 嚥下あり，呼吸良好，むせる and/or 湿性・嗄声．
4. 嚥下あり，呼吸良好，むせない．
5. 4 に加え，反復嚥下が 30 秒以内に 2 回可能．

〈フードテスト〉
・茶さじ 1 杯のプリンを舌の上の前部に置き，食させる．
・嚥下後，反復嚥下を 2 回行わせる．
・評価値が 4 点以上なら，最大 2 施行繰り返す．
・最も悪い場合を評点とする．
判定基準：
1. 嚥下なし，むせる and/or 呼吸切迫．
2. 嚥下あり，呼吸切迫（silent aspiration の疑い）．
3. 嚥下あり，呼吸良好，むせる and/or 湿性・嗄声 and/or 口腔内残留中等度．
4. 嚥下あり，呼吸良好，むせない，口腔内残留ほぼなし．
5. 4 に加え，反復嚥下が 30 秒以内に 2 回可能．

は頸部の強い反り返りのための舌の突出，嚥下障害による誤嚥が起こりやすい．脳卒中では，障害を受けた大脳半球の反対側の上下肢に運動麻痺や感覚障害が現れ，いわゆる片麻痺状態となる．麻痺は顔面にも現れ，摂食の障害になる．また，嚥下反射の障害からくる嚥下障害や誤嚥にも注意する．円滑に食事摂取をするためには，頸がすわっている，飲食物が口腔内にあるときは口唇が閉じている，呼吸障害がないことが必要で，どれが欠けても誤嚥の可能性が生じる．

（d）内部障害の食事介護

内部障害者の場合は，継続した医学的管理が必要な場合が多い．心臓機能障害などでは，高血圧，糖尿病，脂質異常症にならないよう，過食による肥満や運動不足，ストレスには気をつけ，動物性の脂肪や塩分摂取は控える．

（2）精神障がい者

代表的な精神障害には内因性精神病（統合失調症，躁うつ病），心因性精神障害（神経症，心身症），外因性精神障害〔器質性精神病（進行麻痺），症状性精神病（内分泌性精神障害など），中毒性精神病（アルコール依存症など），てんかん〕があり，老年期の精神障害には認知症性疾患として老年認知症（アルツハイマー型），脳血管性認知症などがある．

精神障がい者は，さまざまな原因によって精神機能に変調をきたし，その症状として行動や言動上にさまざまな偏りが生じ，家庭や職場などの社会生活の場に適応できなくなったと考えられる．精神疾患では幻想，妄想，不安，興奮などの急性症状があるが，これらが改善された後で，意志，感情，思考判断などを含む精神機能全般の機能低下が見られる場合が多い．この機能低下は，生活維持に必要な課題へ取り組む能動性や積極性の減退，自分の行動を周囲の状況に合わせていく融通性や協調性の欠如，自己決定能力の低下というかたちをとり，生活障害となる．

治療には，第一に薬物療法を中心とする身体療法，第二はおもに言葉を通して心に働きかける精神療法，第三に生活行動の偏りを直し，より健康的な方向へと導き，患者自身が生活体験を積み上げることで病状を改善する生活療法がある．

（a）アルコール依存症

過度の飲酒により身体・精神の健康が障害され，社会生活・経済生活が困難になる状態で，症状には振戦せん妄，アルコールてんかん，アルコール幻覚症などがある．飲酒では，血中アルコール濃度の上昇期に気分が昂揚するが，下降期に憂うつや悲哀感が見られ，うつ状態が出て，病的な飲酒が長引くほど増悪する．アルコール依存者は，精神的な障害だけでなく，アルコール性の肝障害などを併せもつ場合が多い．一般の飲酒では，炭水化物の摂取量は低くなるものの他の栄養素の摂取量はあまり変化しないと考えられているが，アルコール中毒患者の栄養状態は悪い．これはアルコールが栄養素の腸管吸収を阻害す

Plus One Point

嚥下障害のたいへんさを体験する

仰向けに寝て，ご飯やお茶を唇を閉じないで飲み込んでみる．嚥下機能が健常な人でも，飲み込みにくかったり，気管に入り，むせたりする．食塊の大きさ，粘度，口に運ぶスピードなど，介護を受ける側の立場で考えたい．

アルツハイマー病の原因

脳の神経細胞に蓄積してアルツハイマー病を引き起こすとされるたんぱく質βアミロイドは，球状の集合体となって初めて強い毒性をもつことが最近の研究で明らかになった．発症の原因の解明や，新たな治療法の開発に期待される．

認知症患者の食行動

① 食べたことを忘れて食事を要求する．
② 食べ方がわからない．
③ 食べ物と異物の区別ができない．
④ 昼夜の区別なく食べ物を要求したり，自分で摂ったりする．
⑤ 他人の食事に手をのばす．
⑥ 咀しゃくや嚥下のしかたがわからず，口のなかを食べ物でいっぱいにする．
⑦ 口渇を訴えない．
⑧ 食べるのに時間がかかる．
⑨ 拒食する．

統合失調症

おもに青年期に発症する．症状は幻聴や被害妄想などの陽性症状と，自閉や意欲低下，感情鈍麻などの陰性症状がある．
破瓜型：おもに陰性症状で，徐々に慢性欠陥状態になる予後不良な型．
妄想型：陽性症状．社会適応がよい型．
緊張型：興奮，昏迷など激しい症状であるが，治りはよい．

ること，活性型に変化するのを阻害すること，アルコールを消費するときに栄養素を消費すること，肝機能が低下して栄養素の保留量が低下する，食事そのものを摂らないなどの原因が考えられる．

（b）老化性認知症

アルツハイマー型認知症とは，老年期に脳の全般的な萎縮性病変に伴って起こる認知症が高度になり，社会適合が困難になった状態である．進行すると寝たきりとなり，栄養障害による衰弱や感染症で死亡することが多い．脳血管性認知症は，脳動脈硬化症に基づく多発性脳梗塞による認知症を指す．発症は55～65歳の男性に多い．精神機能がところどころ保存され，人格も保たれる場合が多く，まだら認知症と呼ばれる．高血圧症がある場合が多いので，治療には食塩，脂質の制限など，食事療法と薬物療法がある．

（c）精神障がい者への生活支援

生活障害や他の疾病に比べて患者自身の障害受容が困難であること，再発しやすいということが，精神障がい者の社会参加と自立を阻害する要因となる．リハビリテーションの課題は精神障害を可能な限り改善するだけでなく，生活破綻や再発を防止するよう，障害と共存しうる生活技術を獲得し，社会的不利益を解消していくことが必要である．在宅精神障がい者の社会参加を推進するために必要な，対人関係の改善や集団生活への慣れ，積極性や興味の引き出し，社会的役割の練習，規則的な生活習慣の獲得，持続性や集中性などの作業能力の改善をはかるデイケアのための施設として，精神科デイケア施設，保健所などがある．また，長期入院，頻繁な生活破綻，再発，再入院を繰り返す場合も少なくないが，住居・人的サービスを提供し，治療や教育的な働きかけを含む支援を提供するナイトケアのための施設として訓練型施設があり，自立した生活のために生活障害の改善，生活技術獲得のための生活訓練が主眼となっている．

精神障がい者では生活が破綻している場合が多く，生活を健全に整えるためにも，食事のリズムをきっかけに望ましい生活習慣を取り戻し，栄養状態の改善によって健康な身体をつくり，社会復帰につなげることが必要である．社会復帰した集団のなかで自己表現をすること，人間関係を築くことが苦手である場合が多いことを理解し，非指示的にならず，あせらずじっくりとした栄養教育が求められる．

10.2　ノーマリゼーションと栄養教育

（1）障害者自立支援法

「障がい者・障がい児がその有する能力及び適正に応じ，自立した日常生活又社会生活を営むことができる」というノーマリゼーションの理念を踏まえ，障がい者が自分で必要な在宅・施設支援を選べ，費用の大半を行政が負担する障害者支援費制度が平成15年（2003）に始まり，障がい者にとって画期的な改

リハビリテーションの理念

障害や障害をもった状態を改善し，障がい者の社会的統合を達成するためのあらゆる手段を含む．障害をもつ者の能力を最大限に開発・教育して，再び社会に復帰させるプロセスを意味する．ADLおよび職業的自立のみを重視するのではなく，経済生活，家庭生活，社会参加，文化活動などの生活側面やQOLを高めることが重要と考えられている．

10.2 ノーマリゼーションと栄養教育

革であったが，さらに3年後の平成18年（2006），障害者自立支援法が新たに制定された．それによりこれまで，身体障がい者，知的障がい者，精神障がい者に関する福祉サービスや公費負担医療は個々の法律に基づいて提供されてきたが，市区町村が主体となって，障害種別にかかわりなく，障がい者の自立支援を目的とした一元的な共通のサービスを提供する仕組みになった．

自立支援給付には，介護給付（居宅介護，重度訪問介護，行動援護，療養介護，児童デイサービス，重度障がい者等包括支援等）と自立訓練等給付（機能訓練，生活訓練，就労移行支援等）がある．障がい者等が障害福祉サービスを利用した場合には，利用したサービスの量に応じた公平な負担として，1割を負担する応益負担となっていたが，平成24年（2012）4月の改正により，応能負担に変わった．

入所施設に管理栄養士等の配置を行い，適切な栄養管理を行った場合に栄養管理体制加算が認められ，施設などの管理栄養士は，健康診断による障がい者等の状況把握に留まらず，積極的に個別対応による栄養管理，また低栄養状態

ノーマリゼーションの理念

① 基本的人権や市民権を保証し，人間としての尊厳を守ること．
② 教育や雇用において，平等と機会均等を保証すること．
③ 地域社会のなかで居住，教育，労働などに関する権利が実現できること．
④ 単に通常の生活環境に生きるのではなく，障がい者が人間らしく，より豊かに生活するためのQOLを保障すること．
⑤ 就学や就労などを可能な限り障がい者自らが選択し，自己決定することが尊重されること．

APDL

actibity parallel to daily living の略語．生活関連動作あるいは生活関連活動の意．調理，洗濯，整理整頓などの家事，近隣への移動，趣味，育児，金銭管理などを指す．セルフケアを中心とする狭義のADLが，障害をもつ人の生活維持に不可欠の身体活動であるのに対し，広義のADLであるAPDLは，障害をもつ人の社会生活を拡大充実させるための活動といえる．APDLは障害をもつ人の社会参加を促し，そのQOLを高めるために不可欠な活動である．APDLの自立こそが，ノーマリゼーションへの重要な手段である．

インテグレーション

障害児（者）が他の市民とともに学び，生活し，労働すること．ノーマリゼーションの具現化の1つ．

表10.1　生活の場における食事介護に関するアセスメント

アセスメント事項		具体例
食料の購入	購入の利便性	商店までの距離，買い物に関する介護者の負担，宅配サービスなどの有無
	経済力	食材に関する可処分所得
	食材へのこだわり	国産品や有機・無農薬食材へのこだわり，栄養補助食品の受け入れ
調理環境	台所環境	熱源の個数・種類，ガス台・調理台の高さ，台所気温，冷蔵庫・冷凍庫の容量・性能
	調理機器	電子レンジ，ミキサー，フードプロセッサーなどの調理器具の有無
調理・形態調整	食事内容	療養者の病態に応じているか
	食事形態	食事形態が摂食機能に合っているか
喫食環境	いす，テーブルなど	高さ，深さ，車いすとのバランス
	食器，スプーン類	機能に応じたものが用意されているか，自助食器などの使用
食事介助	介助方法	介助する際に座る位置，ひとくち量，スプーンの形状，深さ
	喫食時の観察	スプーンを抜く角度，食事介助のスピード，嚥下までの確認の有無
食事に関する支援体制	訪問介護利用の有無	訪問介護の内容，サービス利用時間
	家族内支援体制	介護者以外の家族の役割
	インフォーマルな支援	近所の支援関係の有無
介護者	療養者との関係	療養者に対する思い，療養に対する意識
	介護負担	介護，とくに食事介助が負担になっていないか
	健康	疾病の有無，腰痛，頭痛，不眠，疲労度
	ストレス	ストレスの程度，ストレスマネジメントはできているか

臨床栄養，101，965（2002）．

Plus One Point

介護の記録の重要性

介護が社会的性格をもつようになった以上，介護記録は義務である．問題が起これば，介護方法，手段，技術の適性さや妥当性が問われる．その妥当性を客観的に証明できるのが記録であり，正確な情報を残す．また介護チームの間で共有され，以後の介護に継続性，統一性を保ったり，個別的介護を行ったりするために必要である．

介護者と感染予防

介護者が病原菌の媒介者にならないこと，自分自身が感染しないことが重要である．病原菌の除去，感染経路の遮断，抵抗力が原則である．
① 介護前後の正しい手洗い
② 汚物，体液に触れる場合は使い捨て手袋の使用
③ エプロンなどの身支度を整える
④ 適切な消毒薬の使用
⑤ 感染のおそれのある人の使用物品の専用化
⑥ 訪問順位の検討

在宅医療にかかわる専門家

医師（医学的管理）
看護師（訪問看護）
理学療法士と作業療法士（訪問リハビリテーション）
薬剤師（訪問薬剤管理）
管理栄養士（訪問栄養食事指導，表10.2）
歯科医師（訪問診療）
歯科衛生士（訪問衛生指導）

改善や生活習慣病などの疾病に配慮した食事の提供と栄養・食事指導を行う必要がある．そのため利用者に理解される指導方法や内容の工夫が必要であり，家族や介護職員に対しても食事の重要性について理解し，支援してもらえるように積極的にアプローチし，効果的な栄養ケア・マネジメントに寄与することが望まれる（表10.1）．

（2）発達障がい児への食育

平成17年（2005）に「食育基本法」が制定され，子どもたちの健全な心と身体を培い，生涯にわたっていきいきと暮らすためには「食育」が重要であるとの認識が示された．一方，特別支援学校に入るほどではない障害のある弱視，難聴，普通学級には不適合を起こす中間領域の子ども，LD（学習障害）やADHD（注意欠陥多動性障害），自閉症などの発達障害など，障害がある子どもが増加しているなか，平成19年（2007）に「特別支援教育」が学校教育法に位置づけられ，すべての学校において障害のある児童生徒の支援を充実するために特別支援学級を置くことが決定された．

軽度の知的障害を伴う発達障がい児への食育はまさに「生きる力」を育む食育であり，今後社会生活を送るうえで重要である．発達障がい児は，好き嫌いが多い，こだわりが強い，集中力や協調性，見通しが立たないと不安になる，聴覚からの理解が苦手，読み書きが苦手などのさまざまな特性を考慮し，実施内容，実施媒体などを工夫した食育プログラムを作成し，食育教室を実施したと

表10.2 発達障がい児（小学生） 食育連続教室（事例）

	テーマ	ねらい	メニュー
第1回	好き嫌いをなくそう	食品の3つのはたらきを知り，好き嫌いをなくす大切さに気づくことで，嫌いなものを克服し，残さず食べようとする．	カレーライス オレンジゼリー
第2回	朝ごはんを食べよう	朝ごはんの役割を知り，習慣化するとともに，自分で簡単な朝ごはんをつくれるようになる．	ごはん，サラダ 目玉焼き（ハム）
第3回	食農体験	地産地消，食物に対する感謝の気持ちをもつ．トマトの収穫（トマトの発育を写真で説明）	冷製トマトスパゲティー
第4回	おやつについて考えよう	適切なおやつの量と種類を知る（おやつには飲み物も含むことを知る）簡単なおやつをつくることで，手づくりおやつの良さに気づく．	蒸しパン 牛乳 （そぼろ丼）
第5回	感謝の心を伝えよう	毎日ご飯をつくってくれる親に感謝の気持ちをもち，それを伝えることができる．	ちらし寿司 牛乳かん
第6回	バランスよく食べよう	主食・主菜・副菜とな何か，またこれらがそろったものがバランスの良い食事だと知る．	ごはん 豚肉の生姜焼き （ブロッコリーのごま和え）

滋賀県立大学

ころ，積極的になれないことの多い特別支援学級児だが，役割分担での自発的な挙手や食育指導時の反応・発言など，積極的な面が多く見られた（表10.2）．

家族以外の周りの友達やその家族，スタッフなどとの会話のキャッチボールが多く見られるようになり，作業時には自発的に友達と協力する姿が見られるようになった．特別支援学級児に対する調理を伴う食育プログラムは，食育の観点だけでなく，特別支援学級児の社会性，協調性，自己効力感，自己肯定感なども高めることができると思われる．

練習問題

次の文を読み，正しいものには○，誤っているものには×をつけなさい．

（1）障がい者が障害福祉サービスを利用した場合には，利用したサービスの量に応じた公平な負担として，1割を負担する．

（2）視覚障がい者に対する食事介護では，献立や調理内容を言葉に置き換え，食器の位置などをクロックポジションで説明する．

（3）嚥下障害がある場合にはきざみ食やミキサー食，咀しゃく障害がある場合にはとろみなどをつけた粘り形態のものを用いる．

（4）アルコール中毒患者の多くは，アルコールと一緒につまみを十分に摂るため，栄養状態は良好である．

（5）脳血管性認知症はまだら認知症と呼ばれ，原因が高血圧症や脂質異常症にある場合が多いので，塩分や脂質の制限を行う．

（6）精神障がい者では生活が破綻している場合が多く，食事のリズムをきっかけに望ましい生活習慣を取り戻し，栄養状態を改善して健康な身体をつくるよう指導する．

（7）バリアフリーとは，障害をもつ者を最大限に開発・教育して，再び社会に復帰させるプロセスを意味する．

（8）近年，脳死，臓器移植，体外受精，遺伝子治療など生命倫理（バイオエシックス）の問題については，個人の自己決定権が重要とされている．

（9）高齢者世帯，独居老人など要介護者の大幅な増加が予想されているが，家族によって十分な介護が行えるようになってきている．

（10）障がい者だけでなく，家族や介護をする人に対しても栄養教育を行うことが必要である．

（11）特別支援学級児に対する調理を伴う食育プログラムは，食育の観点だけでなく，児の社会性，協調性，自己効力感，自己肯定感なども高めることができる．

（12）自宅における療養であっても，病院にいるときと同じように管理することが必要であり，患者のQOLが制限されてもやむをえない．

（13）コメディカルスタッフは，それぞれの所属する専門領域について深い知識と技術が必要であり，他の職域の職務については無関心でよい．

■出題傾向と対策■
障害の種類とその程度による食べる機能障害は異なるため，それぞれの障害の特徴と食事介護の方法を整理しておくこと．

重要

■出題傾向と対策■
栄養教育の評価の意義，種類やその方法等についても，十分に理解しておくこと．

重要

重要

(14) 健(検)診の結果,「要指導」あるいは「要医療」と判定された場合には,ただちに医療機関を紹介し,必ず受診させる.

重要 👉 (15) 地域健康教育の実施にあたっては,市町村保健センターや地域保健所担当者と十分に協議し,効果をあげるよう配慮しなければならない.

重要 👉 (16) ノーマリゼーションの理念では,障がい者の人間としての尊厳が守られ,就学や就労などを可能な限り自らが選択し,自己決定が尊重されることがあげられる.

重要 👉 (17) 嚥下障害に適した嚥下食は,密度が均一である,適度な粘度があってバラバラにしやすいものが適している.

参考書──もう少し詳しく学びたい人のために

1章
栄養調理関係法令研究会 編,『〈加除式〉栄養関係法規類集』, 新日本法規出版.
厚生統計協会 編,『国民衛生の動向(厚生の指標臨時増刊)』, 厚生統計協会(2021).
健康・栄養情報研究会 編,『国民健康・栄養の現状─平成30年国民健康・栄養調査報告』, 第一出版(2020).
日本栄養士会 編,『健康日本21と栄養士活動(第3版)』, 第一出版(2004).
藤沢良知 編著,『栄養・健康データハンドブック2020/2021』, 同文書院(2020).
健康日本21(第2次), 厚生労働省HP https://www.mhlw.go.jp/stf/seisakunitsuite/bunya/kenkou_iryou/kenkou/kenkounippon21.html
日本栄養改善学会,「平成30年度管理栄養士専門分野別人材育成事業『教育養成領域での人材育成』報告書」, (2019).
日本健康教育学会 編,『健康行動理論による研究と実践』, 医学書院(2019).

2章
畑 栄一, 土井由利子 編,『行動科学(改訂第2版)』, 南江堂(2009).
松本千明,『医療・保健スタッフのための健康行動理論の基礎』, 医歯薬出版(2002).
松本千明,『ソーシャルマーケティングの基礎』, 医歯薬出版(2004).
坂本元子 編著,『栄養指導・栄養教育(第3版)』, 第一出版(2006).
足達淑子 編,『栄養指導のための行動療法入門(臨床栄養別冊)』, 医歯薬出版(1998).
足達淑子 編,『ライフスタイル療法─生活習慣改善のための行動療法(第4版)』, 医歯薬出版(2014).
足達淑子,『行動変容のための面接レッスン─行動カウンセリングの実践』, 医歯薬出版(2008).
赤松利恵, 永井成美,『栄養カウンセリング論』, 化学同人(2015).

3章
伊藤貞嘉, 佐々木敏 監,『日本人の食事摂取基準(2020年版)』, 第一出版(2020).
日本静脈経腸栄養学会 編,『コメディカルのための静脈・経腸栄養ハンドブック』, 南江堂(2011).
Frances E. Thompson, Tim Byers 著, 徳留信寛 監訳,『食事評価法マニュアル』, 医歯薬出版(1997).
水上茂樹 編,『栄養情報処理論』, 講談社(2004).
「日本人の新身体計測基準値(JARD2001)」, 栄養─評価と治療, 19, suppl.(2002).
牛渡 淳,『改訂 教育学原論─教育の本質と目的』, 中央法規出版(2008).
清水幸子ほか,『高齢者のための栄養ケア・マネジメント事例集─施設別栄養ケア計画書作成事例50』, 日本医療企画(2008).
橋爪孝雄 監,『臨床栄養ディクショナリー(改訂6版)』, メディカ出版(2020).
赤松利恵 編,『行動変容を成功させるプロになる栄養教育スキルアップブック』, 化学同人(2009).
松崎政三, 寺本房子, 福井富穂,『栄養士のための実践POS入門(臨床栄養別冊)』, 医歯薬出版(1998).
足達淑子 編,『ライフスタイル療法─生活習慣改善のための行動療法(第4版)』, 医歯薬出版(2014).
本田佳子 編,『新臨床栄養学栄養ケアマネジメント』, 医歯薬出版(2015).

4章
「健やか親子21」推進検討会(食を通じた妊産婦の健康支援方策研究会)報告書.
魚介類に含まれる水銀について(妊婦への魚介類の摂取と水銀に関する注意事項及びQ&A), 厚生労働省HP https://www.mhlw.go.jp/topics/bukyoku/iyaku/syoku-anzen/suigin/
妊産婦のための食生活指針, 厚生労働省HP https://www.mhlw.go.jp/houdou/2006/02/h0201-3a.html
国立健康・栄養研究所,「妊産婦のための食生活指針の改定案作成および啓発に関する調査研究報告書」(2020).

5章
授乳・離乳の支援ガイド(2019年改定版) https://www.mhlw.go.jp/stf/newpage_04250.html
健やか親子21(第2次) http://sukoyaka21.jp
平成27年度乳幼児栄養調査, 厚生労働省HP https://www.mhlw.go.jp/stf/seisakunitsuite/bunya/0000134208.html

参考書

6章
海老澤元宏　編，『症例を通して学ぶ年代別食物アレルギーのすべて』，南山堂(2018).
文部科学省，小学校学習指導要領(平成29年告示)　https://www.mext.go.jp/content/1413522_001.pdf
文部科学省，「食に関する指導の手引き―第二次改訂版―」(平成31年3月)
　　https://www.mext.go.jp/a_menu/sports/syokuiku/1292952.htm
文部科学省，中学校学習指導要領(平成29年告示)　https://www.mext.go.jp/content/1413522_002.pdf
日本小児心身医学会　編，『小児心身医学会ガイドライン集(改訂第2版)』，南江堂(2015).

7章
足立淑子，『行動変容をサポートする保健指導バイタルポイント』，医歯薬出版(2007).
(社)日本栄養士会　監，武見ゆかり・吉池信男　編，『「食事バランスガイド」を活用した栄養教育・食育実践マニュアル(第3版)』，第一出版(2018).
島岡　清，『イラストでみる健康づくり運動指導』，市村出版(2001).
西園昌久ほか　編，『専門医のための精神医学』，医学書院(1998).
恩田　彰，伊藤隆二　編，『臨床心理学辞典』，八千代出版(1999).
M. J. Rantucci 著　佐藤幸一，井手口直子　訳，『薬剤師のカウンセリングハンドブック』，じほう(2002).
厚生労働省健康局，「標準的な検診・保健指導プログラム　改定版(平成25年版)」.

8章
太田貞司　編著，『新版　高齢者福祉論』，光生館(2007).
林　淳三　編著，『高齢者の栄養と食生活(第3版)』，建帛社(2005).
金子芳洋，向井美惠　編，『摂食・嚥下障害の評価法と食事指導』，医歯薬出版(2001).
齋藤　昇，高橋龍太郎　編著，『高齢者の疾病と栄養改善へのストラテジー』，第一出版(2003).
平成30年版高齢社会白書，内閣府 HP　https://www8.cao.go.jp/kourei/whitepaper/w-2018/html/zenbun/index.html

9章
渡辺明治，福井富穂　編，『今日の病態栄養療法(改訂第2版)』，南江堂(2008).
渡辺早苗ほか　編，『新しい臨床栄養管理(第3版)』，医歯薬出版(2010).
中村丁次　編著，『栄養食事療法必携(第4版)』，医歯薬出版(2020).
日本栄養士会　監，『生活習慣病予防と高齢者ケアのための栄養指導マニュアル(2版)』，第一出版(2003).
国立健康・栄養研究所　監，『健康・栄養食品アドバイザリースタッフ・テキストブック(第7版)』，第一出版(2010).
日本肥満学会，『肥満症診療ガイドライン2016』，ライフサイエンス出版(2016).
日本糖尿病学会，『糖尿病治療ガイド2020－2021』，文光堂(2019).
日本動脈硬化学会，『動脈硬化症予防ガイドライン2017』，日本動脈硬化学会(2017).
日本動脈硬化学会，『動脈硬化性疾患予防のための脂質異常症診療ガイド2018年版』，日本動脈硬化学会(2018).
日本高血圧学会，『高血圧治療ガイドライン2019』，ライフサイエンス出版(2019).

10章
岡田喜篤　監，『新版　重症心身障害療育マニュアル』，医歯薬出版(2015).
特別支援教育　4．障害に配慮した教育，文部科学省 HP　https://www.mext.go.jp/a_menu/shotou/tokubetu/mext_00800.html

巻末資料

栄養指導（栄養教育）の法的根拠

栄養指導（栄養教育）に関係の深い法律は栄養士法と健康増進法，食育基本法〔平成17年（2005）公布〕である．

栄養士法〔昭和22年（1947）制定〕

栄養士・管理栄養士の定義，免許などに関する基本的法律である．平成12年（2000）4月，栄養士法の改正〔平成14年（2002）4月1日施行〕により，従来，栄養士と管理栄養士の業務に明確な区別はなされていなかったが，「傷病者に対する療養のため必要な栄養の指導」などが明確に位置づけられ，この場合，「主治の医師の指導を受けなければならない（第5条の5）」とされた．

【おもな規定内容】
① 栄養士及び管理栄養士の定義，② 栄養士及び管理栄養士の登録及び免許証の交付制度，③ 管理栄養士国家試験，④ 主治の医師の指導，⑤ 名称の独占，⑥ 養成施設等．

健康増進法〔平成14年（2002）制定〕

平成15年（2003）5月施行に伴い，栄養改善法〔昭和27年（1952）制定〕は廃止された．「健康日本21」を中核とする国民の健康づくり，疾病予防の法的基盤をはかるものとして制定された．国民の健康増進推進のための基本的法律である．

【おもな規定内容】
① 目的，② 国民の責務，③ 国・地方公共団体及び健康増進事業実施者の責務，④ 基本方針，⑤ 都道府県健康増進計画等，⑥ 国民健康・栄養調査の実施，⑦ 保健指導（ⅰ市町村による生活習慣相談などの実施，ⅱ都道府県による専門的な栄養指導その他の保健指導の実施，ⅲ栄養指導員），⑧ 特定給食施設における栄養管理，⑨ 受動喫煙の防止，⑩ 特別用途表示の許可，⑪ 食事摂取基準，⑫ 栄養表示基準．

食育基本法〔平成17年（2005）制定〕

近年，国民の食生活をめぐる環境の変化に伴い，社会が一体となって食育を推進し，国民一人一人が生涯にわたって健全な心身を培い，豊かな人間性を育んでいくことが緊要な課題となっていることから，食育基本法が平成17年（2005）6月に公布され，7月より施行された．

【おもな規定内容】
① 総則：目的など，食育に関する基本理念を定め，国や地方公共団体などの責務を明らかにするとともに，施策の基本となる事項を定めることにより，食育に関する施策を総合的かつ計画的に推進し，豊かな国民生活および活力ある経済社会の実現に寄与することを目的としている．
② 食育推進基本計画等
③ 基本的施策：ⅰ）家庭における食育の推進，ⅱ）学校，保育所などにおける食育の推進，ⅲ）地域における食生活の改善のための取組みの推進，ⅳ）食育推進運動の展開，ⅴ）生産者と消費者との交流の促進，環境と調和のとれた農林漁業の活性化など，ⅵ）食文化の継承のための活動への支援など，ⅶ）食品の安全性，栄養その他の食生活に関する調査・研究，情報の提供および国際交流の推進など．
④ 食育推進会議等：食育推進基本計画が平成18年（2006）3月末に，さらに第2次食育推進基本計画が平成23年（2011）4月に発表され，平成27年度までの目標値（表1.4）などが示されている．

その他の法規

栄養教育の場に応じて地域保健法，医療法，学校給食法，児童福祉法，老人福祉法などがある．

また，管理栄養士の栄養指導業務を規定している法規には，健康保険法の社会診療報酬による入院時食事療養制度・栄養食事指導料等（資料5参照）や，介護保険法における居宅療養管理指導等がある．

【資料1】 栄養教育関係法規

栄養士法(抄)(昭和22年12月29日法律第245号　最終改正 平成19年6月27日法律第96号)

(栄養士及び管理栄養士の定義)
第1条　この法律で栄養士とは，都道府県知事の免許を受けて，栄養士の名称を用いて栄養の指導に従事することを業とする者をいう．
② この法律で管理栄養士とは，厚生労働大臣の免許を受けて，管理栄養士の名称を用いて，傷病者に対する療養のため必要な栄養の指導，個人の身体の状況，栄養状態等に応じた高度の専門的知識及び技術を要する健康の保持増進のための栄養の指導並びに特定多数人に対して継続的に食事を供給する施設における利用者の身体の状況，栄養状態，利用の状況等に応じた特別の配慮を必要とする給食管理及びこれらの施設に対する栄養改善上必要な指導等を行うことを業とする者をいう．

(免許)
第2条　栄養士の免許は，厚生労働大臣の指定した栄養士の養成施設(以下「養成施設」という．)において2年以上栄養士として必要な知識及び技能を修得した者に対して，都道府県知事が与える．
② 養成施設に入所することができる者は，学校教育法(昭和22年法律第26号)第56条に規定する者とする．
③ 管理栄養士の免許は，管理栄養士国家試験に合格した者に対して，厚生労働大臣が与える．

(免許の欠格条項)
第3条　次の各号のいずれかに該当する者には，栄養士又は管理栄養士の免許を与えないことがある．
　1　第1条に規定する業務に関し犯罪又は不正の行為があった者
　2　素行が著しく不良である者

(名簿)
第3条の2　都道府県に栄養士名簿を備え，栄養士の免許に関する事項を登録する．
② 厚生労働省に管理栄養士名簿を備え，管理栄養士の免許に関する事項を登録する．

(登録及び免許証の交付)
第4条　栄養士の免許は，都道府県知事が栄養士名簿に登録することによって行う．
② 都道府県知事は，栄養士の免許を与えたときは，栄養士免許証を交付する．
③ 管理栄養士の免許は，厚生労働大臣が管理栄養士名簿に登録することによって行う．
④ 厚生労働大臣は，管理栄養士の免許を与えたときは，管理栄養士免許証を交付する．

(免許の取消し等)
第5条　栄養士が第3条各号のいずれかに該当するに至ったときは，都道府県知事は，当該栄養士に対する免許を取り消し，又は1年以内の期間を定めて栄養士の名称の使用の停止を命ずることができる．
② 管理栄養士が第3条各号のいずれかに該当するに至ったときは，厚生労働大臣は，当該管理栄養士に対する免許を取り消し，又は1年以内の期間を定めて管理栄養士の名称の使用の停止を命ずることができる．
③ 都道府県知事は，第1項の規定により栄養士の免許を取り消し，又は栄養士の名称の使用の停止を命じたときは，速やかに，その旨を厚生労働大臣に通知しなければならない．
④ 厚生労働大臣は，第2項の規定により管理栄養士の免許を取り消し，又は管理栄養士の名称の使用の停止を命じたときは，速やかに，その旨を当該処分を受けた者が受けている栄養士の免許を与えた都道府県知事に通知しなければならない．

(管理栄養士国家試験)
第5条の2　厚生労働大臣は，毎年少なくとも1回，管理栄養士として必要な知識及び技能について，管理栄養士国家試験を行う．

(受験資格)
第5条の3　管理栄養士国家試験は，栄養士であって次の各号のいずれかに該当するものでなければ，受けることができない．
1　修業年限が2年である養成施設を卒業して栄養士の免許を受けた後厚生労働省令で定める施設において3年以上栄養の指導に従事した者
2　修業年限が3年である養成施設を卒業して栄養士の免許を受けた後厚生労働省令で定める施設において2年以上栄養の指導に従事した者
3　修業年限が4年である養成施設を卒業して栄養士の免許を受けた後厚生労働省令で定める施設において1年以上栄養の指導に従事した者
4　修業年限が4年である養成施設であって，学校(学校教育法第1条の学校並びに同条の学校の設置者が設置している同法第82条の2の専修学校及び同法第83条の各種学校をいう．以下この号において同じ．)であるものにあっては文部科学大臣及び厚生労働大臣が，学校以外のものにあっては厚生労働大臣が，政令で定める基準により指定したもの(以下「管理栄養士養成施設」という．)を卒業した者

(主治の医師の指導)
第5条の4　管理栄養士は，傷病者に対する療養のため必要な栄養の指導を行うに当たっては，主治の医師の指導を受けなければならない．

(名称の使用制限)
第6条　栄養士でなければ，栄養士又はこれに類似する名称を用いて第1条第1項に規定する業務を行ってはならない．
② 管理栄養士でなければ，管理栄養士又はこれらに類似する名称を用いて第1条第2項に規定する業務を行ってはならない．

　　　附　則
(施行期日)
　第1条　この法律は平成14年4月1日から施行する．

健康増進法(平成14年8月2日法律第103号　最終改正令和元年6月7日法律第26号)

第1章　総則
(目的)
第1条　この法律は，我が国における急速な高齢化の進展及び疾病構造の変化に伴い，国民の健康の増進の重要性が著しく増大していることにかんがみ，国民の健康の増進の総合的な推進に関し基本的な事項を定めるとともに，国民の栄養の改善その他の国民の健康の増進を図るための措置を講じ，もって国民保健の向上を図ることを目的とする．

(国民の責務)
第2条　国民は，健康な生活習慣の重要性に対する関心と理解を深め，生涯にわたって，自らの健康状態を自覚す

るとともに，健康の増進に努めなければならない．
　（国及び地方公共団体の責務）
第3条　国及び地方公共団体は，教育活動及び広報活動を通じた健康の増進に関する正しい知識の普及，健康の増進に関する情報の収集，整理，分析及び提供並びに研究の推進並びに健康の増進に係る人材の養成及び資質の向上を図るとともに，健康増進事業実施者その他の関係者に対し，必要な技術的援助を与えることに努めなければならない．
　第2章　基本方針等
　（基本方針）
第7条　厚生労働大臣は，国民の健康の増進の総合的な推進を図るための基本的な方針（以下「基本方針」という.）を定めるものとする．
2　基本方針は，次に掲げる事項について定めるものとする．
　一　国民の健康の増進の推進に関する基本的な方向
　二　国民の健康の増進の目標に関する事項
　三　次条第一項の都道府県健康増進計画及び同条第2項の市町村健康増進計画の策定に関する基本的な事項
　四　第10条第1項の国民健康・栄養調査その他の健康の増進に関する調査及び研究に関する基本的な事項
　五　健康増進事業実施者間における連携及び協力に関する基本的な事項
　六　食生活，運動，休養，飲酒，喫煙，歯の健康の保持その他の生活習慣に関する正しい知識の普及に関する事項
　七　その他国民の健康の増進の推進に関する重要事項
3　厚生労働大臣は，基本方針を定め，又はこれを変更しようとするときは，あらかじめ，関係行政機関の長に協議するものとする．
4　厚生労働大臣は，基本方針を定め，又はこれを変更したときは，遅滞なく，これを公表するものとする．
　（健康診査の実施等に関する指針）
第9条　厚生労働大臣は，生涯にわたる国民の健康の増進に向けた自主的な努力を促進するため，健康診査の実施及びその結果の通知，健康手帳（自らの健康管理のために必要な事項を記載する手帳をいう.）の交付その他の措置に関し，健康増進事業実施者に対する健康診査の実施等に関する指針（以下「健康診査等指針」という．）を定めるものとする．
　第3章　国民健康・栄養調査等
　（国民健康・栄養調査の実施）
第10条　厚生労働大臣は，国民の健康の増進の総合的な推進を図るための基礎資料として，国民の身体の状況，栄養摂取量及び生活習慣の状況を明らかにするため，国民健康・栄養調査を行うものとする．
2　厚生労働大臣は，独立行政法人国立健康・栄養研究所（以下「研究所」という.）に，国民健康・栄養調査の実施に関する事務のうち集計その他の政令で定める事務の全部又は一部を行わせることができる．
3　都道府県知事（保健所を設置する市又は特別区にあっては，市長又は区長．以下同じ.）は，その管轄区域内の国民健康・栄養調査の執行に関する事務を行う．
　（調査世帯）
第11条　国民健康・栄養調査の対象の選定は，厚生労働省令で定めるところにより，毎年，厚生労働大臣が調査地区を定め，その地区内において都道府県知事が調査世帯を指定することによって行う．

2　前項の規定により指定された調査世帯に属する者は，国民健康・栄養調査の実施に協力しなければならない．
　（国民健康・栄養調査員）
第12条　都道府県知事は，その行う国民健康・栄養調査の実施のために必要があるときは，国民健康・栄養調査員を置くことができる．
2　前項に定めるもののほか，国民健康・栄養調査員に関し必要な事項は，厚生労働省令でこれを定める．
　（生活習慣病の発生の状況の把握）
第16条　国及び地方公共団体は，国民の健康の増進の総合的な推進を図るための基礎資料として，国民の生活習慣とがん，循環器病その他の政令で定める生活習慣病（以下単に「生活習慣病」という．）との相関関係を明らかにするため，生活習慣病の発生の状況の把握に努めなければならない．
　第4章　保健指導等
　（市町村による生活習慣相談等の実施）
第17条　市町村は，住民の健康の増進を図るため，医師，歯科医師，薬剤師，保健師，助産師，看護師，准看護師，管理栄養士，栄養士，歯科衛生士その他の職員に，栄養の改善その他の生活習慣の改善に関する事項につき住民からの相談に応じさせ，及び必要な栄養指導その他の保健指導を行わせ，並びにこれらに付随する業務を行わせるものとする．
　（都道府県による専門的な栄養指導その他の保健指導の実施）
第18条　都道府県，保健所を設置する市及び特別区は，次に掲げる業務を行うものとする．
　一　住民の健康の増進を図るために必要な栄養指導その他の保健指導のうち，特に専門的な知識及び技術を必要とするものを行うこと．
　二　特定かつ多数の者に対して継続的に食事を供給する施設に対し，栄養管理の実施について必要な指導及び助言を行うこと．
　三　前二号の業務に付随する業務を行うこと．
2　都道府県は，前条第1項の規定により市町村が行う業務の実施に関し，市町村相互間の連絡調整を行い，及び市町村の求めに応じ，その設置する保健所による技術的事項についての協力その他当該市町村に対する必要な援助を行うものとする．
　（栄養指導員）
第19条　都道府県知事は，前条第1項に規定する業務（同項第一号及び第三号に掲げる業務については，栄養指導に係るものに限る．）を行う者として，医師又は管理栄養士の資格を有する都道府県，保健所を設置する市又は特別区の職員のうちから，栄養指導員を命ずるものとする．
　第5章　特定給食施設
　（特定給食施設の届出）
第20条　特定給食施設（特定かつ多数の者に対して継続的に食事を供給する施設のうち栄養管理が必要なものとして厚生労働省令で定めるものをいう．以下同じ.）を設置した者は，その事業の開始の日から1月以内に，その施設の所在地の都道府県知事に，厚生労働省令で定める事項を届け出なければならない．
　（特定給食施設における栄養管理）
第21条　特定給食施設であって特別の栄養管理が必要なものとして厚生労働省令で定めるところにより都道府県知事が指定するものの設置者は，当該特定給食施設に管理栄養士を置かなければならない．

2 　前項に規定する特定給食施設以外の特定給食施設の設置者は，厚生労働省令で定めるところにより，当該特定給食施設に栄養士又は管理栄養士を置くように努めなければならない．
3 　特定給食施設の設置者は，前2項に定めるもののほか，厚生労働省令で定める基準に従って，適切な栄養管理を行わなければならない．
　（指導及び助言）
第22条　都道府県知事は，特定給食施設の設置者に対し，前条第1項又は第3項の規定による栄養管理の実施を確保するため必要があると認めるときは，当該栄養管理の実施に関し必要な指導及び助言をすることができる．
　第6章　受動喫煙防止
　　第一節　総則
　（国及び地方公共団体の責務）
第25条　国及び地方公共団体は，望まない受動喫煙が生じないよう，受動喫煙に関する知識の普及，受動喫煙の防止に関する意識の啓発，受動喫煙の防止に必要な環境の整備その他の受動喫煙を防止するための措置を総合的かつ効果的に推進するよう努めなければならない．
　（関係者の協力）
第26条　国，都道府県，市町村，多数の者が利用する施設（敷地を含む．以下この章において同じ．）及び旅客運送事業自動車等の管理権原者（施設又は旅客運送事業自動車等の管理について権原を有する者をいう．以下この章において同じ．）その他の関係者は，望まない受動喫煙が生じないよう，受動喫煙を防止するための措置の総合的かつ効果的な推進を図るため，相互に連携を図りながら協力するよう努めなければならない．
　（喫煙をする際の配慮義務等）
第27条　何人も，特定施設及び旅客運送事業自動車等（以下この章において「特定施設等」という．）の第29条第1項に規定する喫煙禁止場所以外の場所において喫煙をする際，望まない受動喫煙を生じさせることがないよう周囲の状況に配慮しなければならない．
2 　特定施設等の管理権原者は，喫煙をすることができる場所を定めようとするときは，望まない受動喫煙を生じさせることがない場所とするよう配慮しなければならない．
　（定義）
第28条　この章において，次の各号に掲げる用語の意義は，当該各号に定めるところによる．
　一　たばこ　たばこ事業法（昭和59年法律第68号）第2条第3号に掲げる製造たばこであって，同号に規定する喫煙用に供されるもの及び同法第38条第2項に規定する製造たばこ代用品をいう．
　二　喫煙　人が吸入するため，たばこを燃焼させ，又は加熱することにより煙（蒸気を含む．次号及び次節において同じ．）を発生させることをいう．
　三　受動喫煙　人が他人の喫煙によりたばこから発生した煙にさらされることをいう．
　四　特定施設　第一種施設，第二種施設及び喫煙目的施設をいう．（略）
　第7章　特別用途表示等
　（特別用途表示の許可）
第43条　販売に供する食品につき，乳児用，幼児用，妊産婦用，病者用その他内閣府令で定める特別の用途に適する旨の表示（以下「特別用途表示」という．）をしようとする者は，内閣総理大臣の許可を受けなければならない．

2 　前項の許可を受けようとする者は，製品見本を添え，商品名，原材料の配合割合及び当該製品の製造方法，成分分析表，許可を受けようとする特別用途表示の内容その他内閣府令で定める事項を記載した申請書を内閣総理大臣に提出しなければならない．
3 　内閣総理大臣は，研究所又は内閣総理大臣の登録を受けた法人（以下「登録試験機関」という．）に，第1項の許可を行うについて必要な試験（以下「許可試験」という．）を行わせるものとする．

食育基本法（平成17年6月17日法律第63号　最終改正平成27年9月11日法律第66号）
　附則
　二十一世紀における我が国の発展のためには，子どもたちが健全な心と身体を培い，未来や国際社会に向かって羽ばたくことができるようにするとともに，すべての国民が心身の健康を確保し，生涯にわたって生き生きと暮らすことができるようにすることが大切である．
　子どもたちが豊かな人間性をはぐくみ，生きる力を身に付けていくためには，何よりも「食」が重要である．今，改めて，食育を，生きる上での基本であって，知育，徳育及び体育の基礎となるべきものと位置付けるとともに，様々な経験を通じて「食」に関する知識と「食」を選択する力を習得し，健全な食生活を実践することができる人間を育てる食育を推進することが求められている．もとより，食育はあらゆる世代の国民に必要なものであるが，子どもたちに対する食育は，心身の成長及び人格の形成に大きな影響を及ぼし，生涯にわたって健全な心と身体を培い豊かな人間性をはぐくんでいく基礎となるものである．
　一方，社会経済情勢がめまぐるしく変化し，日々忙しい生活を送る中で，人々は，毎日の「食」の大切さを忘れがちである．国民の食生活においては，栄養の偏り，不規則な食事，肥満や生活習慣病の増加，過度の痩身志向などの問題に加え，新たな「食」の安全上の問題や，「食」の海外への依存の問題が生じており，「食」に関する情報が社会に氾濫する中で，人々は，食生活の改善の面からも，「食」の安全の確保の面からも，自ら「食」のあり方を学ぶことが求められている．また，豊かな緑と水に恵まれた自然の下で先人からはぐくまれてきた，地域の多様性と豊かな味覚や文化の香りあふれる日本の「食」が失われる危機にある．
　こうした「食」をめぐる環境の変化の中で，国民の「食」に関する考え方を育て，健全な食生活を実現することが求められるとともに，都市と農山漁村の共生・対流を進め，「食」に関する消費者と生産者との信頼関係を構築して，地域社会の活性化，豊かな食文化の継承及び発展，環境と調和のとれた食料の生産及び消費の推進並びに食料自給率の向上に寄与することが期待されている．
　国民一人一人が「食」について改めて意識を高め，自然の恩恵や「食」に関わる人々の様々な活動への感謝の念や理解を深めつつ，「食」に関して信頼できる情報に基づく適切な判断を行う能力を身に付けることによって，心身の健康を増進する健全な食生活を実践するために，今こそ，家庭，学校，保所，地域等を中心に，国民運動として，食育の推進に取り組んでいくことが，我々に課せられている課題である．さらに，食育の推進に関する我が国の取組が，海外との交流等を通じて食育に関して国際的に貢献することにつながることも期待される．
　ここに，食育について，基本理念を明らかにしてその方向性を示し，国，地方公共団体及び国民の食育の推進に関

する取組を総合的かつ計画的に推進するため，この法律を制定する．

第1章　総則

（目的）

第1条　この法律は，近年における国民の食生活をめぐる環境の変化に伴い，国民が生涯にわたって健全な心身を培い，豊かな人間性をはぐくむための食育を推進することが緊要な課題となっていることにかんがみ，食育に関し，基本理念を定め，及び国，地方公共団体等の責務を明らかにするとともに，食育に関する施策の基本となる事項を定めることにより，食育に関する施策を総合的かつ計画的に推進し，もって現在及び将来にわたる健康で文化的な国民の生活と豊かで活力ある社会の実現に寄与することを目的とする．

（国民の心身の健康の増進と豊かな人間形成）

第2条　食育は，食に関する適切な判断力を養い，生涯にわたって健全な食生活を実現することにより，国民の心身の健康の増進と豊かな人間形成に資することを旨として，行われなければならない．

（食に関する感謝の念と理解）

第3条　食育の推進に当たっては，国民の食生活が，自然の恩恵の上に成り立っており，また，食に関わる人々の様々な活動に支えられていることについて，感謝の念や理解が深まるよう配慮されなければならない．

（食育推進運動の展開）

第4条　食育を推進するための活動は，国民，民間団体等の自発的意思を尊重し，地域の特性に配慮し，地域住民その他の社会を構成する多様な主体の参加と協力を得るものとするとともに，その連携を図りつつ，あまねく全国において展開されなければならない．

（子どもの食育における保護者，教育関係者等の役割）

第5条　食育は，父母その他の保護者にあっては，家庭が食育において重要な役割を有していることを認識するとともに，子どもの教育，保育等を行う者にあっては，教育，保育等における食育の重要性を十分自覚し，積極的に子どもの食育の推進に関する活動に取り組むこととなるよう，行われなければならない．

（食に関する体験活動と食育推進活動の実践）

第6条　食育は，広く国民が家庭，学校，保育所，地域その他のあらゆる機会とあらゆる場所を利用して，食料の生産から消費等に至るまでの食に関する様々な体験活動を行うとともに，自ら食育の推進のための活動を実践することにより，食に関する理解を深めることを旨として，行われなければならない．

（伝統的な食文化，環境と調和した生産等への配慮及び農山漁村の活性化と食料自給率の向上への貢献）

第7条　食育は，我が国の伝統のある優れた食文化，地域の特性を生かした食生活，環境と調和のとれた食料の生産とその消費等に配慮し，我が国の食料の需要及び供給の状況についての国民の理解を深めるとともに，食料の生産者と消費者との交流等を図ることにより，農山漁村の活性化と我が国の食料自給率の向上に資するよう，推進されなければならない．

（食品の安全性の確保等における食育の役割）

第8条　食育は，食品の安全性が確保され安心して消費できることが健全な食生活の基礎であることにかんがみ，食品の安全性をはじめとする食に関する幅広い情報の提供及びこれについての意見交換が，食に関する知識と理解を深め，国民の適切な食生活の実践に資することを旨として，国際的な連携を図りつつ積極的に行われなければならない．

（国の責務）

第9条　国は，第2条から前条までに定める食育に関する基本理念（以下「基本理念」という．）にのっとり，食育の推進に関する施策を総合的かつ計画的に策定し，及び実施する責務を有する．

（地方公共団体の責務）

第10条　地方公共団体は，基本理念にのっとり，食育の推進に関し，国との連携を図りつつ，その地方公共団体の区域の特性を生かした自主的な施策を策定し，及び実施する責務を有する．

（教育関係者等及び農林漁業者等の責務）

第11条　教育並びに保育，介護その他の社会福祉，医療及び保健（以下「教育等」という．）に関する職務に従事する者並びに教育等に関する関係機関及び関係団体（以下「教育関係者等」という．）は，食に関する関心及び理解の増進に果たすべき重要な役割にかんがみ，基本理念にのっとり，あらゆる機会とあらゆる場所を利用して，積極的に食育を推進するよう努めるとともに，他の者の行う食育の推進に関する活動に協力するよう努めるものとする．

2　農林漁業者及び農林漁業に関する団体（以下「農林漁業者等」という．）は，農林漁業に関する体験活動等が食に関する国民の関心及び理解を増進する上で重要な意義を有することにかんがみ，基本理念にのっとり，農林漁業に関する多様な体験の機会を積極的に提供し，自然の恩恵と食に関わる人々の活動の重要性について，国民の理解が深まるよう努めるとともに，教育関係者等と相互に連携して食育の推進に関する活動を行うよう努めるものとする．

（食品関連事業者等の責務）

第12条　食品の製造，加工，流通，販売又は食事の提供を行う事業者及びその組織する団体（以下「食品関連事業者等」という．）は，基本理念にのっとり，その事業活動に関し，自主的かつ積極的に食育の推進に自ら努めるとともに，国又は地方公共団体が実施する食育の推進に関する施策その他の食育の推進に関する活動に協力するよう努めるものとする．

（国民の責務）

第13条　国民は，家庭，学校，保育所，地域その他の社会のあらゆる分野において，基本理念にのっとり，生涯にわたり健全な食生活の実現に自ら努めるとともに，食育の推進に寄与するよう努めるものとする．

（法制上の措置等）

第14条　政府は，食育の推進に関する施策を実施するため必要な法制上又は財政上の措置その他の措置を講じなければならない．

（年次報告）

第15条　政府は，毎年，国会に，政府が食育の推進に関して講じた施策に関する報告書を提出しなければならない．

第2章　食育推進基本計画等

（食育推進基本計画）

第16条　食育推進会議は，食育の推進に関する施策の総合的かつ計画的な推進を図るため，食育推進基本計画を作成するものとする．

2　食育推進基本計画は，次に掲げる事項について定めるものとする．

一　食育の推進に関する施策についての基本的な方針
　二　食育の推進の目標に関する事項
　三　国民等の行う自発的な食育推進活動等の総合的な促進に関する事項
　四　前三号に掲げるもののほか，食育の推進に関する施策を総合的かつ計画的に推進するために必要な事項
３　食育推進会議は，第一項の規定により食育推進基本計画を作成したときは，速やかにこれを内閣総理大臣に報告し，及び関係行政機関の長に通知するとともに，その要旨を公表しなければならない。
４　前項の規定は，食育推進基本計画の変更について準用する。

（都道府県食育推進計画）
第17条　都道府県は，食育推進基本計画を基本として，当該都道府県の区域内における食育の推進に関する施策についての計画（以下「都道府県食育推進計画」という。）を作成するよう努めなければならない。
２　都道府県（都道府県食育推進会議が置かれている都道府県にあっては，都道府県食育推進会議）は，都道府県食育推進計画を作成し，又は変更したときは，速やかに，その要旨を公表しなければならない。

（市町村食育推進計画）
第18条　市町村は，食育推進基本計画（都道府県食育推進計画が作成されているときは，食育推進基本計画及び都道府県食育推進計画）を基本として，当該市町村の区域内における食育の推進に関する施策についての計画（以下「市町村食育推進計画」という。）を作成するよう努めなければならない。
２　市町村（市町村食育推進会議が置かれている市町村にあっては，市町村食育推進会議）は，市町村食育推進計画を作成し，又は変更したときは，速やかに，その要旨を公表しなければならない。

第３章　基本的施策

（家庭における食育の推進）
第19条　国及び地方公共団体は，父母その他の保護者及び子どもの食に対する関心及び理解を深め，健全な食習慣の確立に資するよう，親子で参加する料理教室その他の食事についての望ましい習慣を学びながら食を楽しむ機会の提供，健康美に関する知識の啓発その他の適切な栄養管理に関する知識の普及及び情報の提供，妊産婦に対する栄養指導又は乳幼児をはじめとする子どもを対象とする発達段階に応じた栄養指導その他の家庭における食育の推進を支援するために必要な施策を講ずるものとする。

（学校，保育所等における食育の推進）
第20条　国及び地方公共団体は，学校，保育所等において魅力ある食育の推進に関する活動を効果的に促進することにより子どもの健全な食生活の実現及び健全な心身の成長が図られるよう，学校，保育所等における食育の推進のための指針の作成に関する支援，食育の指導にふさわしい教職員の設置及び指導的立場にある者の食育の推進において果たすべき役割についての意識の啓発その他の食育に関する指導体制の整備，学校，保育所等又は地域の特色を生かした学校給食等の実施，教育の一環として行われる農場等における実習，食品の調理，食品廃棄物の再生利用等様々な体験活動を通じた子どもの食に関する理解の促進，過度の痩身又は肥満の心身の健康に及ぼす影響等についての知識の啓発その他必要な施策を講ずるものとする。

（地域における食生活の改善のための取組の推進）
第21条　国及び地方公共団体は，地域において，栄養，食習慣，食料の消費等に関する食生活の改善を推進し，生活習慣病を予防して健康を増進するため，健全な食生活に関する指針の策定及び普及啓発，地域における食育の推進に関する専門的知識を有する者の養成及び資質の向上並びにその活用，保健所，市町村保健センター，医療機関等における食育に関する普及及び啓発活動の推進，医学教育等における食育に関する指導の充実，食品関連事業者等が行う食育の推進のための活動への支援等必要な施策を講ずるものとする。

（食育推進運動の展開）
第22条　国及び地方公共団体は，国民，教育関係者等，農林漁業者等，食品関連事業者等その他の事業者若しくはその組織する団体又は消費生活の安定及び向上等のための活動を行う民間の団体が自発的に行う食育の推進に関する活動が，地域の特性を生かしつつ，相互に緊密な連携協力を図りながらあまねく全国において展開されるようにするとともに，関係者相互間の情報及び意見の交換が促進されるよう，食育の推進に関する普及及び啓発を図るための行事の実施，重点的かつ効果的に食育の推進に関する活動を推進するための期間の指定その他必要な施策を講ずるものとする。
２　国及び地方公共団体は，食育の推進に当たっては，食生活の改善のための活動その他の食育の推進に関する活動に携わるボランティアが果たしている役割の重要性にかんがみ，これらのボランティアとの連携協力を図りながら，その活動の充実が図られるよう必要な施策を講ずるものとする。

（生産者と消費者との交流の促進，環境と調和のとれた農林漁業の活性化等）
第23条　国及び地方公共団体は，生産者と消費者との間の交流の促進等により，生産者と消費者との信頼関係を構築し，食品の安全性の確保，食料資源の有効な利用の促進及び国民の食に対する理解と関心の増進を図るとともに，環境と調和のとれた農林漁業の活性化に資するため，農林水産物の生産，食品の製造，流通等における体験活動の促進，農林水産物の生産された地域内の学校給食等における利用その他のその地域内における消費の促進，創意工夫を生かした食品廃棄物の発生の抑制及び再生利用等必要な施策を講ずるものとする。

（食文化の継承のための活動への支援等）
第24条　国及び地方公共団体は，伝統的な行事や作法と結びついた食文化，地域の特色ある食文化等我が国の伝統のある優れた食文化の継承を推進するため，これらに関する啓発及び知識の普及その他の必要な施策を講ずるものとする。

（食品の安全性，栄養その他の食生活に関する調査，研究，情報の提供及び国際交流の推進）
第25条　国及び地方公共団体は，すべての世代の国民の適切な食生活の選択に資するよう，国民の食生活に関し，食品の安全性，栄養，食習慣，食料の生産，流通及び消費並びに食品廃棄物の発生及びその再生利用の状況等について調査及び研究を行うとともに，必要な各種の情報の収集，整理及び提供，データベースの整備その他食に関する正確な情報を迅速に提供するために必要な施策を講ずるものとする。
２　国及び地方公共団体は，食育の推進に資するため，海外における食品の安全性，栄養，食習慣等の食生活に関

する情報の収集，食育に関する研究者等の国際的交流，食育の推進に関する活動について情報交換その他国際交流の推進のために必要な施策を講ずるものとする．

第4章　食育推進会議等
（食育推進会議の設置及び所掌事務）
第26条　内閣府に，食育推進会議を置く．
2　食育推進会議は，次に掲げる事務をつかさどる．
　一　食育推進基本計画を作成し，及びその実施を推進すること．
　二　前号に掲げるもののほか，食育の推進に関する重要事項について審議し，及び食育の推進に関する施策の実施を推進すること．
（組織）
第27条　食育推進会議は，会長及び委員二十五人以内をもって組織する．
（会長）
第28条　会長は，内閣総理大臣をもって充てる．
2　会長は，会務を総理する．
3　会長に事故があるときは，あらかじめその指名する委員がその職務を代理する．
（委員）
第29条　委員は，次に掲げる者をもって充てる．
　一　農林水産大臣以外の国務大臣のうちから，農林水産大臣の申出により，内閣総理大臣が指定する者
　二　食育に関して十分な知識と経験を有する者のうちから，農林水産大臣が任命する者
2　前項第二号の委員は，非常勤とする．

（委員の任期）
第30条　前条第1項第3号の委員の任期は，2年とする．ただし，補欠の委員の任期は，前任者の残任期間とする．
2　前条第1項第3号の委員は，再任されることができる．
（政令への委任）
第31条　この章に定めるもののほか，食育推進会議の組織及び運営に関し必要な事項は，政令で定める．
（都道府県食育推進会議）
第32条　都道府県は，その都道府県の区域における食育の推進に関して，都道府県食育推進計画の作成及びその実施の推進のため，条例で定めるところにより，都道府県食育推進会議を置くことができる．
2　都道府県食育推進会議の組織及び運営に関し必要な事項は，都道府県の条例で定める．
（市町村食育推進会議）
第33条　市町村は，その市町村の区域における食育の推進に関して，市町村食育推進計画の作成及びその実施の推進のため，条例で定めるところにより，市町村食育推進会議を置くことができる．
2　市町村食育推進会議の組織及び運営に関し必要な事項は，市町村の条例で定める．

附則（平成27年9月11日法律第66号）抄
（施行期日）
第一条　この法律は，平成28年4月1日から施行する．ただし，次の各号に掲げる規定は，当該各号に定める日から施行する．
　一　附則第七条の規定公布の日

第4次食育推進基本計画の重点課題の方向性(案)

第3食育推進基本計画
<コンセプト>
実践の環を広げよう

<重点課題>
(1) 若い世代を中心とした食育の推進
(2) 多様な暮らしに対応した食育の推進
(3) 健康寿命の延伸につながる食育の推進
(4) 食の循環や環境を意識した食育の推進
(5) 食文化の継承に向けた食育の推進

<食をめぐる現状>
・新たな生活様式への対応
・デジタル化
・SDGsへのコミットメント
・少子高齢化
・成人男性の肥満、若い女性のやせ、高齢者の低栄養
・単独世帯や共働き世帯の増加
・地域社会の活力低下
・食の外部化の進展
・食や食に関する情報の氾濫
・食料自給率37%(平成30年、カロリーベース)
・食品ロス612万トン(平成29年度推計)

SDGsの目標は、食育の推進によって貢献可能

<主な論点>
・新しい生活様式では、家族と過ごす時間が増える一方で、地域での共食が増えるなど、これまでと同様な取組が難しい状況。例えば、デジタル化の推進、暮らし方や働き方の変化に応じた食育を推進していく必要

・高齢化の中で、健康寿命の延伸が課題であり、子ども(乳幼児期を含む)から高齢者まで生涯を通じた食育の推進が重要。栄養教諭・栄養士等関係者が連携して、食育が乳幼児期から体系的・継続的に実施されることが必要
・家庭において、早寝早起きや朝食をとること等の基本的な生活習慣の形成が重要
・職場等で健全な食生活を実践しやすい環境づくりが重要
・食品の選び方等基礎的な知識を持ち、行動することが必要

・食生活が自然の恩恵の上に成り立ち、生産者の様々な活動に支えられていることの理解を深める上で、農林漁業体験は重要。学校給食に地場産物を使用し、地域の自然や産業への理解を深め、食に関する感謝の念を育むことは重要。栄養・教育関係者、生産者等関係者の協働による推進が重要
・持続可能な食料生産から消費に至るまでのストーリーを子どもの頃から身近に感じることが重要
・生産から消費までの環境負荷を低減できるよう、環境と調和のとれた食料生産とその消費に配慮した食育の推進が必要
・ユネスコ無形文化遺産「和食:日本人の伝統的な食文化」を全ての日本人が保護・継承することとともに、人材の育成が必要
・地域において、多様な関係者が連携・協働しながら食育を進めていくことは、国民運動の広がりのために重要

第4次食育推進基本計画
<コンセプト>
SDGsの実現に向けた食育の推進

<重点課題の方向性>
(1) 新たな日常やデジタル化に対応した食育の推進
(2) 生涯を通じた心身の健康を支える食育の推進
(3) 持続可能な食の環わりを支える食育の「3つ」の推進

<めざす到達点>
・SDGsの実現に向けた食育の推進
・心身の健康の増進と豊かな人間形成
・持続可能な食・フードシステムの構築

参考資料2
資料15

学校給食法（抄）（昭和29年6月3日法律第160号　最終改正平成27年6月24日法律第46号）

第1章　総則
（この法律の目的）
第1条　この法律は，学校給食が児童及び生徒の心身の健全な発達に資するものであり，かつ，児童及び生徒の食に関する正しい理解と適切な判断力を養う上で重要な役割を果たすものであることにかんがみ，学校給食及び学校給食を活用した食に関する指導の実施に関し必要な事項を定め，もつて学校給食の普及充実及び学校における食育の推進を図ることを目的とする．

（学校給食の目標）
第2条　学校給食を実施するに当たつては，義務教育諸学校における教育の目的を実現するために，次に掲げる目標が達成されるよう努めなければならない．
1　適切な栄養の摂取による健康の保持増進を図ること．
2　日常生活における食事について正しい理解を深め，健全な食生活を営むことができる判断力を培い，及び望ましい食習慣を養うこと．
3　学校生活を豊かにし，明るい社交性及び協同の精神を養うこと．
4　食生活が自然の恩恵の上に成り立つものであることについての理解を深め，生命及び自然を尊重する精神並びに環境の保全に寄与する態度を養うこと．
5　食生活が食にかかわる人々の様々な活動に支えられていることについての理解を深め，勤労を重んずる態度を養うこと．
6　我が国や各地域の優れた伝統的な食文化についての理解を深めること．
（削除）
7　食料の生産，流通及び消費について，正しい理解に導くこと．

（定義）
第3条　この法律で「学校給食」とは，前条各号に掲げる目標を達成するために，義務教育諸学校において，その児童又は生徒に対し実施される給食をいう．
2　この法律で「義務教育諸学校」とは，学校教育法（昭和22年法律第26号）に規定する小学校，中学校，中等教育学校の前期課程又は盲学校，聾学校若しくは養護学校の小学部若しくは中学部をいう．

（学校給食栄養管理者）
第7条　義務教育諸学校又は共同調理場において学校給食の栄養に関する専門的事項をつかさどる職員（第10条第3項において「学校給食栄養管理者」という．）は，教育職員免許法（昭和24年法律第147号）第4条第2項に規定する栄養教諭の免許状を有する者又は栄養士法（昭和22年法律第245号）第2条第1項の規定による栄養士の免許を有する者で学校給食の実施に必要な知識若しくは経験を有するものでなければならない．

（学校給食実施基準）
第8条　文部科学大臣は，児童又は生徒に必要な栄養量その他の学校給食の内容及び学校給食を適切に実施するために必要な事項（次条第1項に規定する事項を除く．）について維持されることが望ましい基準（次項において「学校給食実施基準」という．）を定めるものとする．
2　学校給食を実施する義務教育諸学校の設置者は，学校給食実施基準に照らして適切な学校給食の実施に努めるものとする．

（学校給食衛生管理基準）
第9条　（省略）

第3章　学校給食を活用した食に関する指導
第10条　栄養教諭は，児童又は生徒が健全な食生活を自ら営むことができる知識及び態度を養うため，学校給食において摂取する食品と健康の保持増進との関連性についての指導，食に関して特別の配慮を必要とする児童又は生徒に対する個別的な指導その他の学校給食を活用した食に関する実践的な指導を行うものとする．この場合において，校長は，当該指導が効果的に行われるよう，学校給食と関連付けつつ当該義務教育諸学校における食に関する指導の全体的な計画を作成することその他の必要な措置を講ずるものとする．
2　栄養教諭が前項前段の指導を行うに当たつては，当該義務教育諸学校が所在する地域の産物を学校給食に活用することその他の創意工夫を地域の実情に応じて行い，当該地域の食文化，食に係る産業又は自然環境の恵沢に対する児童又は生徒の理解の増進を図るよう努めるものとする．
3　栄養教諭以外の学校給食栄養管理者は，栄養教諭に準じて，第1項前段の指導を行うよう努めるものとする．この場合においては，同項後段及び前項の規定を準用する．

学校教育法（抄）（昭和22年3月31日法律第26号　最終改正令和元年6月26日法律第44号）

第27条　幼稚園には，園長，教頭及び教諭を置かなければならない．
②　幼稚園には，前項に規定するもののほか，副園長，主幹教諭，指導教諭，養護教諭，栄養教諭，事務職員，養護助教諭その他必要な職員を置くことができる．

第37条　小学校には，校長，教頭，教諭，養護教諭及び事務職員を置かなければならない．
②　小学校には，前項に規定するもののほか，副校長，主幹教諭，指導教諭，栄養教諭その他必要な職員を置くことができる．
⑬　栄養教諭は，児童の栄養の指導及び管理をつかさどる．

【資料2】 幼児・児童・生徒1人1回当たりの学校給食摂取基準

区　分	基　準　値						
	特別支援学校の幼児の場合	特別支援学校の生徒の場合	児童(6〜7歳)の場合	児童(8〜9歳)の場合	児童(10〜11歳)の場合	生徒(12〜14歳)の場合	夜間課程を置く高等学校の生徒の場合
エネルギー (kcal)	490	860	530	650	780	830	860
たんぱく質 (g) 範囲	学校給食による摂取エネルギー全体の13〜20%						
脂質 (%)	学校給食による摂取エネルギー全体の20〜30%						
ナトリウム (食塩相当量) (g)	1.5未満	2.5未満	1.5未満	2未満	2未満	2.5未満	2.5未満
カルシウム (mg)	290	360	290	350	400	450	360
マグネシウム (mg)	30	130	40	50	70	120	130
鉄 (mg)	2	4	2	3	3.5	4.5	4
ビタミンA (μgRAE)	180	310	160	200	240	300	310
ビタミンB_1 (mg)	0.3	0.5	0.3	0.4	0.5	0.5	0.5
ビタミンB_2 (mg)	0.3	0.6	0.4	0.4	0.5	0.6	0.6
ビタミンC (mg)	15	35	20	25	30	35	35
食物繊維 (g)	4以上	7以上	4以上	4.5以上	5以上	7以上	7以上

(注) 1. 表に掲げるもののほか，次に掲げるものについてもそれぞれ示した摂取について配慮すること．
　　　　亜鉛…児童(6〜7歳) 2mg，児童(8〜9歳) 2mg，児童(10〜11歳) 2mg，生徒(12〜14歳) 3mg，
　　　　　　　特別支援学校の幼児 1mg，特別支援学校の生徒 3mg，夜間課程を置く高等学校の生徒 3mg．
　　2. この摂取基準は，全国的な平均値を示したものであるから，適用に当たっては，個々の健康および生活活動等の実態並びに地域の実情等に十分配慮し，弾力的に運用すること．
　　3. 献立の作成に当たっては，多様な食品を適切に組み合わせるよう配慮すること．

「学校給食実施基準の一部改正について」(2文科初第1684号)
「夜間学校給食実施基準の一部改正について」(2文科初第1685号)
「特別支援学校の幼稚部及び高等部における学校給食実施基準の一部改正について」(2文科初第1686号)

【資料3】 健康づくりのための諸指針

食生活指針

食生活指針	食生活指針の実践	食生活指針	食生活指針の実践
食事を楽しみましょう	・毎日の食事で, 健康寿命をのばしましょう. ・おいしい食事を, 味わいながらゆっくりよく噛んで食べましょう. ・家族の団らんや人との交流を大切に, また, 食事づくりに参加しましょう.		日8g未満, 女性で7g未満とされています. ・動物, 植物, 魚由来の脂肪をバランスよくとりましょう. ・栄養成分表示を見て, 食品や外食を選ぶ習慣を身につけましょう.
1日の食事のリズムから, 健やかな生活リズムを	・朝食で, いきいきした1日を始めましょう. ・夜食や間食はとりすぎないようにしましょう. ・飲酒はほどほどにしましょう.	日本の食文化や地域の産物を活かし, 郷土の味の継承を	・「和食」をはじめとした日本の食文化を大切にして, 日々の食生活に活かしましょう. ・地域の産物や旬の素材を使うとともに, 行事食を取り入れながら, 自然の恵みや四季の変化を楽しみましょう. ・食材に関する知識や調理技術を身につけましょう. ・地域や家庭で受け継がれてきた料理や作法を伝えていきましょう.
適度な運動とバランスのよい食事で, 適正体重の維持を	・普段から体重を量り, 食事量に気をつけましょう. ・普段から意識して身体を動かすようにしましょう. ・無理な減量はやめましょう. ・特に若年女性のやせ, 高齢者の低栄養にも気をつけましょう.	食料資源を大切に, 無駄や廃棄の少ない食生活を	・まだ食べられるのに廃棄されている食品ロスを減らしましょう. ・調理や保存を上手にして, 食べ残しのない適量を心がけましょう. ・賞味期限や消費期限を考えて利用しましょう.
主食, 主菜, 副菜を基本に, 食事のバランスを	・多様な食品を組み合わせましょう. ・調理方法が偏らないようにしましょう. ・手作りと外食や加工食品・調理食品を上手に組み合わせましょう.		
ごはんなどの穀類をしっかりと	・穀類を毎食とって, 糖質からのエネルギー摂取を適正に保ちましょう. ・日本の気候・風土に適している米などの穀類を利用しましょう.	「食」に関する理解を深め, 食生活を見直してみましょう	・子供のころから, 食生活を大切にしましょう. ・家庭や学校, 地域で, 食品の安全性を含めた「食」に関する知識や理解を深め, 望ましい習慣を身につけましょう. ・家族や仲間と, 食生活を考えたり, 話し合ったりしてみましょう. ・自分たちの健康目標をつくり, よりよい食生活を目指しましょう.
野菜・果物, 牛乳・乳製品, 豆類, 魚なども組み合わせて	・たっぷり野菜と毎日の果物で, ビタミン, ミネラル, 食物繊維をとりましょう. ・牛乳・乳製品, 緑黄色野菜, 豆類, 小魚などで, カルシウムを十分にとりましょう.		
食塩は控えめに, 脂肪は質と量を考えて	・食塩の多い食品や料理を控えめにしましょう. 食塩摂取量の目標値は, 男性で1		

文部省決定, 厚生省決定, 農林水産省決定. 平成28年6月一部改正

健康づくりのための休養指針(平成6年)

生活にリズムを
・早めに気付こう, 自分のストレスに.
・睡眠は気持ちよい目覚めがバロメーター.
・入浴で, からだもこころもリフレッシュ.
・旅に出かけて, こころの切り換えを.
・休養と仕事のバランスで能率アップと過労防止.

ゆとりの時間でみのりある休養を
・1日30分, 自分の時間をみつけよう.
・活かそう休暇を, 真の休養に.
・ゆとりの中に, 楽しみや生きがいを.

生活の中にオアシスを
・身近な中にもいこいの大切さ.
・食事空間にもバラエティを.
・自然とのふれあいで感じよう, 健康の息ぶきを.

出会いときずなで豊かな人生を
・見出そう, 楽しく無理のない社会参加.
・きずなの中ではぐくむ, クリエイティブ・ライフ.

健康づくりのための睡眠ガイド2023 (令和5年)

https://www.dietitian.or.jp/trends/upload/data/342_Guide.pdf

【資料4】 健康日本21（第三次）の目標項目一覧

（令和5年10月20日）

目標	指標	目標値
別表第一　健康寿命の延伸と健康格差の縮小に関する目標		
① 健康寿命の延伸	日常生活に制限のない期間の平均	平均寿命の増加分を上回る健康寿命の増加（令和14年度）
② 健康格差の縮小	日常生活に制限のない期間の平均の下位4分の1の都道府県の平均	日常生活に制限のない期間の平均の上位4分の1の都道府県の平均の増加分を上回る下位4分の1の都道府県の平均の増加（令和14年度）
別表第二　個人の行動と健康状態の改善に関する目標		
1　生活習慣の改善		
(1) 栄養・食生活		
① 適正体重を維持している者の増加（肥満、若年女性のやせ、低栄養傾向の高齢者の減少）	BMI 18.5以上25未満（65歳以上はBMI 20を超え25未満）の者の割合（年齢調整値）	66%（令和14年度）
② 児童・生徒における肥満傾向児の減少	児童・生徒における肥満傾向児の割合	第2次成育医療等基本方針に合わせて設定
③ バランスの良い食事を摂っている者の増加	主食・主菜・副菜を組み合わせた食事が1日2回以上の日がほぼ毎日の者の割合	50%（令和14年度）
④ 野菜摂取量の増加	野菜摂取量の平均値	350g（令和14年度）
⑤ 果物摂取量の改善	果物摂取量の平均値	200g（令和14年度）
⑥ 食塩摂取量の減少	食塩摂取量の平均値	7g（令和14年度）
(2) 身体活動・運動目標		
① 日常生活における歩数の増加	1日の歩数の平均値（年齢調整値）	7,100歩（令和14年度）
② 運動習慣者の増加	運動習慣者の割合（年齢調整値）	40%（令和14年度）
③ 運動やスポーツを習慣的に行っていないこどもの減少	1週間の総運動時間（体育授業を除く．）が60分未満の児童の割合	第2次成育医療等基本方針に合わせて設定
(3) 休養・睡眠		
① 睡眠で休養がとれている者の増加	睡眠で休養がとれている者の割合（年齢調整値）	80%（令和14年度）
② 睡眠時間が十分に確保できている者の増加	睡眠時間が6～9時間（60歳以上については、6～8時間）の者の割合（年齢調整値）	60%（令和14年度）
③ 週労働時間60時間以上の雇用者の減少	週労働時間40時間以上の雇用者のうち、週労働時間60時間以上の雇用者の割合	5%（令和7年）
(4) 飲酒		
① 生活習慣病（NCDs）のリスクを高める量を飲酒している者の減少	1日当たりの純アルコール摂取量が男性40g以上、女性20g以上の者の割合	10%（令和14年度）
② 20歳未満の者の飲酒をなくす	中学生・高校生の飲酒者の割合	0%（令和14年度）
(5) 喫煙		
① 喫煙率の減少（喫煙をやめたい者がやめる）	20歳以上の者の喫煙率	12%（令和14年度）
② 20歳未満の者の喫煙をなくす	中学生・高校生の喫煙者の割合	0%（令和14年度）
③ 妊娠中の喫煙をなくす	妊婦の喫煙率	第2次成育医療等基本方針に合わせて設定
(6) 歯・口腔の健康		
① 歯周病を有する者の減少	40歳以上における歯周炎を有する者の割合（年齢調整値）	40%（令和14年度）
② よく噛んで食べることができる者の増加	50歳以上における咀嚼（ソシャク）良好者の割合（年齢調整値）	80%（令和14年度）
③ 歯科検診の受診者の増加	過去1年間に歯科検診を受診した者の割合	95%（令和14年度）
2　生活習慣病（NCDs）の発症予防・重症化予防		
(1) がん		
① がんの年齢調整罹患率の減少	がんの年齢調整罹患率（人口10万人当たり）	減少（令和10年度）
② がんの年齢調整死亡率の減少	がんの年齢調整死亡率（人口10万人当たり）	減少（令和10年度）
③ がん検診の受診率の向上	がん検診の受診率	60%（令和10年度）
(2) 循環器病		
① 脳血管疾患・心疾患の年齢調整死亡率の減少	脳血管疾患・心疾患の年齢調整死亡率（人口10万人当たり）	減少（令和10年度）
② 高血圧の改善	収縮期血圧の平均値（40歳以上、内服加療中の者を含む．）（年齢調整値）	ベースライン値から5mmHgの低下（令和14年度）
③ 脂質（LDLコレステロール）高値の者の減少	LDLコレステロール160mg/dl以上の者の割合（40歳以上、内服加療中の者を含む．）	ベースライン値から25%の減少（令和14年度）
④ メタボリックシンドロームの該当者及び予備群の減少	メタボリックシンドロームの該当者及び予備群の人数（年齢調整値）	第4期医療費適正化計画に合わせて設定
⑤ 特定健康診査の実施率の向上	特定健康診査の実施率	第4期医療費適正化計画に合わせて設定
⑥ 特定保健指導の実施率の向上	特定保健指導の実施率	第4期医療費適正化計画に合わせて設定
(3) 糖尿病		
① 糖尿病の合併症（糖尿病腎症）の減少	糖尿病腎症の年間新規透析導入患者数	12,000人（令和14年度）
② 治療継続者の増加	治療継続者の割合	75%（令和14年度）
③ 血糖コントロール不良者の減少	HbA1c8.0%以上の者の割合	1.00%（令和14年度）

目標	指標	目標値
④ 糖尿病有病者の増加の抑制	糖尿病有病者数（糖尿病が強く疑われる者）の推計値	1,350万人 （令和14年度）
⑤ メタボリックシンドロームの該当者及び予備群の減少（再掲）	メタボリックシンドロームの該当者及び予備群の人数（年齢調整値）	第4期医療費適正化計画に合わせて設定
⑥ 特定健康診査の実施率の向上（再掲）	特定健康診査の実施率	第4期医療費適正化計画に合わせて設定
⑦ 特定保健指導の実施率の向上（再掲）	特定保健指導の実施率	第4期医療費適正化計画に合わせて設定
(4) COPD		
COPDの死亡率の減少	COPDの死亡率（人口10万人当たり）	10（令和14年度）
3 生活機能の維持・向上		
① ロコモティブシンドロームの減少	足腰に痛みのある高齢者の人数（人口千人当たり）（65歳以上）	210人 （令和14年度）
② 骨粗鬆症検診受診率の向上	骨粗鬆症検診受診率	15% （令和14年度）
③ 心理的苦痛を感じている者の減少	K6（こころの状態を評価する指標）の合計得点が10点以上の者の割合	9.40% （令和14年度）
別表第三　社会環境の質の向上に関する目標		
1 社会とのつながり・こころの健康の維持及び向上		
① 地域の人々とのつながりが強いと思う者の増加	地域の人々とのつながりが強いと思う者の割合	45% （令和14年度）
② 社会活動を行っている者の増加	いずれかの社会活動（就労・就学を含む.）を行っている者の割合	ベースライン値から5%の増加 （令和14年度）
③ 地域等で共食している者の増加	地域等で共食している者の割合	30% （令和14年度）
④ メンタルヘルス対策に取り組む事業場の増加	メンタルヘルス対策に取り組む事業場の割合	80% （令和9年度）
⑤ 心のサポーター数の増加	心のサポーター数	100万人 （令和15年度）
2 自然に健康になれる環境づくり		
① 「健康的で持続可能な食環境づくりのための戦略的イニシアチブ」の推進	「健康的で持続可能な食環境づくりのための戦略的イニシアチブ」に登録されている都道府県数	47都道府県 （令和14年度）
② 「居心地が良く歩きたくなる」まちなかづくりに取り組む市町村数の増加	滞在快適性等向上区域（まちなかウォーカブル区域）を設定している市町村数	100市町村 （令和7年度）
③ 望まない受動喫煙の機会を有する者の減少	望まない受動喫煙（家庭・職場・飲食店）の機会を有する者の割合	望まない受動喫煙のない社会の実現 （令和14年度）
3 誰もがアクセスできる健康増進のための基盤の整備		
① スマート・ライフ・プロジェクト活動企業・団体の増加	スマート・ライフ・プロジェクトへ参画し活動している企業・団体数	1,500団体 （令和14年度）
② 健康経営の推進	保険者とともに健康経営に取り組む企業数	10万社 （令和7年度）
③ 利用者に応じた食事提供をしている特定給食施設の増加	管理栄養士・栄養士を配置している施設（病院，介護老人保健施設，介護医療院を除く.）の割合	75% （令和14年度）
④ 必要な産業保健サービスを提供している事業場の増加	各事業場において必要な産業保健サービスを提供している事業場の割合	80% （令和9年度）
別表第四　ライフコースアプローチを踏まえた健康づくりに関する目標		
(1) こども		
① 運動やスポーツを習慣的に行っていないこどもの減少（再掲）	1週間の総運動時間（体育授業を除く.）が60分未満の児童の割合	第2次成育医療等基本方針に合わせて設定
② 児童・生徒における肥満傾向児の減少（再掲）	児童・生徒における肥満傾向児の割合	第2次成育医療等基本方針に合わせて設定
③ 20歳未満の者の飲酒をなくす（再掲）	中学生・高校生の飲酒者の割合	0% （令和14年度）
④ 20歳未満の者の喫煙をなくす（再掲）	中学生・高校生の喫煙者の割合	0% （令和14年度）
(2) 高齢者		
① 低栄養傾向の高齢者の減少 （適正体重を維持している者の増加の一部を再掲）	BMI 20以下の高齢者（65歳以上）の割合	13% （令和14年度）
② ロコモティブシンドロームの減少（再掲）	足腰に痛みのある高齢者の人数（人口千人当たり）（65歳以上）	210人 （令和14年度）
③ 社会活動を行っている高齢者の増加 （社会活動を行っている者の増加の一部を再掲）	いずれかの社会活動（就労・就学を含む.）を行っている高齢者（65歳以上）の割合	ベースライン値から10%の増加
(3) 女性		
① 若年女性のやせの減少 （適正体重を維持している者の増加の一部を再掲）	BMI 18.5未満の20歳～30歳代女性の割合	15% （令和14年度）
② 骨粗鬆症検診受診率の向上（再掲）	骨粗鬆症検診受診率	15% （令和14年度）
③ 生活習慣病（NCDs）のリスクを高める量を飲酒している女性の減少 （生活習慣病（NCDs）のリスクを高める量を飲酒している者の減少の一部を再掲）	1日当たりの純アルコール摂取量が20g以上の女性の割合	6.4% （令和14年度）
④ 妊娠中の喫煙をなくす（再掲）	妊婦の喫煙率	第2次成育医療等基本方針に合わせて設定

【資料5】 社会保険診療報酬における栄養食事指導料の種類と内容

項目	外来栄養食事指導料	入院栄養食事指導料
点数	初回 260点 2回目以降 200点	イ 入院栄養食事指導料1 (1) 初回 260点 (2) 2回目 200点 ロ 入院栄養食事指導料2 (1) 初回 250点 (2) 2回目 190点
対象	入院患者以外の，医師が特別食の必要を認めた患者 がん患者 摂食機能又は嚥下機能が低下した患者 低栄養状態にある患者	入院中の，医師が特別食の必要を認めた患者 がん患者 摂食機能又は嚥下機能が低下した患者 低栄養状態にある患者
関連職種	医師・管理栄養士 （非常勤でも可）	医師・管理栄養士
業務内容　医師	指示箋を書く：診療録に管理栄養士への指示事項〔少なくとも熱量，熱量構成，たんぱく量，脂質，その他栄養素の量，病態に応じた食事の形態等の具体的な指示を記入	指示箋を書く：診療録に管理栄養士への指示事項〔少なくとも熱量，熱量構成，たんぱく量，脂質，その他栄養素の量，病態に応じた食事の形態等の具体的な指示を記入
管理栄養士	医師の指示箋に基づき，患者ごとにその生活条件，嗜好を勘案し，食品構成に基づく食事計画案または少なくとも数日間の具体的な献立を示した栄養食事指導箋を交付．患者ごとに栄養指導記録を作成し，指導を行った献立または食事計画の例についての総カロリー，栄養素別の計算および指導内容の要点を明記	医師の指示箋に基づき，患者ごとにその生活条件，嗜好を勘案し，食品構成に基づく食事計画案または少なくとも数日間の具体的な献立を示した栄養食事指導箋を交付．患者ごとに栄養指導記録を作成し，指導を行った献立または食事計画の例についての総カロリー，栄養素別の計算および指導内容の要点を明記
指導時間	初回30分以上，2回目以降20分以上	初回30分以上，2回目以降20分以上
回数	初回指導の月；2回/月限度通常；1回/月限度	入院中2回を限度，ただし1回/週を限度
備考		退院指導料と同一日に算定できない
注	注 別に厚生労働大臣が定める基準を満たす保険医療機関において，入院中の患者以外の患者であって，別に厚生労働大臣が定めるものに対して，医師の指示に基づき管理栄養士が具体的な献立等によって指導を行った場合に，初回の指導を行った月にあっては月2回に限り，その他の月にあっては月1回に限り算定する．	注1 イについては，別に厚生労働大臣が定める基準を満たす保険医療機関において，入院中の患者であって，別に厚生労働大臣が定めるものに対して，医師の指示に基づき管理栄養士が具体的な献立等によって指導を行った場合に，入院中2回を限度として算定する． 注2 ロについては，別に厚生労働大臣が定める基準を満たす保険医療機関（診療所に限る）において，入院中の患者であって，別に厚生労働大臣が定めるものに対して，当該保険医療機関の医師の指示に基づき当該保険医療機関以外の管理栄養士が具体的な献立等によって指導を行った場合に，入院中2回を限度として策定する．
特別食：疾病治療の直接手段として，医師の発行する食事箋に基づき提供された適切な栄養量および内容を有する腎臓食，肝臓食，糖尿病食，胃潰瘍食，貧血食，膵臓食，脂質異常症食，痛風食，低残渣食，てんかん食，減塩食，小児食物アレルギー食，フェニルケトン尿症食，メープルシロップ尿食，ホモシステイン尿症食，ガラクトース血症食．無菌食および特別な場合の検査食（たんなる流動食および軟食は含めない）．		
糖尿病透析予防指導管理料　350点 腎不全期患者指導加算　100点 （糖尿病性腎症に対する運動指導加算）		

平成30年（2018）版

【資料6】 栄養教育の歴史

西暦(年)	年号(年)	事柄	西暦(年)	年号(年)	事柄
1872	明治5	・群馬県の官営富岡製糸工場で，産業給食を開始	1963	38	・第1回管理栄養士学科試験の実施(実地試験は39年) ・科学技術庁「三訂日本食品標準成分表」発表
1884	17	・海軍軍医監の高木兼寛が，海軍兵食を麦食に改善し，脚気を撲滅			
1889	22	・山形県鶴岡町の私立忠愛小学校で昼食給食が行われる(学校給食のはじまり)	1964	39	・東京オリンピック開催，国民の健康・体力増強対策について閣議決定 ・国民栄養調査の方法が改正され，年1回5日間の調査となる
1914	大正3	・佐伯 矩「私立栄養研究所」開設			
1920	9	・国立栄養研究所設立(初代所長：佐伯 矩博士)	1965	40	・総理府「体力つくり国民会議」発足 ・**母子保健法**公布
1925	14	・佐伯 矩が「私立栄養学校」を設立し，栄養士の養成を開始	1966	41	・管理栄養士学校指定規則公布
1926	15	・栄養学校の第1回卒業生13人が，「栄養技手」と呼ばれ世に出る(栄養士の誕生)	1969	44	・厚生省「日本人の栄養所要量」発表
			1972	47	・国民栄養調査の方法が改正され，年1回3日間の調査となる
1929	昭和4	・各地方庁に栄養士が配置され，栄養行政が展開される	1974	49	・学校給食法が一部改正され，学校給食の栄養に関する専門的事項をつかさどる職員として，栄養士の配置が義務づけられる
1936	11	・東北6県の衛生課に国庫補助による栄養士を配置			
1938	13	・厚生省創設			
1940	15	・「国民体力法」公布，「学校給食奨励規定」制定，国民体位向上のため，栄養保健指導を強化	1975	50	・厚生省第一次改定「日本人の栄養所要量」発表
			1978	53	・健康づくり元年として「**第一次国民健康づくり対策**」発足
1942	17	・食糧管理法公布			
1945	20	・栄養士規則制定	1979	54	・厚生省第二次改定「日本人の栄養所要量」発表
1946	21	・厚生省公衆衛生局に栄養課新設 ・第1回国民栄養調査の実施(年4回) ・東京都，神奈川県，千葉県下の児童に対してララ救援物資の贈呈	1981	56	・がん死因第1位，「六つの基礎食品」の改定
			1982	57	・**老人保健法**公布 ・科学技術庁「四訂日本食品標準成分表」発表
1947	22	・**保健所法**公布，保健所に1名以上の栄養士を配置するよう規定 ・食品衛生法公布 ・**栄養士法**公布(栄養士規則は廃止)	1983	58	・男女の平均寿命が世界第1位となる
			1984	59	・厚生省第三次改定「日本人の栄養所要量」発表
1948	23	・栄養士法施行規則公布 ・**医療法**，医療法施行規則公布，病院給食制度が実施される	1985	60	・厚生省「健康づくりのための食生活指針」発表 ・栄養士法及び栄養改善法の一部改正，管理栄養士国家試験制度の導入，一定の集団給食施設への管理栄養士必置義務規定の創設
1949	24	・UNICEF(国際児童緊急基金)による贈与物資で「ユニセフ給食」を実施 ・第1回栄養士試験の実施			
1950	25	・栄養士養成施設等の基準が示される ・病院における完全給食制度発足	1986	61	・厚生省「日本人の肥満とやせの判定表」発表 ・日本アミノ酸組成表発表
1951	26	・国際連合世界保健機構(WHO)，国際連合食糧農業機関(FAO)に加盟 ・脳血管疾患が日本人の死因の第1位となる(それまでは結核等の感染症)	1987	62	・第1回管理栄養士国家試験実施
			1988	63	・「**第二次国民健康づくり対策(アクティブ80ヘルスプラン)**」発足
1952	27	・**栄養改善法**公布	1989	平成元年	・厚生省「健康づくりのための運動所要量」，第四次改定「日本人の栄養所要量」発表 ・国立栄養研究所は国立健康・栄養研究所に改称 ・科学技術庁「日本食品脂溶性成分表(脂肪酸，コレステロール，ビタミンE)」発表
1953	28	・栄養士施行令公布			
1954	29	・総理府「日本人の栄養基準量」「改訂日本食品標準成分表」を発表 ・学校給食法公布			
1958	33	・厚生省「**六つの基礎食品**」を発表 ・学校保健法，調理師法公布 ・病院で**基準給食制度**が実施される ・国民健康保険法公布	1990	平成2	・厚生省「健康づくりのための食生活指針(対象特性別)」発表
			1991	3	・科学技術庁「日本食品無機質成分表(マグネシウム・亜鉛・銅)」発表
1959	34	・日本栄養士会，社団法人として厚生省から設立認可			

西暦(年)	年号(年)	事柄	西暦(年)	年号(年)	事柄
1992	4	・科学技術庁「日本食品食物繊維成分表」発表			される(平成14年4月1日より施行)
1993	5	・厚生省「健康づくりのための運動指針」発表 ・科学技術庁「日本食品ビタミンD成分表」発表	2001	13	・科学技術庁「五訂日本食品標準成分表」発表 ・中央省庁再編.厚生省と労働省が合併し,厚生労働省となる.栄養行政は健康局総務課生活習慣病対策室所管となる ・**保健機能食品制度**創設
1994	6	・厚生省第五次改定「日本人の栄養所要量」,「健康づくりのための休養指針」発表 ・保健所法が**地域保健法**に改正.市町村保健センターが法定化される ・健康保険法等の一部改正により,基準給食制度が廃止され,**入院時食事療養制度**の創設	2002	14	・栄養士・管理栄養士養成施設におけるカリキュラムの改定 ・**健康増進法**公布(栄養改善法改廃)
			2003	15	・健康増進法施行 ・「**健康づくりのための睡眠指針**」策定 ・学校給食の栄養所要量,食事内容の改訂
1995	7	・食品衛生法及び栄養改善法の一部を改正する法律公布,**栄養表示基準制度を創設** ・国民栄養調査の方法が改正され,栄養摂取状況調査は世帯単位に加えて個人別に1日だけの調査となる ・科学技術庁「日本ビタミンK,B₆,B₁₂成分表」発表 ・学校給食の所要栄養量の基準および標準食品構成表の改訂	2004	16	・厚生労働省「食を通じた子どもの健全育成(─いわゆる「食育」の視点から─)のあり方に関する検討会」報告書発表 ・学校教育法等の一部を改正する法律公布,学校給食法の一部改正により,**栄養教諭**が創設(平成17年4月1日施行) ・厚生労働省「日本人の食事摂取基準(2005年版)」発表
			2005	17	・食育基本法公布・施行 ・厚生労働省,農林水産省より「**食事バランスガイド**」発表
1996	8	・腸管出血性大腸菌感染症が指定伝染病として指定される ・「栄養表示基準」告示 ・公衆衛生審議会「生活習慣に着目した疾病対策の基本的方向性について」意見具申,「**生活習慣病**」という新たな概念を導入	2006	18	・食育推進基本計画 ・妊産婦のための食生活指針
			2007	19	・授乳・離乳の支援ガイド
			2008	20	・特定健診・特定保健指導
1997	9	・科学技術庁「五訂日本食品標準成分表─新規食品編」発表 ・地域保健法全面施行 ・厚生省「21世紀の栄養・食生活のあり方検討会報告書」発表 ・厚生省「生涯を通じた健康づくりのための運動のあり方検討会報告書」発表 ・厚生省組織再編により地域保健・健康増進栄養課を新設,同課に生活習慣病対策室を設置 ・**介護保険法**等関連三法公布			・「食物アレルギーの栄養指導の手引き」「食物アレルギーの診療の手引き」発表
			2009	21	・食品表示に関する制度が消費者庁へ移管
			2009	21	・**学校給食法改正**(平成21年4月1日施行) ・厚生労働省「日本人の食事摂取基準(2010年版)」発表
			2010	22	・第二次食育推進基本計画
			2012	24	・文部科学省「日本食品標準成分表2010」発表 ・二十一世紀における第二次国民健康づくり運動「健康日本21(第二次)」発表
			2013	25	・健康づくりのための身体活動基準2013
1998	10	・厚生省「21世紀の管理栄養士等あり方検討会報告書」発表 ・厚生省「21世紀の国民栄養調査のあり方検討会報告書」発表	2014	26	・厚生労働省「日本人の食事摂取基準(2015年版)」発表 ・健康づくりのための睡眠指針2014発表
			2015	27	・文部科学省「日本食品標準成分表2015(七訂)」発表
1999	11	・厚生省第六次改定「日本人の栄養所要量」発表,**食事摂取基準の概念を新たに導入**	2016	28	・第3次食育推進基本計画策定
2000	12	・第三次国民健康づくり運動「健康日本21」発表 ・厚生省,文部省,農林水産省3省より新しい「食生活指針」発表 ・介護保険法の施行 ・栄養士法の一部を改定する法律公布,管理栄養士の業務内容が「傷病者に対する療養のため必要な栄養の指導等」と明確化され,登録制から免許制への変更および管理栄養士国家試験の受験資格の改定がな	2019	令和元	・「授乳・離乳の支援ガイド(2019年改訂版)」作成 ・「日本人の食事摂取基準2020年版」策定
			2020	令和2	・文部科学省「日本食品標準成分表2020年版(八訂)」発表
			2021	3	・第4次食育推進基本計画(令和4〜8年度)
			2022	4	・健康日本21(第三次)
			2023	5	・日本人の食事摂取基準(2025年版) ・健康づくりのための身体活動・運動ガイド2023 ・健康づくりのための睡眠ガイド2023

索　引

A～Z

ADHA	220
ADL	172
advise	38
1, 5AG	197
agree	38
arrange	38
assess	38
assist	38
Child to Child	131
DOHaD	9
GA	197
GI 値	199
GSD フォーミュラ	120
HbA1c	196
HRT	178
IDDM	195
IgE 抗体	121
IOR theory	47
JSH	209
KAB モデル	24
LD	220
MRSA	179
NCD	8
NIDDM	195
OGTT	195
PEM	172
QALY	81
QOL	1, 150, 171, 215
SOAP	73
TTM	21
6W1H1B	71

あ

アイデンティティ	135
アウトカム評価	80
アウトカム目標	70
アシドーシス	120
アディポサイトカイン	192
アディポシティー・リバウンド	120
アテトーゼ型	216
アドレナリン	164
アルコール幻覚症	217
アルコールてんかん	217
アルツハイマー型	217
アルツハイマー型認知症	218
アレルギー	121
アレルギー物質を含む食品表示	121
アレルゲン	121
生きた教材	131
育児性の育成	87
維持	29
意識障害	215
意思決定バランス	20, 21
1 型糖尿病	195
一次的認知評価	26
一次予防	149
一斉学習	78
一斉学習とグループ学習の混合型	79
イノベーション	28
イノベーションの開発	28
イノベーション普及理論	28
イメージ・マッピング法	156
インスリン注射薬	201
インスリン抵抗性	197
咽頭期	180
ウエスト周囲長	186
運動	75
運動強度	200
影響評価	80
栄養アセスメント	53, 54
栄養カウンセリング	33
栄養管理体制加算	219
栄養教育	1, 15
栄養教育マネジメント	54
栄養教諭	10, 130
栄養ケア	53
栄養指数	58
栄養スクリーニング	53
栄養の阻害	61
栄養マネジメント	53
栄養マネジメントシステム	53
エストロゲン	177
嚥下障害	171, 179, 211, 215
エンゼルプラン	118
エンパワメント	28, 47
応益負担	219
応能負担	219
オピオイド	164
オペラント強化	18
オペラント条件づけ	17

か

外因性精神障害	217
介護給付	219
介護支援専門員	174
介護保険制度	174
介護予防	12, 174
外的刺激	18
回避型	27
買い物困難者	174
買い物弱者	174
買い物難民	174
カウンセリング	33
学習形態	3
学習指導要領	129
学習障害	220
学習目標	70
拡張期血圧	208
課題の優先順位	67
学校医	134
学校給食の管理	11
学校給食法	131
学校保健安全法	66
カットオフ値	56
滑膜関節	179
家庭血圧	209
カリキュラム	71
カリキュラム・マネジメント	129
カルシトニン	177
感音性	216
環境目標	70
環境要因	64
観察法	65
肝障害	217
間食	127
関節リウマチ	179
感染	215
感染症	179
関与型	27
基準範囲	56
規則正しい生活リズム	139
基礎代謝量	59
きっかけ	17
機能障害	171
給食実施率	143
牛乳・乳製品	75
強化子	18
強化刺激	18
教材	3
共通的サービス	174
協同的	36
筋肉量	175
果物	75
クライエント	33
クライエント中心	36

索 引

グリセミックインデックス	199
グループ学習	78
グループダイナミクス	46
グルコアルブミン	197
クロックポジション	216
ケアプラン	174
計画的行動理論	23
経口摂取訓練	215
経口ブドウ糖負荷試験	100
警告期	163
傾聴	36
痙直型	216
結果	17
結果期待	24
結核	179
結果評価	80
結果（アウトカム）目標	69, 80
結合関節	179
ケトアシドーシス	198
減塩効果	166
減塩の日	167
健康寿命	149
健康寿命の延伸	4
健康増進法	65
健康な食事	50
健康のための行動変容	22
言語的コミュニケーション	30
原発性肥満	185, 186
交感神経	162
口腔期	180
高血圧症	208
高血圧治療ガイドライン	208
抗原	121
口唇の開閉	215
構成効果	47
抗体	121
肯定	37
行動	17, 24
行動意図	23
行動カウンセリング	38
行動科学	15
行動型	27
行動契約	23
行動置換	18
行動的変容過程	21
行動分析	19
行動変容段階モデル	21
行動変容の準備性	21
行動目標	70
行動療法	39
高度肥満	186
合理的行動理論	23
誤嚥	171, 217
コーディネート	47
コーピング	26
国民健康・栄養調査	65
心と身体の健康	113
心の葛藤	39
孤食	127
個人間誤差	64
個人内誤差	64
個人要因	64
子育て世代包括支援センター	86
骨塩量	177
骨強度	176
骨折	177
骨折危険域	177
骨粗鬆症	171, 177
子ども・子育て応援プラン	118
子ども食堂	131
個別学習	79
個別指導	134
個別的な相談指導	134
コミュニティ	28
コミュニティオーガニゼーション	28
コルチゾール	164
混合栄養	107

さ

サービング	75
座位の安定性	215
採用	29
サルコペニア	175
三大合併症	195
自記式	64, 65
刺激-反応理論	17
嗜好	105
自己監視法	25
自己管理能力	3
自己効力感	24
自己調整	25
仕事と生活を調和	153
支持	37
資質	130
脂質異常症	201
思春期・青年期	135
思春期やせ症	138
自信	22
舌の突出	217
膝関節	176
実行	29
実施	53
実測法	64
疾病構造	4
疾病の発症	1
質問票法	65
社会関係資本	47
社会技術訓練	25
社会計画	28
社会性の獲得	174
社会的学習理論	24
社会的認知理論	24, 38
視野障害	216
収縮期血圧	208
重症心身障害	215
集団を対象にした食に関する指導	133
重要性	22
主観的規範	23
主菜	75
主治医	134
主食	75
授乳・離乳の支援ガイド	92, 93
授乳・離乳の支援ガイド(2019年改定版)	93
授乳の支援のポイント	105
障害者支援費制度	218
障害者自立支援法	219
消化能力の減少	171
症候性高血圧症	208
症候性肥満	185
情動焦点型	27
情動的サポート	27
情報的サポート	28
情報へのアクセス	48
上腕筋周囲	59
上腕筋面積	59
上腕周囲径	58
食	112
食育	112, 129, 220
食育基本法	129
食育の視点	130
食育白書	129
食塩相当量	167
食行動の変容	3
食事介護	179
食事基本法	220
食事調査	54, 60, 64
食事のQOL	171
食事のリズム	105
食習慣	15
食生活	4
褥瘡	171, 179, 215
食道期	180
食に関する指導	11, 130
食に関する指導の手引き	130
食のスキル	113
食の文化と環境	113
食文化	131
食物アレルギー	108, 121, 134
食物アレルギー対応委員会	135
食物へのアクセス	48
食を営む力	112

除脂肪組織	59
除脂肪体重	191
自立訓練等給付	219
自律神経系	163
自律神経失調症	162
視力障害	216
心因性精神障害	217
新エンゼルプラン	118
人工栄養	107
人口動態統計	66
診察室血圧	209
振戦せん妄	217
身体計測	54, 58
身体障がい者	215
身体療法	217
新保育所保育指針	114
推奨体重増加量	90
水分	75
健やか親子21	118
健やか親子21（第2次）	9, 86, 89, 112, 118
ストレス	162
ストレスの相互作用モデルとコーピング	26
ストレスマネジメント	26
ストレッサー	26, 162
スマート・ライフ・プロジェクト	10, 167
スモールステップ	25
生活環境	4
生活技術獲得	218
生活習慣病	1, 149, 151
生活障害	217
生活の質	150, 171
生活リズム	104
生活療法	217
清潔な介護環境の整備	179
成人期	150
精神機能全般の機能低下	217
精神障がい者	215
成人病胎児期発生説	87
精神療法	217
生態学的モデル	32
静的アセスメント	55
正の強化	18, 26
摂食・嚥下	179
摂食・嚥下障害	180
摂食障害	137
セルフヘルプグループ	46
セルフモニタリング	25
セロトニン	165
選択的サービス	174
相互作用	36
ソーシャルアクション	28
ソーシャルキャピタル	28, 47
ソーシャルサポート	27
ソーシャルスキルトレーニング	25
ソーシャルネットワーク	27
ソーシャルマーケティング	32
組織開発の理論	46
組織間関係論	47

た

代謝症候群	183
対人関係	27
態度	23, 24
体内時計	104
第二期	151
第二次性徴	135
第二反抗期	135
他記式	64, 65
脱水症	95
楽しく食べる子ども	113
楽しく食べる子どもに―食からはじまる健やかガイド―	112, 142
食べる力	108
単純性肥満	185
地域開発	28
地域包括支援センター	174
知覚された行動のコントロール感	23
知識	24
知的障がい者	215
チャネル	29
注意欠陥多動性障害	220
朝食欠食	127
朝食欠食率	139
つわり	95
ディーセント・ワーク	154
低栄養	12, 172
デイケア	218
低血糖症状	200
抵抗期	163
低出生体重児	87
低出生体重児粉乳	107
適応現象	191
鉄欠乏性貧血	140
デメリット	20
伝音性	216
転倒防止	178
動機付け	3
動機付け面接	22, 39
道具的サポート	27
統合失調症	217
動作能力	215
動的アセスメント	55
糖尿病	120, 195
糖尿病食事療法のための食品交換表（第7版）	198
糖尿病性腎症	200
糖尿病性腎症の食品交換表	200
動脈硬化症	201
動脈硬化性疾患予防ガイドライン2017年版	201
ドーパミン	164, 165
特別支援学級	220
特別支援教育	220
トランスセオレティカルモデル	21, 38

な

内因性精神病	217
内的刺激	18
ナイトケアのための施設	218
内分泌系	163
ナッジ	30
2型糖尿病	195
二次性肥満	185
二次的の認知評価	26
日常生活動作	172
乳汁栄養	105
乳幼児身体発育曲線	103, 121
乳幼児突然死症候群	89, 114
妊産婦のための食事バランスガイド	90
妊産婦のための食生活指針	89, 90
妊娠悪阻	95
妊娠期の至適体重増加チャート	91
妊娠高血圧症候群	97, 100
妊娠糖尿病	99
妊娠肥満	96
妊娠貧血	96
認知型	27
認知行動療法	39
認知再構成	21, 39
認知症	171
認知的変容過程	21
認知的要因	16
認知療法	39
ネグレクト	118
脳血管性認知症	218
脳梗塞	177
脳出血	177
脳性麻痺	216
脳卒中	177, 210
能力	130
ノーマリゼーション	118, 218
ノルアドレナリン	164

は

パーセンタイル曲線	121
バイアス	64
肺炎	179
媒体	3
母親学級	89

索引

反応妨害・拮抗	18
ピアエデュケーション	143
非感染性疾病	8
非言語的コミュニケーション	30
人とのかかわり	113
疲弊期	163
肥満	150, 183, 208
肥満関連腎臓病	186
肥満症診療ガイドライン2016	185
ヒューリスティック	31
評価	53, 77
評価的サポート	27
評価の基準	79
評価の指標	79
標準体重	186
開かれた質問	37
貧血	140
フィードバック	53
フェニルケトン尿症の治療方針（第2次改定）	119
フォーカスグループインタビュー法	65
フォローアップミルク	107
普及	29
副交感神経	162
副菜	75
不健康やせ	137
不随意運動	215
ブドウ球菌	179
負の強化	26
プリシード	31
プリシード・プロシードモデル	31
フレイル	175
プロシード	31
プロテオグリカン	179
β-エンドルフィン	164
ベビーフード	108
ヘム鉄	141
ヘルスコミュニケーション	30
ヘルスビリーフモデル	20
ヘルスプロモーション	2
ヘルスリテラシー	30
変形性関節症	179
片麻痺状態	217
変容	3
変容過程	21
変容段階	21
保育所における食育に関する指針	114
保健指導	193
保健統計	65
母子保健法施行規則	118
母乳栄養	105
母乳推進運動	107
骨の脱灰化	178
ホルモン	163
ホルモン補充療法	178
本態性高血圧症	208

ま

マーケティングミックス	32
まだら認知症	218
味覚	105
未熟児網膜症	216
脈絡的効果	48
メタボリックシンドローム	150, 192, 208
メラトニン	164
メリット	20
免疫系	163
免疫反応	121
面接法	65
目標宣言	23
目標を達成するため	36
モデリング	25
モニタリング	53
問題解決	25
問題焦点型	27

や・ら・わ

夜食	127
やる気	164
有酸素運動	200
要約	37
予防給付制度	174
予防通所介護	174
予防訪問介護	174
ライフイベント	173
ライフスタイル	150
リスクコミュニケーション	30
離乳	108
離乳の支援	108
リハビリテーション	218
臨床検査	54, 56, 64
臨床診査	54, 55
倫理的配慮	144
冷凍母乳	107
レスポンデント条件づけ	17
老人性白内障	216
ロールプレイ	25
ロコモティブシンドローム	175
ワーク・ライフ・バランス	153

章末練習問題・解答

問題番号	1	2	3	4	5	6	7	8	9	10	11	12	13	14	15	16	17	18	19	20	21	22	23	24	25	26	27	28	29	30	31	32	33	34	35	36	37	38	39	40	41	42	43
1章	×	○	×	○	×	○	×	○	○	○	○	○	○	○	○	○	○																										
2章	○	×	○	○	×	○	○	×	○	×	○	×	×	○	×	○	×	×	○	×	○	×	○	×	×	○	×	○	○	○	○	○	×										
3章	×	×	○	×	×	×	○	×	×	○	×	×	×	×	×	○	×	×	×	×	×	×	○	×	×	○	×	○	×	×	○	×	×	×	○	×	×	○	×	○	○	○	○

問題番号	44	45	46	47	48	49	50	51	52	53	54
3章	×	×	×	○	×	×	×	○	×	○	×

問題番号	1	2	3	4	5	6	7	8	9	10	11	12	13	14	15	16	17	18	19	20	21	22	23	24	25	26	27	28	29	30	31	32	33	34	35	36	37	38	39	40	41	42	43
4章	○	×	○	×	○	×	○	×	○	○	○	×	○	×	×	×	○	×	○	×	○	×	○	○	○	○																	
5章	×	○	×	×	○	×	○	×	×	×	○	×	○	×	○	×	○	×	×	○	×	○																					
6章	○	×	○	×	○	×	○	○	○	×	○	×	×	×	○	○																											
7章	○	○	○	×	○	×																																					
8章	×	○	×	○																																							
9章	○	×	○	×	○	×	○	×	○	×	○	×	○	×	○	×	×	×	○	○	○	○	○	○																			
10章	×	○	×	○	×	○	×	○	○	×	○	×	○	○	×	×																											

● 執筆者紹介 ●

中山 玲子(なかやま れいこ)
京都大学大学院農学研究科修了
現　在　京都女子大学特任教授・名誉教授
農学博士

廣瀬 潤子(ひろせ じゅんこ)
京都大学大学院農学研究科修了
現　在　京都女子大学家政学部教授
博士（農学）

赤松 利恵(あかまつ りえ)
京都大学大学院医学研究科修了
現　在　お茶の水女子大学基幹研究院自然科学系
　　　　教授
博士（社会健康医学）

稲井 玲子(いない れいこ)
徳島大学大学院医学研究科修了
現　在　奈良女子大学生活環境学部特任教授
農学博士

北村 真理(きたむら まり)
大阪市立大学大学院医学研究科修了
現　在　武庫川女子大学食物栄養科学部准教授
医学博士

宮崎 由子(みやざき よしこ)
武庫川女子大学大学院文学研究科修了
大阪市立大学大学院医学研究科研究生
現　在　前 龍谷大学農学部教授
医学博士

山口 光枝(やまぐち みつえ)
兵庫県立大学大学院環境人間学研究科修了
現　在　広島国際大学健康科学部教授
博士（環境人間学）

能瀬 陽子(のせ ようこ)
兵庫県立大学大学院環境人間学研究科修了
現　在　兵庫大学健康科学部栄養マネジメント学科
　　　　教授
博士（環境人間学）

上田由喜子(うえだ ゆきこ)
大阪教育大学大学院教育学研究科修了
現　在　龍谷大学農学部教授
栄養学博士

岡崎 史子(おかざき ふみこ)
京都女子大学大学院家政学研究科修了
現　在　龍谷大学農学部講師
博士（家政学）

岡本 秀己(おかもと ひでみ)
大阪市立大学大学院生活科学研究科修了
現　在　前 梅花女子大学食文化学部教授
学術博士

（執筆順）

新 食品・栄養科学シリーズ
栄養教育論（第6版）

第1版　第1刷	2004年7月20日	
第2版　第1刷	2008年3月31日	
第3版　第1刷	2010年9月20日	
第4版　第1刷	2012年10月20日	
第5版　第1刷	2016年4月20日	
第6版　第1刷	2021年4月1日	
第4刷	2025年2月10日	

編　者　　中山　玲子
　　　　　宮崎　由子
発行者　　曽根　良介

検印廃止

JCOPY 〈出版者著作権管理機構委託出版物〉
本書の無断複写は著作権法上での例外を除き禁じられています．複写される場合は，そのつど事前に，出版者著作権管理機構（電話 03-5244-5088，FAX 03-5244-5089，e-mail: info@jcopy.or.jp）の許諾を得てください．

本書のコピー，スキャン，デジタル化などの無断複製は著作権法上での例外を除き禁じられています．本書を代行業者などの第三者に依頼してスキャンやデジタル化することは，たとえ個人や家庭内の利用でも著作権法違反です．

発行所　　（株）化学同人
〒600-8074　京都市下京区仏光寺通柳馬場西入ル
編集部　Tel 075-352-3711　Fax 075-352-0371
企画販売部　Tel 075-352-3373　Fax 075-351-8301
振替 01010-7-5702
e-mail webmaster@kagakudojin.co.jp
URL https://www.kagakudojin.co.jp
印刷・製本　（株）太洋社

Printed in Japan © R. Nakayama et al., 2021　無断転載・複製を禁ず　ISBN978-4-7598-1648-8
乱丁・落丁本は送料小社負担にてお取りかえします．

ガイドライン準拠 新 食品・栄養科学シリーズ

○ ガイドラインの改定に準拠した内容．国家試験対策にも役立つ．
○ 各巻B5，2色刷で見やすいレイアウト．

社会・環境と健康
――公衆衛生学
川添禎浩・吉田 香 編

食べ物と健康❶
食品学総論 第3版
森田潤司・成田宏史 編

食べ物と健康❷
食品学各論 第3版
食品素材と加工学の基礎を学ぶ
瀬口正晴・八田 一 編

食べ物と健康❸
食品加工学 第2版
西村公雄・松井徳光 編

食べ物と健康❹
調理学 第3版
木戸詔子・池田ひろ 編

食べ物と健康❺
新版 食品衛生学
川添禎浩 編

人体の構造と機能及び疾病の成り立ち
生化学 第2版
福田 満 編

基礎栄養学 第5版
灘本知憲 編

応用栄養学 第5版
福渡 努・岡本秀己 編

栄養教育論 第6版
中山玲子・宮崎由子 編

給食経営管理論
――新しい時代のフードサービスとマネジメント 第5版
中山玲子・小切間美保 編

詳細情報は，化学同人ホームページをご覧ください．
https://www.kagakudojin.co.jp

～ 好評既刊本 ～

栄養士・管理栄養士をめざす人の
基礎トレーニングドリル
小野廣紀・日比野久美子・吉澤みな子 著
B5・2色刷・168頁・本体1900円
専門科目を学ぶ前に必要な化学，生物，数学（計算）の基礎を丁寧に記述．入学前の課題学習や初年次の導入教育に役立つ．

大学で学ぶ
食生活と健康のきほん
吉澤みな子・武智多与理・百木 和 著
B5・2色刷・160頁・本体2200円
さまざまな栄養素と食品，健康の維持・増進のために必要な食生活の基礎知識について，わかりやすく解説した半期用のテキスト．

栄養士・管理栄養士をめざす人の
調理・献立作成の基礎
坂本裕子・森美奈子 編
B5・2色刷・112頁・本体1500円
実習系科目（調理実習，給食経営管理実習，栄養教育論実習，臨床栄養学実習など）を受ける前の基礎づくりと，各専門科目への橋渡しとなる．

図解 栄養士・管理栄養士をめざす人の
文章術ハンドブック
――ノート，レポート，手紙・メールから，履歴書・エントリーシート，卒論まで
西川真理子 著／A5・2色刷・192頁・本体2000円
見開き1テーマとし，図とイラストをふんだんに使いながらポイントをわかりやすく示す．文章の書き方をひととおり知っておくための必携書．